MATKALLE MUKAAN -SANAKIRJA

SUOMI
ENGLANTI
SUOMI

Gummerus

Toimitus Kirsti Tirkkonen ja
Marsa Luukkonen (ensimmäinen laitos);
Hanna Pelttari, Mikko Virtanen, ja
Gummerus Kustannuksen sanakirja-
toimitus (uudistettu laitos)
Ulkoasun suunnittelu Jani Pulkka
Taitto Kristian Töyrä, Timehouse Oy ja
Nina Kajavo

Sanakirjan ensimmäinen
painos ilmestyi vuonna 1992.
Toinen, uudistettu laitos,
sen ensimmäinen painos

© Gummerus Kustannus Oy 2008
ISBN 978-951-20-7618-5

Gummerus Kirjapaino Oy
Jyväskylä 2008

Alkusanat

Gummeruksen *Matkalle mukaan* -sanakirja on laadittu helpoksi kielioppaaksi kaikille suomalaisille matkailijoille. Vuonna 1992 ensimmäisen kerran julkaistun sanakirjan hakusanasto on kauttaaltaan tarkistettu, ja sanastoa on ajantasaistettu tuhansilla uusilla sanoilla. Hakusanaston päivityksessä on otettu huomioon tämän päivän matkailijan tarpeet aina Internet-varauksista ja biometrisista passeista reppumatkailuun, tekstiviesteihin ja turvatarkastuksiin.

Yleiskielisen perussanaston lisäksi mukana on runsaasti sanastoa, jota suomalainen matkailija tarvitsee suunnitellessaan ja varatessaan matkaa, matkustaessaan erilaisilla kulkuvälineillä, majoittuessaan hotelliin ja muihin majapaikkoihin, tutustuessaan kohdemaan nähtävyyksiin ja nauttiessaan vieraan maan kulttuurista, urheilusta ja erilaisista huvituksista. Erityisen paljon hakusanastoa on täydennetty ruokakulttuuriin liittyvillä sanoilla. Hakusanojen eri merkityksistä on otettu mukaan vain kaikkein yleisimmät, ja eri käännösvaihtoehdoista on esitetty matkailijalle olennaisimmat. Asioimislauseita sanakirjaan on koottu monipuolisesti, ja kirjan lopussa on lisäksi perustietoa kohdemaasta.

Antoisaa matkaa Gummeruksen
matkasanakirjan seurassa!

Sisällys

Aakkoset

A	[ei]	**N**	[en]
B	[bi:]	**O**	[əu]
C	[si:]	**P**	[pi:]
D	[di:]	**Q**	[kju:]
E	[i:]	**R**	[a:(r)]
F	[ef]	**S**	[es]
G	[dʒi:]	**T**	[ti:]
H	[eitʃ]	**U**	[ju:]
I	[ai]	**V**	[vi:]
J	[dʒei]	**W**	[dʌblju:]
K	[kei]	**X**	[eks]
L	[el]	**Y**	[wai]
M	[em]	**Z**	[zed]

Sanakirjan käyttöohjeet

HAKUSANASTON RAKENNE JA ESITYSTAPA

Päähakusanat esitetään molemmissa kielisuunnissa lihavoituina. Suomi–englanti-osassa suomen hakusanojen englanninkieliset vastineet esitetään tavallisin kirjaimin kuten myös englanti–suomi-osassa englannin hakusanojen suomennokset. Sulkeissa esitetään sanan käytön ja merkityksen täsmennyksiä sekä vaihtoehtoisia sanan osia.

ÄÄNTÄMISOHJEET

Englannin sanojen ääntämisohjeet esitetään hakasulkeissa. Ääntämisohje on pyritty antamaan kaikille hakusanoille. Sanan tai ilmaisun pääpaino osoitetaan korkomerkillä painollisen tavun edessä. Painoa ei kuitenkaan ole merkitty yksitavuisille sanoille, joiden paino on automaattisesti sanan alussa.

Ääntämisohjeet on pyritty tekemään selkeiksi ja yksinkertaisiksi, ja siksi niissä on käytetty mahdollisimman vähän erikoismerkkejä. Kaksoispistettä käytetään osoittamaan pitkää vokaalia, esim. easy ['i:zi].

Ääntämisohjeissa on käytetty seuraavia erikoismerkkejä:

merkki	ääntäminen	esimerkki
ʌ	lyhyt a	but [bʌt]
ɔ	avonainen o	hall [hɔːl]
æ	ä	fan [fæn]
ə	avonainen ja painoton ö	banana [bəˈnaːnə]
ɜ	ö	return [riˈtɜːn]
ʒ	soinnillinen suhuäänne	pleasure [pleʒə]
dʒ		just [dʒʌst]
ʃ	soinniton suhusibilantti	ship [ʃip]
tʃ		child [tʃaild]
ŋ	äng-äänne	sing [siŋ]
ð	soinnillinen th-äänne	they [ðei]
θ	soinniton th-äänne	thing [θiŋ]
z	soinnillinen, terävä s	zoo [zuː]

Hakusanasto

SUOMI
ENGLANTI

Aa

aallonpituus wavelength ['weivleŋθ]

aalto wave [weiv]

aaltoileva wavy ['weivi]

aamiainen breakfast ['brekfəst]

aamiaismajoitus bed and breakfast [bed ænd 'brekfəst]

aamu morning ['mɔ:niŋ]

aamukahvi early morning coffee [ɜ:li mɔ:niŋ 'kofi]

aamutakki dressing gown ['dresiŋ gaun]

aarre treasure ['treʒə]

aarrekammio treasure chamber [treʒə 'tʃeimbə]

aasi donkey ['doŋki]

aate ideology [aidi'olədʒi]

aatelinen aristocrat ['æristəkræt]

aatto eve [i:v]

aave ghost [gəust]

aavistaa suspect [sə'spekt]

aavistus suspicion [sə'spiʃən]

abortti abortion [ə'bɔ:ʃn]

adapteri adapter [ə'dæptə]

aerobic aerobics [eə'rəubiks]

ahdas narrow ['nærəu], tight [tait]

ahdasmielinen narrow-minded [nærəu'maindid]

ahdistella harass ['hærəs]

ahkera hard-working [ha:d'wɜ:kiŋ]

ahne greedy ['gri:di]

ahven perch [pɜ:tʃ]

aids AIDS [eidz]

aihe subject ['sʌbdʒekt]

aiheuttaa cause [kɔ:z]

aika time [taim]

aikaero time zone difference [taim zəun 'difrəns]

aikaerorasitus jet lag ['dʒet læg]

aikaisempi earlier ['ɜ:liə]

aikaisin early ['ɜ:li]

aikakausi epoch ['i:pok]

aikakauslehti magazine [mægə'zi:n]

aikana during ['djuəriŋ]

aikataulu timetable ['taimteibl], schedule ['ʃedju:l]

aikavyöhyke time zone ['taim zəun]

aikomus intention [in'tenʃn]

aikuinen adult ['ædʌlt]

aina always ['ɔ:lweiz]

aitio box [boks]

aito genuine ['dʒenjuin]

aivastaa sneeze [sni:z]

aivot brain [brein]

aivotärähdys concussion [kən'kʌʃn]

ajaa (autoa) drive [draiv]

ajaa ohi pass [pa:s]

ajaa parta shave [ʃeiv]

ajaja driver ['draivə]

ajankohtainen current ['kʌrənt]

ajanvaraus appointment [ə'pɔintmənt]

ajanviete entertainment [entə'teinmənt]

ajatella think [θiŋk]

ajatus thought [θɔ:t]

ajelu drive [draiv]

ajoittain at times [ət 'taimz]

ajokaista lane [lein]

ajokortti driving licence ['draiviŋ 'laisns]

ajonestolaite electronic immobiliser [ilek'tronik i'məubilaizə]

ajoneuvo vehicle ['vi:ikl]

akku battery ['bætəri]

akryyli acrylic [ə'krilik]

akseli axle ['æksl]

akuutti acute [ə'kju:t]

akvaario aquarium [ə'kweəriəm]

akvaviitti aquavit ['a:kwə-vi:t]

alaikäinen minor ['mainə]

alakuloinen dispirited [di'spiritid]

alas down [daun]

alaston naked ['neikid]

alavuode lower berth ['ləuə bɜ:θ]

alennus discount ['diskaunt]

alennuslippu reduced-fare ticket [ri'dju:st feə 'tikit]

alennusmyynti sale [seil]

aliarvioida underestimate [andər'estimeit]

alikulkutunneli subway ['sʌbwei]

alkaa begin [bi'gin], start [sta:t]

alkaen as from [əz from]

alkeis- basic ['beisik]

alkoholi alcohol ['ælkəhol]

alkoholi- alcoholic [ælkə-'holik]

alkoholiliike off-licence ['of laisns]

alkoholiton non-alcoholic [nonælkə'holik]

alkometri alcometer ['ælkəmi:tə], breath-alyser ['breθəlaizə]

alku beginning [bi'giniŋ]

alkupala appetizer ['æpitaizə]

alkusoitto intro ['intrəu]

alla under ['ʌndə]

allas pool [pu:l]

allekirjoittaa sign [sain]

allekirjoitus signature ['signətʃə]

allergia allergy ['ælədʒi]

allerginen allergic [ə'lɜ:dʒik]

aloittelija beginner [bi'ginə]

alpakka alpaca [æl'pækə]

altto alto ['æltəu]

alue district ['distrikt]

alumiinifolio tin foil ['tin fɔil]

alushame petticoat ['petikəut]

alushousut briefs [bri:fs], (miesten) underpants ['ʌndəpænts], (naisten) knickers ['nikəz]

aluspaita vest [vest]

alusvaatteet underwear ['ʌndəweə]

ambulanssi ambulance ['æmbjuləns]

Amerikka America [ə'merikə]

amerikkalainen American [ə'merikən]

amfiteatteri amphitheatre ['æmpfiθiətə]

ammatti profession [prə'feʃn]

ammatilainen professional [prə'feʃənəl]

ammoniakki ammonia [ə'məuniə]

ampua shoot [ʃu:t]

amuletti amulet ['æmjulət]

analysoida analyse ['ænəlaiz]

analyysi analysis [ə'næləsis]

ananas pineapple ['pain-æpl]

anemia anaemia [ə'ni:miə]

anjovis anchovy ['æntʃəvi]

ankerias eel [i:l]

ankka duck [dʌk]

annos (ruoka-) portion ['pɔ:ʃn], (lääke-) dose [dəus]

anoa ask for ['a:sk fɔ:], beg [beg], plead [pli:d]

ansa trap [træp]

ansaita earn [ɜ:n]

ansio profit ['profit]

antaa give [giv]

antaa anteeksi forgive [fə'giv]

antaa lainaksi lend [lend]

antaa myöten succumb [sə'kʌm]

antaa palautetta give feedback [giv 'fi:dbæk]

antaa toimeksi assign to [ə'sain tə]

antaa työtä employ [im'plɔi]

antaa vuokralle let [let]

anteeksi! sorry! ['sori]

anteeksianto forgiveness [fə'givnəs]

anteeksipyyntö excuse [ik'skju:s]

anteliaisuus generosity [dʒenə'rositi]

antelias generous ['dʒenərəs]

antenni antenna [æn'tenə]

antibiootti antibiotic [æntibai'otik]

antiikki antiquity [æn'tikwəti]

antiikkiesineet antiques [æn'ti:ks]

antiikkiliike antique shop [æn'ti:k ʃop]

antiseptinen antiseptic [ænti'septik]

antiseptinen aine antiseptic [ænti'septik]

A-olut strong beer [stroŋ 'biə]

aperitiivi aperitif [əperi'ti:f]

apila clover ['kləuvə]

apina monkey ['mʌŋki]

appelsiini orange ['orinʤ]

appelsiinimehu orange juice ['orinʤ ʤu:s]

appivanhemmat parents-in-law ['peərənts in lɔ:]

aprikoosi apricot ['eiprikot]

apteekki chemist's ['kemists]

apua! help! [help]

areena arena [ə'ri:nə]

arkeologia archaeology [a:ki'oləʤi]

arkipäivä weekday ['wi:kdei]

arkipäiväinen everyday ['evridei]

arkisto archive [a:'kaiv]

arkkipiispa archbishop [a:tʃ'biʃəp]

arkkitehti architect ['a:kitekt]

arkkitehtuuri architecture ['a:kitektʃə]

armanjakki armagnac ['a:mənjʌk]

armeija army ['a:mi]

arpi scar [ska:]

artisokka artichoke ['a:titʃəuk]

arvata guess [ges]

arveluttava dubious [dju:biəs]

arvio estimate ['estimət]

arvioida estimate ['estimeit]

arvo value ['vælju:], worth [wɜ:θ]

arvoesineet valuables ['væljuəblz]

arvoitus riddle ['ridl]

arvonimi honorary title ['onərəri taitl]

arvonlisävero (alv) value added tax [vælju: 'ædid tæks], V.A.T [vi: ei 'ti:]

arvostaa appreciate [ə'pri:ʃieit]

arvostus appreciation [ə'pri:ʃi'eiʃn]

arvoton worthless ['wɜ:θləs]

ase gun [gʌn]

asemalaituri platform ['plætfɔ:m]

asenne attitude ['ætitju:d]

asettaa lay [lei]

asfaltti asphalt ['æsfælt]

asia matter ['mætə]

asianajaja lawyer ['loiə]

asiantuntija expert ['eksp3:t]

asiointiluukku counter ['kauntə]

askel step [step]

aspiriini aspirin ['æspirin]

asti ① (paikasta) as far as [əz 'fa:r əz] ② (ajasta) till [til]

astiasto dinner service ['dinə s3:vis]

astma asthma ['æsmə]

asua live [liv], reside [ri'zaid]

asuinpaikka domicile
['domisail]
asukas inhabitant
[in'hæbitənt]
asunto flat [flæt]
asuntovaunu camper
['kæmpə], caravan
['kærəvæn]
asuste accessory [ək'sesəri]
Ateena Athens ['æθens]
ateria meal [mi:l]
Atlantti the Atlantic [ði
ət'læntik]
audiovisuaalinen audio-
visual [ɔ:diəu'viʒuəl]
auki open ['əupən]
aukio square [skweə]
aukioloaika opening hours
['əupeniŋ auəz]
aula hall [hɔ:l]
auringon polttama sun-
burnt ['sʌnbɜ:nt]
auringonlasku sunset
['sʌnset]
auringonnousu sunrise
['sʌnrais]
auringonpistos sunstroke
['sʌnstrəuk]
auringonvarjo sunshade
['sʌnʃeid]
aurinko sun [sʌn]
aurinkohattu sunhat
['sʌnhæt]
aurinkoinen sunny ['sʌni]
aurinkokatos sunshade
['sʌnʃeid]
aurinkolasit sunglasses
['sʌngla:siz]

aurinkovoide sunscreen
['sʌnskri:n], sunblock
['sʌnblok]
Australia Australia
[o'streiliə]
australialainen Australian
[o'streiliən]
autio deserted [di'zɜ:tid]
autiomaa desert ['dezət]
auto car [ka:]
autojuna motorail service
['məutəreil sɜ:vis]
autokorjaamo garage
['gæra:ʒ]
autolautta car ferry ['ka:
feri]
automaattinen automatic
[ɔ:tə'mætik]
automaattivaihteisto auto-
matic transmission
[ɔ:tə'mætik trænz'miʃn]
auton hajoaminen break-
down ['breikdaun]
auton kansallisuustunnus
international identifica-
tion letters [intə'næʃənl
aidentifi'keiʃn 'letəz]
autonrengas tyre [taiə]
autonvaihde gear [giə]
autoradio car radio [ka:
'reidiəu]
autotalli garage ['gæra:ʒ]
autovuokraamo car rental
['ka: rentl]
auttaa help [help]
avain key [ki:]
avainkortti key card [ki:
ka:d]
avaruus space [speis]

avata open ['əupən]
avioero divorce [di'vɔ:s]
avioliitto marriage
['mæridʒ]
aviomies husband
['hʌzbənd]
avoin open ['əupən]

avokado avocado
[ævəka:dəu]
avomerikalastus deep-sea
fishing ['di:psi: fiʃiŋ]
avulias helpful ['helpfl]
avulla by means of [bai
'mi:nz əv]

Bb

baari bar [ba:]
bakteeri bacteria [bæk'tiəriə]
baletti ballet ['bælei]
banaani banana [bə'na:nə]
baritoni baritone ['bæri-
təun]
basilika basil ['bæzl]
basilli germ [dʒɜ:m]
bataatti sweet potato
[swi:t pə'teitəu]
beige beige [beiʒ]
Belgia Belgium ['beldʒəm]
belgialainen Belgian
['beldʒən]
benjihyppy bungee jump
[bʌn'dʒi: dʒʌmp]
bensatankki petrol tank
['petrəl tæŋk]
bensiini petrol ['petrəl]
bensiiniasema petrol sta-
tion ['petrəl steiʃn]

bensiinikanisteri petrol can
['petrəl kæn]
bikinit bikini [bi'ki:ni]
biljardi billiards ['biliədz]
biometrinen passi bio-
metric passport [baiə-
'metrik pa:spɔ:t]
biotunniste biometric
identifier [baiə'metrik
ai'dentifaiə]
brandy brandy ['brændi]
Britannia Britain ['britən]
britit the British [ðə 'britʃ]
britti Brit [brit]
brittiläinen ① (adj.) British
['britiʃ] ② (subst.) Brit
[brit]
brunssi brunch [brʌntʃ]
bussi bus [bʌs]
bussipysäkki bus stop [bʌs
stop]
bändi band [bænd]

Cc

cappuccino cappuccino
 [kæpə'tʃi:nəu]
CD-levy CD [si: di:]
chilipippuri chili ['tʃili]
cocktail cocktail ['kokteil]

cocktailkutsut cocktail
 party ['kokteil pa:ti]
curling curling ['kɜ:liŋ]
curry curry ['kʌri]

Dd

demokratia democracy
 [di'mokrəsi]
deodorantti deodorant
 [di:'əudərənt]
desinfioida disinfect
 [disin'fekt]
diabeetikko diabetic
 [daiə'betik]
diakuva slide [slaid]
dieettiruoka diet food
 ['daiət fu:d]
digikamera digital camera
 [didʒitl 'kæmrə]
digikuva digital photo
 [didʒitl 'fəutəu]

diktaattori dictator
 [dik'teitə]
disko disco ['diskəu]
dokumentti documentary
 [dokju'mentri]
dollari dollar ['dolə]
donitsi doughnut ['dəunʌt]
draama drama ['dra:mə]
dramaattinen dramatic
 [drə'mætik]
drinkki drink [driŋk]
DVD-levy DVD [di: vi: 'di:]
DVD-soitin DVD-player [di:
 vi: di: 'pleiə]

Ee

edelleen further ['fɜːðə]
edellinen previous ['priːviəs]
edellyttäen provided [prə'vaidid]
edeltää precede [priːsiːd]
edessä in front of [in 'frʌnt əv]
edistynyt advanced [əd'vaːnst]
edistys progress ['prəugres]
edustaa represent [repri'zent]
edustaja representative [repri'zentətiv]
eebenpuu ebony ['ebəni]
eepos epic ['epik]
ehdottaa (esittää) propose [prə'pəus]; (tehdä ehdotus) suggest [sə'dʒest]
ehdottomasti absolutely [æbsə'luːtli]
ehdotus suggestion [sə'dʒestʃən]
ehjä whole [həul]
ehkä perhaps [pə'hæps]
ehkäistä prevent [pri'vent]
ehkäisyväline contraceptive [kontrə'septiv]
ehto condition [kən'diʃn]

ehtoollinen communion [kə'mjuːniən]
ei no [nəu], not [not]
ei ... eikä neither ... nor [naiðə ... nɔː]
ei koskaan never ['nevə]
ei kukaan nobody ['nəubədi]
ei missään nowhere ['nəuweə]
ei mitään nothing ['nʌθiŋ]
ei tullattavaa nothing to declare [nʌθiŋ tu di'kleə]
ei yhtään none [nʌn]
eilen yesterday ['jestədei]
ekologinen ecologic(al) [iːkə'lodʒik(l)]
ekomatkailu sustainable travel [sə'steinbl trævl]
eksoottinen exotic [ig'zotik]
eksynyt lost [lost]
eksyä lose one's way [luːz wʌnz 'wei]
ele gesture ['dʒestʃə]
elefantti elephant ['elifənt]
elegantti elegant ['eligənt]
elehtiä gesticulate [dʒesti'kjuleit]
elektroninen electronic [i'lektronik]
eli or [ɔː]
elin organ ['ɔːgən]

elinkeino means of livelihood [mi:nz əv 'laivlihud]

elintaso standard of living ['stændəd əv liviŋ]

elinympäristö milieu ['miljɜ:]

ellei unless [ən'les]

eloisa lively ['laivli]

elokuu August ['ɔ:gəst]

elokuva film [film], movie ['mu:vi]

elokuvateatteri cinema ['sinəmə]

elonkorjuu harvest ['ha:vist]

eloton inanimate [in'ænimət]

elpyminen recovery [ri'kʌvəri]

elpyä recover [ri'kʌvə]

eläin animal ['æniml]

eläinlääkäri veterinary surgeon ['vetrinəri 'sɜ:ʤən]

eläinpuisto safari park [sə'fa:ri pa:k]

eläintarha zoo [zu:]

eläkkeellä oleva retired [ri'taiəd]

elämys experience [ik'spiəriəns]

elämä life [laif]

elävä alive [ə'laiv]

elävä ravinto living food [liviŋ fu:d]

elää live [liv]

emali enamel [i'næml]

emäntä hostess ['həustis]

endiivi endive ['endiv]

enemmän more [mɔ:]

Englanti England ['iŋglənd]

englantilainen English ['iŋgliʃ]

enimmäkseen mostly [məustli]

enintään at most [ət 'məust]

eniten most [məust]

enkeli angel ['eindʒəl]

ennakko advance [əd'va:ns]

ennakkoluulo prejudice ['predʒudis]

ennakkomyynti advance booking [əd'va:ns 'bukiŋ]

ennen before [bi'fɔ:]

ennenaikainen premature ['premətʃə]

eno uncle ['ʌŋkl]

ensi next [nekst]

ensiapu first-aid [fɜ:st 'eid]

ensiapulaukku first-aid kit [fɜ:st eid 'kit]

ensi-ilta première ['premieə]

ensimmäinen (1.) first [fɜ:st]

ensimmäinen luokka (esim. junassa) first class [fɜ:st 'kla:s]

entinen ex- [eks]

entistää restore [ri'stɔ:], reconstruct [ri:kən'strʌkt]

epidemia epidemic [epi'demik]

epilepsia epilepsy ['epilepsi]

epäilemättä undoubtedly [ʌn'dautidli]

epäillä doubt [daut]

epäilys doubt [daut]

epäjärjestys disorder [dis'ɔ:də]

epäkohtelias impolite [impə'lait]

epäkunnossa out of order [aut əv 'o:də]

epäluotettava unreliable [ʌnri'laiəbl]

epämiellyttävä unpleasant [ʌn'pleznt]

epämukava uncomfortable [ʌn'kʌmpftəbl]

epänormaali abnormal [æb'nɔ:məl]

epäonni bad luck [bæd 'lʌk]

epäonnistua fail [feil]

epärehellinen dishonest [dis'onist]

epäröidä hesitate ['heziteit]

epäselvä unclear [ʌn'kliə]

epäsäännöllinen irregular [i'regjələ]

epäterveellinen unhealthy [ʌn'helθi]

epätoivoinen desperate ['despərət]

epäusko disbelief [disbi'li:f]

epävakainen changeable ['tʃeinʒəbl]

epävarma insecure [insi'kjuə]

epävirallinen unofficial [ʌnə'fiʃl]

erehdys mistake [mi'steik]

erehtyä be mistaken [bi: mi'steikn]

erikoisala speciality [speʃi'æləti]

erikoisesti especially [i'speʃəli]

erikoislääkäri specialist ['speʃəlist]

erikoisruokavalio diet ['daiət]

erikoisuus speciality ['speʃti]

erilainen different ['difrənt]

erillinen separate ['sepərət]

erinomainen excellent ['eksələnt]

erittäin especially [i'speʃəli]

erämaa wilderness ['wildənəs]

eräretki hunting trip ['hʌntiŋ trip]

erääntyä become due [bi'kʌm dju:]

esihistoria prehistory [pri:'histəri]

esihistoriallinen prehistorical [pri:'hi'storikl]

esikaupunki suburb ['sʌbɜ:b]

esiliina apron [eip'rən]

esimerkki example [ig'za:mpl]

esine thing [θiŋ]

esite brochure ['brəuʃə]

esitellä introduce [intrə'dju:s]

esitelmä lecture ['lektʃə], presentation [prezən'teiʃn]

Espanja Spain [spein]

espanjalainen Spanish ['spæniʃ]

espresso espresso [es'presəu]

esteetön unrestricted [ʌnri'striktid]

estää prevent [pri'vent]

etana snail [sneil]

eteenpäin forward ['fɔ:wəd]

eteinen lobby ['lobi]

etelä south [sauθ]

eteläinen southern ['sʌðən]

etikka vinegar ['vinigə]

etikkakurkku pickled cucumber ['pikld 'kju:kʌmbə]

etsin (kamerassa) view-finder ['vju:faində]

etsiä search [sɜ:tʃ], look for [luk fɔ:]

että that [ðæt]

etu advantage [əd'va:ntidʒ], benefit ['benifit]

etukäteen beforehand [bi'fɔ:hænd]

etumaksu advance payment [əd'va:ns peimənt]

etunimi first name ['fɜ:st neim]

etupuoli front [frʌnt]

etuvalo headlight ['hedlait]

etäisyys distance ['distəns]

EU-kansalainen EU-citizen [i:' ju: 'sitizn]

EU-maa EU-country [i:' ju: 'kʌntri]

euro euro ['juərəu]

euroalue eurozone ['juərəuzəun]

Euroopan unioni European Union [juərəpi:ən 'ju:niən]

Eurooppa Europe ['juərəp]

eurooppalainen European [juərə'pi:ən]

eurosekki eurocheque ['juərəutʃek]

eurosekkikortti eurocheque card ['juərəutʃek ka:d]

evakuoida evacuate [i'vækjueit]

eväät packed lunch [pækt 'lʌntʃ]

Ff

faksata fax [fæks]
faksi fax [fæks]
farkut jeans [ʤiːnz]
fasaani pheasant ['feznt]
fenkoli fennel ['fenəl]
festivaali festival ['festivl]
filee fillet ['filit]

filmi film [film]
flanelli flannel ['flænl]
flunssa flu [fluː]
friteerattu deep-fried
  ['diːpfraid]
frotee terry ['teri]
fyysinen physical ['fizikl]

Gg

gini gin [ʤin]
glukoosi glucose ['gluːkəus]
glögi mulled wine [mʌld
  'wain]
golfkenttä golf course ['golf
  kɔːs]
golfmaila golf club ['golf
  klʌb]
golfpallo golf ball ['golf
  bɔːl]
googlata google [guːgl]

graavi rawpickled
  [rɔː'pikld]
grafiikka graphics
  ['græfiks]
gratinoitu gratinated
  ['grætineitid], baked
  [beikt]
greippi grapefruit ['greip-
  fruːt]
grillattu grilled [grild]
gynekologi gynaecologist
  [gaini'kolədʒist]

Hh

haalea tepid ['tepid]
haamu ghost [gəust]
haarukka fork [fɔ:k]
haastaa oikeuteen sue [su:]
haastattelu interview
['intəvju:]
haava wound [wu:nd], cut
[kʌt]
haavalaastari sticking
plaster ['stikiŋ pla:stə]
haavauma ulcer ['ʌlsə]
haave dream [dri:m]
haavoittunut wounded
['wu:ndid]
hai shark [ʃa:k]
haista smell [smel]
haju smell [smel]
hajuvesi perfume
['pɜ:fju:m]
hakaneula safety pin
['seifti pin]
hakukone search engine
[sɜ:tʃ 'endʒin]
halata hug [hʌg]
halkeama (pieni) crack
[kræk]
halkio vent [vent]
hallinto administration
[ədmini'streiʃn]
hallitsija emperor
['empərə]

hallitus government
['gʌvənmənt]
haloo! hello! [hə'ləu]
halpa cheap [tʃi:p]
halpalento low-cost flight
[ləu kost 'flait]
halpalentoyhtiö low-cost
airline [ləu kost 'eəlain]
halukas willing ['wiliŋ]
halvaantuminen paralysis
[pə'ræləsis]
halvaantunut paralysed
['pærəlaist]
halvempi cheaper ['tʃi:pə]
hame skirt [skɜ:t]
hammas tooth [tu:θ]
hammasharja toothbrush
['tu:θbrʌʃ]
hammaslääkäri dentist
['dentist]
hammassärky toothache
['tu:θeik]
hammastahna tooth paste
['tu:θ peist]
hampurilainen hamburger
['hæmbɜ:gə]
hanhenmaksa goose liver
['gu:s livə]
hanhi goose [gu:s]
hankauma abrasion
[ə'breiʃn]

hankkia (ostaa) acquire [ə'kwaiə]; (järjestää) procure [prə'kjuə]
hansikas glove [glʌv]
hapan sour ['sauə]
hapanimelä sweet-and-sour [swi:tən'sauə]
hapankaali sauerkraut ['sauəkraut]
happipullo oxygen bottle ['oksiʤən botl]
happo acid ['æsid]
harja brush [brʌʃ]
harjata brush [brʌʃ]
harjoitella practise ['præktis], train [trein]
harjoitus exercise ['eksəsaiz]
harkita consider [kən'sidə]
harmaa grey [grei]
harppuuna harpoon [ha:'pu:n]
harrastus hobby ['hobi]
hartia shoulder ['ʃəuldə]
hartiahuivi shawl [ʃɔ:l]
harvat few [fju:]
harvinainen rare [reə]
harvoin seldom ['seldəm]
hattu hat [hæt]
hattukauppa millinery ['milinəri]
haudattu buried ['berid]
haudutettu braised [breizd]
hauki pike [paik]
haukka hawk [hɔ:k]
haukkua bark [ba:k]
hauska funny [fʌni]
hauta tomb [tu:m]

hautajaiset funeral ['fju:nərəl]
hautakappeli cemetery chapel ['semətri tʃæpl]
hautakivi gravestone ['greivstəun]
hautausmaa cemetery ['semətri]
havainto observation [obzə'veiʃn]
havupuu conifer tree ['konifə tri:]
he they [ðei]
hedelmä fruit [fru:t]
hedelmäsalaatti fruit salad [fru:t 'sæləd]
hehkulamppu bulb [bʌlb]
hei! hello! [hə'ləu]
heidän their [ðeə]
heijastaa reflect [ri'flekt]
heijastin reflector [ri'flektə]
heikko weak [wi:k]
heikkonäköinen partially sighted ['pa:ʃəli saitid]
heikkous weakness ['wi:knəs]
heikottaa feel faint [fi:l feint]
heinäkuu July [ʤu'lai]
heinänuha hay fever ['hei fi:və]
heinäsirkka grasshopper ['gra:shopə]
heittää throw [θrəu]
helikopteri helicopter ['helikoptə]
helle heat [hi:t]

helleaalto heatwave
['hi:tweiv]
helluntai Whitsun ['witsn]
helmi pearl [pɜ:l]
helmikuu February
['februəri]
helmiäinen mother-of-
pearl [mʌðə(r) 'əv pɜ:l]
helppo easy ['i:zi]
helvetti hell [hel]
hemmotella spoil [spɔil]
hengenpelastaja lifeguard
[laifga:d]
hengenvaara danger to life
['deindʒə tə laif]
hengittää breathe [bri:ð]
hengityslaite breathing
apparatus [bri:ðiŋ
æpə'reitəs]
henkari hanger ['hæŋə]
henkilö person ['pɜ:sn]
henkilöjuna passenger
train ['pæsindʒə trein]
henkilökohtainen personal
['pɜ:sənl]
henkilökortti identity card
[ai'dentiti ka:d]
henkilökunta staff [sta:f],
personnel [pɜ:s'nel]
henkilöpuhelu person-to-
person call ['pɜ:sn tə
'pɜ:sn kɔ:l]
henkilötiedot personal
detail [pɜ:sənl 'di:teilz]
herkku delicacy ['delikəsi]
herkkumyymälä delicates-
sen [delikə'tesn]
herkkusieni champignon
[ʃæm'pinjən]

herkkä sensitive ['sensitiv]
herkullinen delicious
[di'liʃəs]
hermo nerve [nɜ:v]
hermostunut nervous
['nɜ:vəs]
herneet peas [pi:z]
hernekeitto pea soup ['pi:
su:p]
herra mister, Mr ['mistə]
herttainen nice [nais],
endearing [in'diəriŋ]
herättää wake up [weik ʌp]
herätys wake up [weik ʌp]
herätyskello alarm-clock
[ə'la:m klok]
herätä wake up [weik ʌp]
hetki moment ['məumənt]
hetkinen! just a moment!
[dʒʌst ə 'məumənt]
hevonen horse [hɔ:s]
hidas slow [sləu]
hidastaa slow down [sləu
daun]
hiekka sand [sænd]
hiekkainen sandy ['sændi]
hiekkalaatikko sandpit
['sændpit]
hiekkaranta beach [bi:tʃ]
hieno exclusive [ik'sklu:-
siv], fine [fain]
hieroa rub [rʌb]
hieronta massage ['mæsa:ʒ]
hietakampela dab [dæb]
hiha sleeve [sli:v]
hihna strap [stræp]
hiihdonopettaja ski instruct-
or [ski: in'strʌktə]
hiihtohissi ski-lift ['ski: lift]

hiihtokeskus ski resort [ski: ri'zɔ:t]

hiihtolasit ski goggles ['ski: goglz]

hiihtovarusteet skiing equipment [ski:iŋ i'kwipmənt]

hiihtäminen skiing ['ski:iŋ]

hiihtää ski [ski:]

hiili coal [kəul]

hiillostettu barbecued ['ba:bikju:d], broiled ['brɔild]

hiiri mouse [maus]

hikka hiccup ['hikʌp]

hikoilla sweat [swet]

hiljainen silent ['sailənt]

hiljaisuus silence ['sailəns]

hillo jam [dʒæm]

hilse dandruff ['dændrʌf]

hinata tow [təu]

hinausauto breakdown vehicle ['breikdaun vi:ikl]

hinausköysi towrope ['təurəup]

hinauspalvelu breakdown service ['breikdaun 'sɜ:vis]

hinkuyskä whooping cough ['hu:piŋkof]

hinta price [prais]

hiottu cut [kʌt]

hirveä terrible ['terəbl]

hirvi elk [elk], moose [mu:s]

hissi lift [lift]

hissipoika lift boy ['lift bɔi]

historia history ['histri]

hitaammin more slowly [mɔ: 'sləuli]

hitsata weld [weld]

hiukan a bit [e 'bit], some [sʌm]

hiuslakka hair spray ['heə sprei]

hiusneula hair pin ['heə pin]

hiustenhoito hair care ['heə keə]

hiustenhoitoaine hair conditioner [heə kən'diʃ(ə)nə]

hiustenkuivaaja hair-drier [heə 'draiə]

hiustenleikkuu haircut ['heəkʌt]

hiustenpesu hair wash ['heə woʃ]

hiustenpesuaine shampoo [ʃæm'pu:]

hiusverkko hairnet ['heə-net]

hohtaa shine [ʃain]

hoikka slim [slim]

hoito treatment ['tri:tmənt]

hoitoa tarvitseva in need of care [in 'ni:d əv 'keə]

hoitoaine conditioner [kən'diʃənə]

hoitopöytä babycare table ['beibikeə teibl]

Hollanti Holland ['holənd]

hollantilainen Dutch [dʌtʃ]

holvi vault [volt]

holvikaari arch [a:tʃ]

holvimaalaus vault painting ['volt peintiŋ]

homeinen mouldy
['məuldi]
hopea silver ['silvə]
hopeanvärinen silver
['silvə], silver-coloured
['silvəkʌləd]
hopeinen silver ['silvə]
hopeoitu silver-plated
['silvəpleitid]
hostelli hostel ['hostl]
hotelli hotel [həu'tel]
hotellihuone hotel room
[həu'tel ru:m]
hotellipoika bellboy ['belbɔi]
hotellisekki hotel voucher
[həu'tel vautʃə]
hotelliseteli voucher
['vautʃə]
houkutella tempt [tempt]
housut trousers ['trauzəz]
hovimestari butler ['bʌtlə]
huhtikuu April ['eiprəl]
huhu rumour ['ru:mə]
huijari cheater ['tʃi:tə]
huijata swindle ['swindl]
huijaus deceit [di'si:t]
huimata feel dizzy [fi:l
'dizi]
huimaus dizziness
['dizinəs]
huippu summit ['sʌmit],
top [top]
hukkua drown [draun]
hullu crazy ['kreizi]
humaltunut drunk [drʌŋk]
hummeri lobster ['lobstə]
hunaja honey ['hʌni]
hunajameloni honeydew
melon [hʌnidju: 'melən]

huolehtia worry ['wʌri]
huolestua get worried [get
'wʌrid]
huolimaton careless
['keələs]
huoliteltu refined [ri'faind]
huoltoasema service sta-
tion ['sɜ:vis steiʃn]
huomaavainen considerate
[kən'sidərət]
huomata notice ['nəutis]
huomautus remark
[ri'ma:k]
huomenna tomorrow
[tə'morəu]
huone room [ru:m]
huoneisto flat [flæt]
huonekalut furniture
['fɜ:nitʃə]
huonepalvelu room service
['ru:m sɜ:vis]
huonevaraus room reserva-
tion [ru:m rezə'veiʃn]
huono bad [bæd]
huonokuntoinen (tiestä
tms.) in a bad shape [in ə
'bæd ʃeip]
huonokuuloinen hard-of-
hearing [ha:d əv 'hiəriŋ]
huonompi worse [wɜ:s]
huono-onninen unlucky
[ʌn'lʌki]
huopa blanket ['blæŋkit]
huuli lip [lip]
huulipuna lipstick ['lipstik]
huulirasva lip balm ['lip
ba:m]
huumeet narcotics
[na:'kotiks]

huumori humour ['hju:mə]
huutaa shout [ʃaut], yell
[jel], cry [krai]
huvi fun [fʌn]
huvila villa ['vilə]
huvipuisto theme park
['θi:m pa:k]
huvittava amusing
[ə'mju:siŋ]
huvitus amusement
[ə'mju:zmənt]
hygieeninen hygienic
[hai'dʒi:nik]
hygienia hygiene
['haidʒi:n]
hylky wreck [rek]
hylätä leave [li:v], abandon
[ə'bændən]
hymyillä smile [smail]
hyppiä jump [dʒʌmp]
hypätä jump [dʒʌmp]
hysteerinen hysterical
[hi'sterikl]
hytti (laivassa) cabin
['kæbin]
hyttysverkko mosquito net
[mə'ski:təu net]
hyve virtue ['vɜ:tju:]
hyvin well [wel]
hyvinvointi well-being
[wel'bi:iŋ]
hyvitys compensation
[kompen'seiʃn]
hyvä good [gud]
hyväksyä accept [ək'sept],
approve ['əpru:v]
hyväntahtoinen good-
natured [gud 'neitʃəd]

hyväntekeväisyys charity
['tʃæriti]
hyvää huomenta! good
morning! [gud 'mɔ:niŋ]
hyvää iltaa! good evening!
[gud 'i:vniŋ]
hyvää päivää! good after-
noon! [gʊd a:ftə'nu:n]
hyvää yötä! good night!
[gud nait]
hyytelö jelly ['dʒeli]
hyödyllinen useful ['ju:sfl]
hyödytön useless ['ju:sləs]
hyökkäys assault [ə'sɔ:lt],
attack [ə'tæk]
hyönteinen insect ['insekt]
hyönteisenpisto insect bite
['insekt bait]
hyönteiskarkote insect
repellent ['insekt
ri'pelənt]
hyöty profit ['profit], bene-
fit ['benifit]
häiritä disturb [di'stɜ:b]
hälytys alarm [ə'la:m]
hälytyslaite alarm system
[ə'la:m 'sistəm]
hämmentynyt confused
[kən'fju:zd]
hämmästys amazement
[ə'meizmənt]
hämmästyttävä amazing
[ə'meiziŋ]
hämähäkinverkko spider
web ['spaidə web]
hämähäkki spider ['spaidə]
hän (miehestä) he [hi:],
(naisesta) she [ʃi:]

hänen (miehestä) his [hiz],
(naisesta) her [hɜ:]
häränliha beef [bi:f]
hätäpuhelin emergency
telephone [i'mɜ:ʤənsi
'telifəun]
hätätapaus emergency
[i'mɜ:ʤənsi]

häämatka honeymoon
['hʌnimu:n]
häät wedding ['wediŋ]
hölynpöly nonsense
['nonsəns]
höyry steam [sti:m]
höyrytetty steamed
[sti:md]
höystö sauté ['səutei]

Ii

idea idea [ai'diə]
identtinen identical
[ai'dentikl]
idut sprouts [sprauts]
ien gum [gʌm]
ihailla admire [əd'maiə]
ihailu admiration
[ædmi'reiʃn]
ihanteellinen ideal [ai'diəl]
ihastunut delighted
[di'laitid]
ihme miracle ['mirəkl]
ihmeellinen wonderful
['wʌndəfl]
ihmiset people ['pi:pl]
iho skin [skin]
ihottuma rash [ræʃ]
ikkuna window [windəu]
ikkunaluukku shutter
['ʃʌtə]
ikkunapaikka window seat
['windəu si:t]
ikä age [eidʒ]

ikään kuin as though [əz
ðəu]
illallinen supper ['sʌpə],
dinner ['dinə]
illanvietto evening get-
together [i:vniŋ 'get
tə'geðə]
ilma air [eə]
ilmainen free [fri:], gratis
['grætis]
ilmaista express [ik'spres]
ilmaisu expression
[ik'spreʃn]
ilmakuoppa air pocket [eə
pokit], bump [bʌmp]
ilman without [wið'aut]
ilmanvaihto ventilation
[venti'leiʃən]
ilmapatja air-bed [eə bed]
ilmasto climate ['klaimit]
ilmastointi air condition-
ing [eə kən'diʃniŋ]

ilmastonmuutos climate change ['klaimət tʃeindʒ]
ilmavaivat wind [wind]
ilmeinen apparent [ə'pærənt]
ilmeisesti apparently [ə'pærəntli]
ilmestyä appear [ə'piə]
ilmoittautuminen registration [redʒi'streiʃn]
ilmoitus message ['mesidʒ]
ilo joy [dʒɔi]
iloinen glad [glæd]
ilotulitus fireworks ['faiəwɜ:ks]
ilta evening ['i:vniŋ], night [nait]
iltajumalanpalvelus evening service ['i:vniŋ sɜ:vis]
iltapuku evening dress ['i:vniŋ dres]
iltapäivä afternoon [a:ftə'nu:n]
imeä suck [sʌk]
immediately heti [i'mi:diətli]
immuniteetti immunity [i'mju:niti]
imupilli straw [strɔ:]
imuroida hoover ['hu:və]
induktiosilmukka induction loop [in'dʌkʃn lu:p]
influenssa influenza [influ'enzə]
informaatio information [infə'meiʃn]
inhimillinen human ['hju:mən]

inhottava repulsive [ri'pʌlsiv]
inkivääri ginger ['dʒindʒə]
innokas eager ['i:gə]
insuliini insulin ['insjulin]
internet Internet ['intənet]
internetsivusto Internet site ['intənet sait]
internetvaraus online reservation [onlain rezə'veiʃn], online booking ['onlain bukiŋ]
interrailkortti interrail pass ['intəreil pa:s]
into enthusiasm [in'θju:ziæzm]
invalidi disabled person [dis'eibld pɜ:sən], invalid ['invəlid]
invalidihissi invalid lift ['invəlid lift]
invalidikäymälä disabled toilet [dis'eibld tɔilət]
invalidipaikka disabled parking [dis'eibld pa:kiŋ]
invaliditaksi disabled taxi [dis'eibld tæksi]
Irlanti Ireland ['aiələnd]
irlantilainen Irish ['airiʃ]
irtonainen loose [lu:s]
iskias sciatica [sai'ætikə]
isku blow [bləu]
iskunvaimennin shock absorber [ʃok əb'sɔ:bə]
Islanti Iceland ['aislənd]
islantilainen Icelandic [ais'lændik]
iso big [big]

isoisä grandfather
['grændfa:ðə]
isompi bigger [bigə]
isorokko smallpox
['smɔ:lpoks]
isovanhemmat grandparents ['grændpeərənts]
isoäiti grandmother
['grændmʌðə]
istua sit [sit]
istuttaa plant [pla:nt]
istuutua istuutua [sit daun]
isä father ['fa:ðə]
isäntä host [həust]
isäpuoli stepfather
['stepfa:ðə]
Italia Italy ['itəli]
italialainen Italian
[i'tæliən]
itkeä cry [krai], weep
[wi:p]

itkuhälytin baby intercom
[beibi 'intəkom]
itselaukaisin self-timer
[self 'taimə]
itsenäinen independent
[indi'pendənt]
itsenäisyyspäivä independence day [indi'pendəns dei]
itsepalvelu self service [self s3:vis]
itsepalvelupesula laundrette [lɔ:n'dret]
itsepäinen stubborn
['stʌbən]
itsestäänsiliävä non-iron
[non 'aiən]
itä east [i:st]
itäinen eastern ['i:stən]
Itävalta Austria ['ostriə]
itävaltalainen Austrian
['ostriən]
iva irony ['airəni]

Jj

ja and [ænd]
ja niin edelleen and so on
[ænd səu on]
jakaa share [ʃeə], divide
[di'vaid]
jakaus (hiuksissa) parting
['pa:tiŋ]
jalan on foot [on fut]

jalankulku kielletty no
pedestrians [nəu
pə'destriəns]
jalava elm [elm]
jalka foot [fut]
jalkajarru pedal brake
['pedl breik]
jalkakäytävä sidewalk
['saidwɔ:k]

jalkapallo football
['futbɔ:l]

jalkapallo-ottelu football
match ['futbɔ:l mætʃ]

jalokivi jewel ['dʒu:əl]

jalokivikauppias jeweller
['dʒu:ələ]

jalusta base [beis]

jarruneste brake fluid
['breik flu:id]

jarrupoljin brake pedal
['breik pedl]

jarrut brakes [breiks]

jarruvalot brake lights
['breik laits]

jatkaa continue [kən'tinju:]

jatkojohto extension lead
[ik'stenʃn li:d]

jatkolento connecting
flight [kə'nektiŋ flait]

jatkoyhteys (matkalla) con-
nection [kə'nekʃn]

jatkuva continuous
[kən'tinjuəs]

jauheliha mincemeat
['minsmi:t]

jo already [ɔ:l'redi]

joenvarsi riverside
['rivəsaid]

johdinauto trolley-car
['trolika:]

johonkin somewhere
['sʌmweə]

johtaa lead [li:d]

johtaja leader ['li:də],
manager ['mænidʒə]

joka that [ðæt], which
[witʃ], who [hu:]

joka ainoa everybody
['evribodi]

joka tapauksessa anyway
['eniwei]

jokainen every ['evri]

joki river ['rivə]

jokilaiva river boat ['rivə
bəut]

joko ... tai either ... or
[aiðə ɔ:]

jokseenkin rather ['ra:ðə]

joku somebody ['sʌmbədi],
someone ['sʌmwʌn]

jono queue [kju:]

jonotusnumero queue
number ['kju: nʌmbə]

jooga yoga ['jəugə]

jos if [if]

joskus sometimes
['sʌmtaimz]

jossain somewhere
['sʌmweə]

joukkue team [ti:m]

joukossa among [ə'mʌŋ]

joulu Christmas ['krisməs]

jouluaatto Christmas Eve
['krisməs i:v]

joulukuu December
[di'sembə]

joulupäivä Christmas Day
['krisməs dei]

jousi spring [spriŋ]

joutsen swan [swon]

juhannus midsummer
[mid'sʌmə]

juhlat party ['pa:ti], festi-
val ['festivl]

juliste poster ['pəustə]

julkaista publish ['pʌbliʃ]

julkinen public ['pʌblik]
julkisivu facade [fə'sa:d]
julma cruel [kruəl]
Jumala God [god]
jumalanpalvelus church
    service ['tʃɜ:tʃ sɜ:vis],
    worship service ['wɜ:ʃip
    sɜ:vis]
juna train [trein]
juna-aikataulu timetable
    for trains ['taimteibl fə
    treins]
junailija conductor [kən-
    'dʌktə]
junailijan vaunu conduc-
    tor's car [kən'dʌktəs ka:]
juoda drink [driŋk]
juoma beverage [bevridʒ]
juomaraha tip [tip]
juomavesi drinking water
    [driŋkiŋ 'wɔ:tə]
juoru gossip ['gosip]
juosta run [rʌn]
jutella chat [tʃæt]
1 juuri (kasvin) root [ru:t]
2 juuri just [dʒʌst]
juusto cheese [tʃi:z]
juustokakku cheesecake
    ['tʃi:zkeik]
juuttua get stuck [get stʌk]
jyristä thunder ['θʌndə]
jyrkkä steep [sti:p]
jyrkänne cliff [klif]
jäljellä oleva remaining
    [ri'meiniŋ]
jäljentää copy ['kopi]
jäljitelmä imitation
    [imi'teiʃn]
jälkeen after ['a:ftə]

jälkiehkäisypilleri morning-
    after pill [mɔ:niŋ'a:ftə-
    pil]
jälkiruoka dessert [di'zɜ:t]
jälkiruokaviini dessert
    wine [di'zɜ:t wain]
jälkiäänitetty dubbed
    [dʌbd]
jälleen again [ə'gen]
jänis hare [heə]
jänne (anat.) tendon
    ['tendən]
jännite voltage ['vəultidʒ]
jännitys tension ['tenʃn]
jännityselokuva thriller
    ['θrilə]
järjestää arrange [ə'reindʒ]
järjestö organization
    [ɔ:gənai'zeiʃn]
järkevä reasonable
    ['ri:zənəbəl]
järkytys shock [ʃok]
järvi lake [leik]
jäsen member ['membə]
jätteet garbage ['ga:bidʒ]
jättiläinen giant ['dʒaiənt]
jättää leave [li:v]
jättää pois leave out [li:v
    'aut]
jäykkä stiff [stif]
jäykkäkouristus tetanus
    ['tetənəs]
jää ice [ais]
jäädyke parfait [pa:'fei]
jäädyttää freeze [fri:z]
jäädä stay [stei]
jäädä yöksi stay overnight
    [stei əuvə'nait]

jäähdytin cooler ['ku:lə], (auton) radiator ['reidieitə]

jäähdytysneste cooling water ['ku:lin 'wɔ:tə]

jäähyväiset farewell [feə'wel]

jääkaappi refrigerator [ri'fridʒəreitə], fridge [fridʒ]

jääkahvi ice(d) coffee ['ais(t) kofi]

jääkiekko ice hockey ['ais hoki]

jääpussi ice bag ['ais bæg]

jäätee ice tea ['ais ti:]

jäätelö ice cream [ais 'kri:m]

jäätelöannos portion of ice-cream ['pɔ:ʃn əv ais'kri:m]

jäätyä freeze [fri:z]

jäävesi ice water ['ais wɔ:tə]

Kk

kaakao cocoa ['kəukəu], hot chocolate [hot 'tʃoklət]

kaakko south-east [sauθ 'i:st]

kaali cabbage ['kæbidʒ]

kaapeli cable ['keibl]

kaapelitelevisio cable television [keibl 'teliviʒn]

kaappi cupboard ['kʌbəd]

kaasuliesi gas cooker [gæs kukə]

kaasutin (polttomoottorissa) carburettor [ka:bju-'retə]

kaasu-uuni gas oven ['gæs ʌvn]

kaataa pour [pɔ:]

kaatosade torrential rain [tə'renʃl rein]

kaava formula ['fɔ:mjulə]

kabaree cabaret ['kæbərei]

kadehtia envy ['envi]

kadota disappear [disə'piə]

kadottaa lose [lu:z]

kahdeksan (8) eight [eit]

kahdeksankymmentä (80) eighty ['eiti]

kahdeksansataa (800) eight hundred [eit 'hʌndrəd]

kahdeksantoista (18) eighteen [ei'ti:n]

kahdeksas (8.) eighth [eitθ]

kahdeksaskymmenes (80.) eightieth ['eitiəθ]

kahdeksassadas (800.) eight hundredth [eit 'hʌndrəθ]

kahdeksastoista (18.) eighteenth [ei'ti:nθ]

kahden hengen huone double room ['dʌbl ru:m]

kahdeskymmenes (20.) twentieth ['twentiəθ]

kahdessadas (200.) two hundredth [tu: 'hʌndrəθ]

kahdesti twice [twais]

kahdestoista (12.) twelfth [twelfθ]

kahlata paddle ['pædl]

kahvi coffee ['kofi]

kahvila café ['kæfei]

kahvinkeitin coffee maker ['kofi meikə]

kaiken kaikkiaan altogether [ɔ:ltə'geðə]

kaikki all [ɔ:l]

kaikkialla everywhere ['evriweə]

kaiku echo ['ekəu]

kainalosauva crutch [krʌtʃ]

kaiutin loudspeaker [laud'spi:kə]

kaivaa dig [dig]

kaivata long for ['loŋ fɔ:]

kaivaukset excavations [ekskə'veiʃns]

kaivo well [wel]

kaivos mine [main]

kajakki kayak ['kaiæk]

kakku cake [keik]

kaksi (2) two [tu:]

kaksikaistainen tie dual carriageway [djuəl kæridʒ'wei]

kaksikielinen bilingual [bai'liŋgwl]

kaksikymmentä (20) twenty ['twenti]

kaksikymmentäkaksi (22) twenty-two ['twentitu:]

kaksikymmentäyksi (21) twenty-one ['twentiwʌn]

kaksinkertainen double ['dʌbl]

kaksinpeli (esim. tenniksessä) singles ['siŋglz]

kaksio two-room flat [tu: ru:m flæt]

kaksisataa (200) two hundred [tu: 'hʌndrəd]

kaksitoista (12) twelve [twelv]

kalakauppa fishmonger's ['fiʃmʌŋgəs]

kalamureke creamed fish [kri:md 'fiʃ]

kalapullat fish balls ['fiʃ bɔ:ls]

kalastaa fish [fiʃ]

kalastuslupa fishing permit ['fiʃiŋ pɜ:mit]

kalastusretki fishing trip ['fiʃiŋ trip]

kalastusverkko fishing net ['fiʃiŋ net]

kallio rock [rok]

kallioluola grotto ['grotəu]

kallis expensive [ik'spensiv]

kallisarvoinen precious ['preʃəs]

kalori calorie ['kæləri]

kalpea pale [peil]

kalsarit underpants ['ʌndəpænts]

kalustamaton unfurnished [ʌn'fɜ:niʃt]

kalustettu furnished
['fɜ:niʃt]

kalvosinnapit cufflinks
['kʌfliŋks]

kamala awful ['ɔ:fl],
dreadful ['dredfl]

kamelinkarva camel's hair
['kæmls heə]

kamera camera ['kæmərə]

kameralaukku camera bag
['kæmərə bæg]

kampa comb [kəum]

kampaaja ladies' hair-
dresser ['leidi:z heədresə]

kampaamo hairdresser's
['heədresəz]

kampaus hair-do ['heədu:]

kampela flounder ['flaundə]

kampiakseli crankshaft
['kræŋksha:ft]

kana chicken ['tʃikin]

Kanada Canada ['kænədə]

kanadalainen Canadian
[kə'neidiən]

kanankoipi chicken leg
['tʃikin leg]

kananmuna egg [eg]

kananpoika pullet [pulit]

kanarialintu canary
[kə'neəri]

kanerva heather ['heðə]

kangas cloth [kloθ]

kangaskauppa draper's
['dreipə:z]

kaniini rabbit ['ræbit]

kanisteri canister
['kænistə]

kannettava portable
['pɔ:təbl]

kannettava tietokone lap-
top [læptop]

kanootti canoe [kə'nu:]

kansainvälinen inter-
national [intə'næʃənəl]

kansakunta nation ['neiʃn]

kansallismuseo national
museum ['næʃnəl
mju:'zi:əm]

kansallisooppera national
opera ['næʃənəl 'oprə]

kansallispäivä national
day ['næʃənəl dei]

kansallisteatteri national
theatre ['næʃənəl 'θiətə]

kansallistunnus (autossa)
country's identification
sign ['kʌntriz aidentifi-
'keiʃn sain]

kansallisuus nationality
['næʃə'næləti]

kansanlaulu folk song
['fəuk son]

kansanperinne folklore
['fəuklɔ:]

kansantanssi folk dance
['fəuk da:ns]

kansi lid [lid]

kanssa with [wið]

kantaa carry ['kæri]

kantaja porter ['pɔ:tə]

kantapää heel [hi:l]

kantatie main road ['mein
rəud]

kantosiipialus hydrofoil
boat ['haidrəfɔil bəut]

kanttarelli chanterelle
[tʃæntə'rel]

kapakka bar [ba:], pub [pʌb]

kapea narrow ['nærəu]

kapellimestari conductor [kən'dʌktə]

kappeli chapel ['tʃæpl]

kapris capers ['keipəz]

kapteeni captain ['kæptin]

karaatti carat ['kærət]

karahvi carafe [kə'ræf]

karahviviini carafe wine [kə'ræf wain]

karamellivanukas caramel pudding [kærəml 'pudiŋ]

karaoke karaoke [kæri-'əuki]

kardiologi heart specialist ['ha:t speʃəlist]

karhu bear [beə]

karhunvatukka blackberry ['blækberi]

karnevaali carnival ['ka:nivl]

karpalo cranberry ['krænberi]

karppi carp [ka:p]

kartonki (pakkaus) carton ['ka:tn]

kartta map [mæp]

karviaismarja gooseberry ['guzberi]

kasino casino [kə'si:nəu]

kassa cashier [kə'ʃiə]

kassakaappi safe [seif]

kassi bag [bæg]

kastanja chestnut ['tʃestnʌt]

kastike sauce [sɔ:s]

kasvaa grow [grəu]

kasvain tumour ['tju:mə]

kasvatus upbringing ['ʌpbriŋiŋ]

kasvissyöjä vegetarian [vedʒi'teəriən]

kasvitieteellinen puutarha botanical garden [bə'tænikl ga:dn]

kasvojenhoito face treatment ['feis tri:tmənt]

kasvot face [feis]

kasvovesi face lotion [feis 'ləuʃn]

katajanmarja juniper berry ['dʒu:nipə beri]

katakombi catacomb ['kætəku:m]

katedraali cathedral [kə'θi:drəl]

kateenkorva sweetbread ['swi:tbred]

katkaista virta switch off [switʃ 'of], turn off [tɜ:n 'of]

katkarapu shrimp [ʃrimp]

katkennut broken ['brəukən]

katkera bitter ['bitə]

katkero bitters ['bitəz]

katolilainen Catholic ['kæθlik]

katselija spectator [spek'teitə]

katsella watch [wotʃ]

katsoa look at ['luk æt]

katsomo auditorium [ɔ:di'tɔ:riəm]

kattila kettle ['ketl]

katto roof [ru:f]

kattoluukku sunroof
['sʌnru:f]

katu road [rəud], street
[stri:t]

katua regret [ri'gret];
repent [ri'pent]

kauhistuttava awful ['ɔ:fl],
dreadful ['dredfl]

kaukana far away [fa:r
ə'wei]

kaukojuna long-distance
train [lɔŋ 'distəns trein]

kauko-objektiivi telescope
objective ['teliskəup
əb'dʒektiv]

kaukopuhelu long-distance
call [lɔŋ 'distəns kɔ:l]

kaukovalot high beam [hai
bi:m]

kaula neck [nek]

kaulakoru necklace
['neklis]

kaulaliina scarf [ska:f]

kaulus collar ['kolə]

kauneushoitola beauty
salon ['bju:ti sælon]

kaunis beautiful ['bju:tifl]

kauppa shop [ʃop]

kauppahalli covered mar-
ket ['kʌvəd ma:kit]

kauppakeskus shopping
centre ['ʃopiŋ sentə]

kaupunginosa district
['distrikt]

kaupungintalo city hall
['siti hɔ:l]

kaupunki town [taun], city
['siti]

kaupunki- urban ['ɜ:bən]

kausilippu season ticket
['si:zn tikit]

kaventaa take in [teik 'in]

kaviaari caviar ['kævia:]

kehittää develop [di'veləp]

kehonrakennus weight
training ['weit treiniŋ]

kehys frame [freim]

keinotekoinen artificial
[a:ti'fiʃl]

keinovalo artificial light
[a:ti'fiʃl lait]

keisari emperor ['empərə]

keisarinna empress
['emprəs]

keitetty boiled [bɔild]

keitetty muna boiled egg
[bɔild 'eg]

keittiö kitchen ['kitʃin]

keittiötarvikkeet kitchen-
ware ['kitʃənweə]

keitto soup [su:p]

keittokirja cookbook
['kukbuk]

keittokomero kitchenette
[kitʃi'net]

keittää cook [kuk]

keksi biscuit ['biskit]

keli road conditions [rəud
kən'diʃns]

keliakia coeliac disease
[si:li:æk di'zi:z]

kelkka sledge [sledʒ]

kelkkailla sledge [sledʒ]

kellari basement ['beis-
mənt], cellar ['selə]

kello watch [wotʃ]

kellonremmi watch strap
['wotʃ stræp]

kelloseppä watchmaker
['wotʃmeikə]
kellua float [fləut]
kelluke water wing ['wɔːtə
wiŋ]
keltainen yellow ['jeləu]
keltakuume yellow fever
['jeləu 'fiːvə]
keltatauti jaundice
['dʒɔːndis]
keltavahvero chanterelle
[ʃantə'rel]
kemiallinen pesula dry
cleaner's [drai 'kliːnəz]
kenen whose [huːz]
kengänkiilloke shoecream
['ʃuːkriːm]
kengännauha shoelace
['ʃuːleis]
kengännumero size of
shoes [saiz əv 'ʃuːs]
kenkä shoe [ʃuː]
kenkäkauppa shoe shop
[ʃuː ʃop]
kenkävoide shoe polish
['ʃuː poliʃ]
kenneli kennel ['kenl]
kenttä field [fiːld]
keramiikka ceramics
[si'ræmiks]
kerjäläinen beggar ['begə]
kerma cream [kriːm]
kermainen sulatejuusto
cream cheese [kriːm
'tʃiːz]
kermanvärinen cream-
coloured [kriːm 'kʌləːd],
cream [kriːm]
kerran once [wʌns]

kerros floor [flɔː]
kerrospalvelija maid
[meid]
kerta time [taim]
kertalippu single ticket
['siŋl tikit]
kertoa tell [tel]
kertomus story ['stɔːri]
kerätä collect [kə'lekt]
keräys collection [kə'lekʃn]
keskellä in the middle of
[in ðə 'midl əv]
keskenmeno miscarriage
[mis'kæridʒ]
keskeyttää interrupt
[intə'rʌpt]
keski- medium ['miːdiəm]
keskiaika Middle Ages
['midl eidʒiz]
keskikohta middle ['midl]
keskiolut medium-
strength beer ['miːdiəm
strenθ biə]
keskipäivä noon [nuːn]
keskiviikko Wednesday
['wenzdei]
keskiyö midnight ['mid-
nait]
keskus centre ['sentə]
keskuslämmitys central
heating [sentrəl 'hiːtiŋ]
keskusta centre ['sentə]
keskustella discuss
[di'skʌs]
keskustelu conversation
[konvə'seiʃn]
kestää last [laːst]
kesä summer ['sʌmə]

kesäaika summer time
['sʌmə taim]

kesäkurpitsa courgette
[kɔ:'ʒet]

kesäkuu June [ʤu:n]

kesäloma summer holiday
['sʌmə holidei], summer
vacation ['sʌmə və'keiʃn]

kesämökki cottage ['kotiʤ]

ketju chain [tʃein]

ketsuppi ketchup ['ketʃʌp]

keuhko lung [lʌŋ]

keuhkokuume pneumonia
[nju:'məuniə]

keuhkoputket bronchial
tubes ['broŋkiəl tju:bz]

kevyt light [lait]

kevät spring [spriŋ]

kiehua boil [bɔil]

kieli (anat.) ① tongue [tʌŋ]
② language ['læŋgwiʤ]

kielletty forbidden
[fə'bidn]

kielo lily of the valley [lili
əv ðə 'væli]

kieltäytyä refuse [ri'fju:z]

kieltää forbid [fə'bid], pro-
hibit [prə'hibit], (evätä)
deny [di'nai]

kiertoajelu sightseeing
tour ['saitsi:iŋ tuə]

kiertomatka tour [tuə]

kiertotie detour ['di:tuə]

kiharat curls [kɜ:ls]

kihlasormus engagement
ring [in'geiʤmənt riŋ]

kihlattu (miehestä) fiancé
[fi'onsei], (naisesta) fian-
cée [fi'onsei]

kiikari binoculars [bi'nokju-
ləz]

kiillottaa polish ['poliʃ]

kiinankaali Chinese cab-
bage [tʃaini:z 'kæbiʤ]

kiinni closed [kləust]

kiinnostava interesting
['intrəstiŋ]

kiinnostus interest
['intrəst]

kiinteä solid ['solid]

kiinteä hinta flat rate [flæt
'reit]

kiire hurry ['hʌri]

kiireellinen urgent
['ɜ:ʒənt]

kiiruhtaa hurry ['hʌri]

kiitollinen grateful
['greitfl]

kiitos! thank you! ['θaŋk
ju:]

kiittää thank [θaŋk]

kiivetä climb [klaim]

kilometri kilometre
['kiləmi:tə]

kilometritaksa price per
kilometre [prais pə
'kiləmi:tə]

kilpailu competition
[kompə'tiʃn]

kilpajuoksu race [reis]

kilpikonna turtle ['tɜ:tl]

kinkku ham [hæm]

kioski kiosk ['ki:osk]

kipeä aching ['eikiŋ], pain-
ful ['peinfl], sore [sɔ:]

kipeä kurkku sore throat
[sɔ: 'θrəut]

kippis! cheers! [tʃiəz]

kipsi (lääk.) plaster ['pla:stə]
kipu pain [pein]
kirja book [buk]
kirjailija author ['ɔ:θə], writer ['raitə]
kirjain letter ['letə]
kirjakauppa bookshop ['bukʃop]
kirjasto library ['laibrəri]
kirjastonhoitaja librarian [lai'breəriən]
kirjattu kirje registered mail ['redʒistə:d meil]
kirje letter ['letə]
kirjeen saaja addressee [ædres'i:]
kirjekuori envelope ['envələup]
kirjelaatikko letter box ['letə boks]
kirjepaperi writing paper ['raitiŋ peipə]
kirjoittaa write [rait]
kirjoituslehtiö writing pad ['raitiŋ pæd]
kirjonta embroidery [im'brɔidəri]
kirkas clear [kliə]
kirkko church [tʃɜ:tʃ]
kirkontorni steeple ['sti:pl]
kiroilla swear [sweə]
kirpputori flea market ['fli:ma:kət]
kirsikka cherry ['tʃeri]
kissa cat [kæt]
kitara guitar [gi'ta:]
kiusata tease [ti:s]

kivennäisvesi mineral water ['minərəl 'wɔ:tə]
kivi stone [stəun]
kivikausi stone age ['stəun eidʒ]
kivikautinen from the stone age [from ðə 'stəun eidʒ]
klassinen classic(al) ['klæsik(l)]
koe test [test]
kohokas soufflé ['su:flei]
kohottaa raise [reiz]
kohta spot [spot]
kohtelias polite [pə'lait]
kohtelu treatment ['tri:tmənt]
kohti towards [tə'wɔ:dz]
koillinen north-east [nɔ:θ i:st]
koira dog [dog]
koirahoitola kennel ['kenl]
koivu birch [bɜ:tʃ]
kokemus experience [ik'spiəriəns]
kokki cook [kuk]
koko size [saiz]
kokoelma collection [kə'lekʃn]
kokonainen whole [həul]
kokous meeting ['mi:tiŋ]
kolari crash [kræʃ]
kolera cholera ['kolərə]
koliikki cholic ['kolik]
kolikko coin [kɔin]
kolja haddock ['hædək]
kolmas (3.) third [θɜ:d]
kolmaskymmenes (30.) thirtieth ['θɜ:tiəθ]

kolmastoista (13.) thirteenth [θɜːˈtiːnθ]
kolme (3) three [θriː]
kolmekymmentä (30) thirty [ˈθɜːti]
kolmesataa (300) three hundred [θriː ˈhʌndrəd]
kolmessadas (300.) three hundredth [θriː ˈhʌndrəθ]
kolmetoista (13) thirteen [θɜːˈtiːn]
kolmio three-room flat [ˈθriː ruːm flæt]
komea handsome [ˈhænsəm]
komedia comedy [ˈkɒmədi]
kommunismi communism [ˈkɒmjunizm]
konditoria confectionery [kənˈfekʃənəri]
kondomi condom [ˈkɒndom]
konduktööri conductor [kənˈdʌktə]
kone ① machine [məˈʃiːn] ② (moottori) engine [ˈendʒin]
konepelti bonnet [ˈbonit]
konerikko breakdown [ˈbreikdaun]
kongressi congress [ˈkoŋgres]
konsertti concert [ˈkonsət]
konserttitalo concert hall [ˈkonsət hɔːl]
konsulaatti consulate [ˈkonsjulət]
kookas large [laːdʒ], big [big]

kopio copy [ˈkopi]
kopiokone copying machine [ˈkopiŋ məˈʃiːn]
koputtaa knock [nok]
kori basket [ˈbaːskit]
koripallo basketball [ˈbaːskitbɔːl]
koristella garnish [ˈgaːniʃ]
korjaamo repair shop [riˈpeə ʃop]
korjata repair [riˈpeə]
korjauttaa have...repaired [hæv riˈpeəd]
korkea high [hai]
korkeus height [hait], altitude [ˈæltitjuːd]
korkki cork [kɔːk]
korkkiruuvi corkscrew [ˈkɔːkskruː]
korko (kengän) heel [hiːl]
korkolappu heeltap [ˈhiːltæp]
korostus accent [ˈæksnt]
kortti card [kaːd]
korttipeli cards [kaːdz]
koru a piece of jewellery [ə piːs əv ˈdʒuːlri]
korva ear [iə]
korvakorut earclips [ˈiəklips]
korvalääkäri ear specialist [iə ˈspeʃəlist]
korvarengas earring [ˈiəriŋ]
korvasieni morel [mɔˈrel]
korvasärky earache [ˈiəreik]
korvata (toisella) replace [riˈpleis]; (hyvittää) compensate [ˈkompənseit]

korvatipat ear-drops
  ['iədrops]
koska because [bi'koz]
koskaan ever ['evə]
koskea touch [tʌʧ]
koskenlasku white-water
  rafting [wait 'wɔːtə
  raːftiŋ]
koskettaa touch [tʌʧ]
kosmetiikka cosmetics
  [kɔz'metiks]
kosmetiikkakauppa chem-
  ist's ['kemists]
kostea damp [dæmp]
kosteusvoide moisturiser
  ['mɔistʃəraizə]
koti home [həum]
koti-ikävä homesickness
  ['həumsiknəs]
kotimaan lento domestic
  flight [də'mestik 'flait]
kotimainen domestic
  [də'mestik]
kotiosoite home address
  [həum ə'dres]
kotirouva housewife
  ['hauswaif]
koulu school [skuːl]
koulutus education
  [eʤu'keiʃn]
kouristus cramp [kræmp]
kova hard [haːd]
**kovaksi keitetty kanan-
  muna** hardboiled egg
  ['haːdbɔild eg]
kramppi cramp [kræmp]
krapula hangover
  ['hæŋəuvə]
Kreikka Greece [griːs]

kreikkalainen Greek [griːk]
kristalli crystal ['kristl]
krooninen chronic ['kronik]
krusifiksi crucifix
  ['kruːsifiks]
kruunu crown [kraun]
kuha pike-perch [paikpɜːʧ]
kuherruskuukausi honey-
  moon ['hʌnimuːn]
kuhmu (kudoksessa) bump
  [bʌmp]
kuinka how [hau]
kuinka paljon how much
  [hau mʌʧ]
kuiskata whisper ['wispə]
kuiskaus whisper ['wispə]
kuitenkin yet [jet]
kuitti receipt [ri'siːt]
kuiva dry [drai]
kuivapestä dry-clean
  [drai'kliːn]
kuka who [huː]
kukin each [iːʧ]
kukka flower ['flauə]
kukkakaali cauliflower
  ['koliflauə]
kukkakauppa florist's
  ['florists]
kukkakimppu bouquet
  [bu'kei]
kukkaro purse [pɜːs]
kukkula hill [hil]
kulkue parade [pə'reid]
kullanmuru sweetheart
  ['swiːthaːt]
kullanvärinen golden
  ['gəuldən]
kullattu gold-plated [gəuld
  'pleitid]

kulma corner ['kɔ:nə]

kulmakynä eyebrow pencil ['aibrau pensl]

kulta gold [gəuld]

kultainen golden ['gəuldən]

kulttuuri culture ['kʌltʃə]

kulunut worn [wɔ:n]

kulut expense [ik'spens]

kuluttaa spend [spend]

kuluttua after ['a:ftə]

kumi rubber ['rʌbə]

kumina caraway ['kærəwei]

kumisaappaat rubber boots ['rʌbə bu:ts]

kumivene inflatable [in'fleitəbl]

kummallinen odd [od]

kumparemäki mogul slope ['məugəl sləup]

kumpi which [witʃ]

kumpikin both [bəuθ]

kun when [wen]

kuningas king [kiŋ]

kuningatar queen [kwi:n]

kunnes until [ən'til]

kunnia honour ['onə]

kunnianhimo ambition [æm'biʃn]

kunnioitus respect [ri'spekt]

kunnossa in order [in 'ɔ:də]

kuntoharjoittelu fitness training ['fitnis treiniŋ]

kuntosali gym [dʒim]

kuohukerma double cream ['dʌbl kri:m]

kuohuviini sparkling wine ['spa:kliŋ wain]

kuollut dead [ded]

kuorma-auto lorry ['lori], truck [trʌk]

kuoro choir [kwaiə]

kuorrutettu gratinated ['grætineitid]

kuorsata snore [snɔ:]

kupari copper ['kopə]

kuppi cup [kʌp]

1 kurkku (vihannes) cucumber ['kju:kʌmbə]

2 kurkku (anat.) throat [θrəut]

kurkkukipu sore throat [sɔ: 'θrəut]

kurkkumätä diphtheria [dip'θiəriə]

kurkkupastilli throat pastille ['θrəut pæstil]

kurkkutabletti throat lozenge ['θrəut lozindʒ]

kurpitsa marrow ['mærəu]

kurssi course [kɔ:s]

kustannus cost [kost], expense [ik'spens]

kutista itch [itʃ]

kutistua shrink [ʃriŋk]

kutsu invitation [invi'teiʃn]

kutsut party ['pa:ti]

kuu moon [mu:n]

kuudes (6.) sixth [siksθ]

kuudeskymmenes (60.) sixtieth ['sikstiəθ]

kuudessadas (600.) six hundredth [siks 'hʌndrəθ]

kuudestoista (16.) sixteenth [siks'ti:nθ]
kuukausi month [mʌnθ]
kuukausilippu monthly season ticket [mʌnθli 'si:zn tikit]
kuukautiset menstruation [menstru'eiʃn]
kuukautiskivut period pains ['piəriəd peinz]
kuulakärkikynä ballpoint pen [bɔ:lpɔint 'pen]
kuulla hear [hiə]
kuulo hearing ['hiəriŋ]
kuuloke ear-piece ['iə pi:s]
kuulolaite hearing aid ['hiəriŋ eid]
kuulua jllek belong to [bi'lɔŋ tə]
kuuluisa famous ['feiməs]
kuuma hot [hot]
kuume fever ['fi:və]
kuumemittari thermometer [θə'momitə]
kuumuus heat [hi:t]
kuunnella listen ['lisn]
kuuro deaf [def]
1 kuusi (puu) spruce [spru:s]
2 kuusi (6) six [siks]
kuusikymmentä (60) sixty ['siksti]
kuusisataa (600) six hundred [siks 'hʌndrəd]
kuusitoista (16) sixteen [sik'sti:n]
kuutamo moonlight ['mu:nlait]
kuva picture ['piktʃə]

kuvanveisto sculpture ['skʌlptʃə]
kuvanveistäjä sculptor ['skʌlptə]
kuvataide fine art [fain 'a:t]
kuvitella imagine [i'mædʒin]
kykenevä able to ['eibl tu]
kyljys chop [tʃop], cutlet ['kʌtlət]
kylkiluu rib [rib]
kyllä yes [jes]
kylmä cold [kəuld]
kylmälaukku cold bag ['kəuld bæg]
kylmäsavustettu cold-smoked [kəuld 'sməukt]
kylpy bath [ba:θ]
kylpyamme bath [ba:θ], bathtub ['ba:θ tʌb]
kylpyhuone bathroom ['ba:θru:m]
kylpylä baths [ba:θs], spa [spa:]
kylpyläkaupunki health resort [helθ ri'zɔ:t]
kylpypyyhe towel ['tauəl]
kylpytakki bathrobe ['ba:θrəub]
kylpyvaahto bath foam ['ba:θ fəum]
kyltti sign [sain]
kylä village ['vilidʒ]
kyläjuhla village festival [vilidʒ 'festivl]
kymmenen (10) ten [ten]
kymmenes (10.) tenth [tenθ]
kynsi nail [neil]

kynsiharja nailbrush
['neilbrʌʃ]

kynsilakanpoistoaine nail
varnish remover ['neil
va:niʃ ri'mu:və]

kynsilakka nail polish
['neil poliʃ], nail varnish
['neil va:niʃ]

kynsisakset nail scissors
['neil sizəz]

kynsiviila nailfile ['neilfail]

kynttilä candle ['kændl]

kynä pen [pen]

kynänteroitin pencil sharp-
ener [pensl 'ʃa:pənə]

kypsä ripe [raip]

kypärä helmet ['helmit]

kysymys question
['kwestʃən]

kysyä ask [a:sk]

kytkeä virta switch on
[switʃ 'on], turn on [tɜ:n
'on]

kytkin clutch [klʌtʃ]

kyyhky pigeon ['pidʒin]

kyynel tear [tiə]

kyynärpää elbow ['elbəu]

kyyti ride [raid]

käheä hoarse [hɔ:s]

kämmen palm [pa:m]

kännykkä mobile phone
['məubail fəun]

**kännykkä prepaid-liitty-
mällä** pay-as-you-go
mobile phone
[peiəzjə'gəu 'məubail
fəun]

kärki tip [tip]

kärpänen fly [flai]

kärsimätön impatient
[im'peiʃnt]

kärsivällinen patient
['peiʃnt]

kärsiä suffer ['sʌfə]

käsi hand [hænd]

käsienhoito manicure
['mænikjuə]

käsijarru handbrake
['hændbreik]

käsilaukku handbag
['hændbæg]

käsimatkatavara hand lug-
gage ['hænd lʌgidʒ]

käsine glove [glʌv]

käsinkudottu hand-woven
['hænd wəuvən]

käsintehty hand-made
[hænd'meid]

käsiohjelma programme
['prəugræm]

käsipallo handball ['hænd-
bɔ:l]

käsipyyhe towel ['tauəl]

käsiteollisuus handicraft
work ['hændikra:ft wɜ:k]

käsivarsi arm [a:m]

käsivoide hand cream
['hænd kri:m]

käteinen raha cash [kæʃ]

käteisellä in cash [in 'kæʃ]

kävellä walk [wɔ:k]

kävely walk [wɔ:k]

kävelykatu pedestrian
street [pə'destriən stri:t]

käydä kävelyllä take a walk
[teik ə 'wɔ:k]

käynnistysjohdot jump
leads ['dʒʌmp li:dz]

käynnistää start [sta:t]

käyntikortti business card ['biznis ka:d]

käytetty second-hand ['sekənd hænd], used [ju:st]

käyttäytyä behave [bi'heiv]

käyttää use [ju:s]

käyttö use [ju:s]

käytäntö practice ['præktis]

käytävä aisle [ail]

käytäväpaikka (lentoko-neessa, junassa ym.) aisle seat [ail si:t]

käytös behaviour [bi'heiviə]

kääntyä turn around [tɜ:n ə'raund]

kääntää (kielestä) translate [trænz'leit]

käärepaperi wrapping paper ['ræpiŋ 'peipə]

kääretorttu Swiss roll [swis 'rəul]

käärme snake [sneik]

käärmeen purema snake bite ['sneikbait]

kääryle roll [rəul]

kömpelö clumsy ['klʌmzi]

köyhyys poverty ['povəti]

köyhä poor [puə]

köysi rope [rəup]

köysirata cableway ['keiblwei]

Ll

laajentaa expand [ik'spænd]

laajuus dimension [dai'menʃən]

laakso valley ['væli]

laastari sticking plaster ['stikiŋ pla:stə]

laatikko ① box [boks] ② (ruoka) casserole ['kæsərəul]

laatu quality ['kwoliti]

laatutuote quality product ['kwoliti prodʌkt]

laava lava ['la:və]

lager-olut lager ['la:gə]

lahja gift [gift]

lahjapaketti gift package [gift 'pækidʒ]

lahjoittaa donate [dəu'neit]

lahna bream [bri:m]

lahti bay [bei], gulf [gʌlf]

laiha thin [θin], lean [li:n]

laillinen legal ['li:gl]

laina loan [ləun]

lainata jollekulle lend [lend]

lainata joltakulta borrow ['borəu]

lainaus citation [sai'teiʃn]

laine wave [weiv]

lainelauta surfboard ['sɜ:fbɔ:d]

laiska lazy ['leizi]

laiton illegal [i'li:gl]

laittaa ruokkaa cook [kuk]

laituri quay [ki:]

laiva ship [ʃip]

laivasto fleet [fli:t]

laji sort [sɔ:t], kind [kaind]

lakana sheet [ʃi:t]

laki law [lɔ:]

1 lakka (marja) cloudberry ['klaudbəri]

2 lakka (liuos) lacquer ['lækə]

lakki cap [kæp]

lakko strike [straik]

lakritsa licorice ['likəris]

laktoosi-intoleranssi lactose intolerance [læktəus in'tolərəns]

laktoositon no lactose [nəu 'læktəus]

lammas lamb [læm]

lampaanliha mutton ['mʌtn]

lampi pond [pond]

lamppu lamp [læmp]

langaton wireless ['waiələs]

lanka thread [θred]

lanko brother-in-law ['brʌðə(r) in lɔ:]

lantio hip [hip]

lanttu swede [swi:d]

lapio spade [speid], shovel ['ʃʌvl]

lapsenlapsi grandchild ['grændtʃaild]

lapsenvahti babysitter ['beibisitə]

lapsi child [tʃaild]

lapsialennus child discount [tʃaild 'diskaunt]

lapsiparkki creche [kreʃ]

lapsiperhe family with children ['fæməli wið 'tʃildrən]

lapsipuoli stepchild ['steptʃaild]

lasagne lasagne [lə'sa:njə]

lasi glass [gla:s]

lasillinen a glass of [ə gla:s əv]

laskea count [kaunt]

laskea yhteen add together [æd tə'geðə]

laskettelu down-hill skiing [daun hil 'ski:iŋ]

laskettelusuksi ski [ski:]

laskeutua land [lænd]

laskiainen shrovetide ['ʃrəuvtaid]

laskimo vein [vein]

lasku bill [bil]

laskuvarjo parachute ['pærəʃu:t]

laskuvarjohyppy parachute jump ['pærəʃu:t dʒʌmp]

laskuvesi ebb tide [eb 'taid]

lasta splint [splint]

lastenallas children's pool ['tʃildrənz pu:l]

lastenhoitaja nanny ['næni]

lastenhuone children's room ['tʃildrənz ru:m]

lastenistuin child seat
['tʃaild siːt]
lastenlippu children's
ticket ['tʃildrənz 'tikit]
lastenlääkäri paediatrician
['piːdiə'trifən]
lastenosasto (tavaratalos-
sa) children's department
['tʃildrənz di'paːtmənt]
lastensänky children's bed
['tʃildrənz bed], (vauvan-
sänky) cot [kot]
lastentuoli children's chair
['tʃildrənz tʃeə]
lastenvaunut pram [præm]
lato barn [baːn]
lattia floor [flɔː]
latu cross-country course
['kroskʌntri 'kɔːs]
laturi charger ['tʃaːdʒə]
Latvia Latvia ['lætviə]
latvialainen Latvian
['lætviən]
lauantai Saturday ['sætədei]
laukaisin (kameran-)
shutter ['fʌtə]
laukkarata race course
['reis kɔːs]
laukku bag [bæg]
laulaa sing [siŋ]
laulu song [soŋ]
lautanen plate [pleit]
lautasliina napkin
['næpkin]
lautta ferry ['feri]
lavantauti typhoid
['taifɔid]
lavuaari washbasin
['woʃbeisn]

lehmus linden ['lindən]
lehmä cow [kau]
lehtikioski news agent
[njuːz 'eidʒənt]
lehtikulta gold leaf [gəuld
'liːf]
lehtikuusi larch [laːtʃ]
lehtisalaatti lettuce ['letis]
leija kite [kait]
leijona lion ['laiən]
leikata ① cut [kʌt] ② (lääk.)
operate ['opəreit]
leikkaus ① (hiusten) hair-
cut ['heəkʌt] ② (lääk.)
surgery ['sɜːdʒəri]
leikkele cold meat [kəuld
'miːt]
leikkikalu toy [toi]
leikkipuisto playground
['pleigraund]
leikkiä play [plei]
leimauslaite stamping
machine [stæmpiŋ
mə'fiːn]
leipoa bake [beik]
leipomo baker's ['beikəz]
leipä bread [bred], (limppu)
loaf [ləuf]
leirintä camping ['kæmpiŋ]
leirintäalue camp(ing) site
['kæmp(iŋ) sait]
leirintäkortti camping card
['kæmpiŋ kaːd]
leivinjauhe baking powder
['beikiŋ paudə]
leivos pastry ['peistri]
leivänpaahdin toaster
['təustə]
lempeä mild [maild]

leninki dress [dres]
lenkkitossut trainers
['treinəz], sneakers
['sni:kəz]
lennätin telegraph
['teligra:f]
lento flight [flait]
lentoasema airport
['eəpɔ:t]
lentoemäntä flight attend-
ant ['flait ətendənt]
lentokenttäbussi airport
shuttlebus [eəpɔ:t 'ʃʌtl-
bʌs]
lentokenttävero airport tax
['eəpɔ:t tæks]
lentokone aeroplane
['eərəplein]
lentopallo volleyball
['volibɔ:l]
lentoposti airmail ['eəmeil]
lentosukat flight socks
['flait soks]
lentovaraus flight reserva-
tion ['flait rezəveiʃn]
lentää fly [flai]
lepo rest [rest]
leski (miehestä) widow
['widəu], (naisesta) wid-
ower ['widəuə]
leuka jaw [dʒɔ:], chin [tʃin]
leukaluu jaw [dʒɔ:]
leveysaste latitude
['lætitju:d]
leveä broad [brɔ:d], wide
[waid]
levoton restless ['restləs]
levähdysalue lay-by
['leibai]

levätä rest [rest]
liesi stove [stəuv]
Liettua Lithuania
[liθ'jueiniə]
liettualainen Lithuanian
[liθ'jueiniən]
liftata hitch-hike ['hitʃ
haik]
liha meat [mi:t]
lihakastike gravy ['greivi]
lihakauppa butcher's
['butʃəz]
lihaliemi consommé
[kən'somei]
lihapiirakka meat pie
['mi:t pai]
lihapullat meatballs
['mi:tbɔ:lz]
lihas muscle ['mʌsl]
lihava fat [fæt]
liian too [tu:]
liian paljon too much [tu:
mʌtʃ]
liikalihava obese [əu'bi:s]
liikeasiat business ['biznis]
liikematka business trip
['biznis trip]
liikemies businessman
['biznismæn]
liikemiesluokka business
class ['biznis kla:s]
liikenne traffic ['træfik]
liikennemerkki traffic sign
['træfik sain]
liikenneruuhka traffic jam
['træfik dʒæm]
liikennevalo traffic light
['træfik lait]

liikenneympyrä roundabout ['raundəbaut]

liikevaihtovero sales tax ['seils tæks]

liikkua move [mu:v]

liikuntaesteinen physically disabled [fizikli dis'eibld]

liikuntavamma physical disability [fizikl disə-'biliti]

liikuttaa move [mu:v]

liila lilac ['lailək]

liima glue [glu:]

liinavaatteet linen ['linin]

liinavaatteiden vaihto linen change ['linin tʃeindʒ]

liioitella exaggerate [ig'zædʒəreit]

liioittelu exaggeration [igzædʒə'reiʃn]

liitovarjo paraglider ['pærəglaidə]

liitovarjoilu paragliding ['pærəglaidiŋ]

liittyä join [dʒɔin]

liivit (miesten) waistcoat ['weistkəut]

likainen dirty ['dɜ:ti]

likööri liqueur [li'kjuə]

limetti lime [laim]

limonadi lemonade [lemə'neid]

linja-autoasema bus station [bʌs 'steiʃn]

linna castle ['ka:sl]

linnoitus fortress ['fɔ:trəs]

1 linssi lens [lenz]

2 linssi (siemen) lentil ['lentl]

lintu bird [bɜ:d]

lintujensuojelualue bird reserve [bɜ:d ri'zɜ:v]

lippu ① (valtion) flag [flæg] ② (matka-, pääsy-) ticket ['tikit]

lippuautomaatti ticket machine [tikit mə'ʃi:n]

lippuluukku ticket window ['tikit windəu]

lipputoimisto ticket office ['tikit ofis]

lipunmyynti sale of tickets [seil əv 'tikits]

lipuntarkastaja ticket inspector ['tikit in'spektə]

lipuntarkastus ticket inspection ['tikit in'spekʃn]

lisäke garnish ['ga:niʃ]

lisäksi in addition [in ə'diʃn]

lisämaksu surcharge ['sɜ:tʃa:dʒ]

lisätä add [æd]

lisäviikko extra week ['ekstrə wi:k]

lisävuode extra bed ['ekstrə bed]

lisäys addition [ə'diʃn]

litra litre ['li:tə]

liueta dissolve [di'zolv]

liukas slippery ['slipəri]

liukastua slip [slip]

lohi salmon ['sæmən]

loistava splendid ['splendid]

loistohotelli de luxe hotel [di 'lʌks həu'tel]

loiva sloping ['sləupiŋ]

lokakuu October [ok'təubə]
lokasuoja mudguard
['mʌdgaːd]
loma holiday ['holidei],
vacation [və'keiʃn]
lomake form [fɔːm]
lomakylä resort village
[ri'zɔːt vilidʒ]
lomamökki holiday cottage
['holidei kotidʒ]
lompakko wallet ['wolit]
lonkka hip [hip]
Lontoo London ['lʌndən]
lontoolainen Londoner
['lʌndənə]
lopettaa finish ['finiʃ]
loppiainen Epiphany
[i'pifəni]
loppu end [end]
loppua expire [ik'spaiə]
loppuunmyynti clearance
sale ['kliərəns seil]
loppuunmyyty sold out
[səuld aut]
lopulta at last [ət laːst]
lopussa finished ['finiʃt]
loska slush [slʌʃ]
loukata offend [ə'fend]
loukkaantunut (onnetto-
muudessa) injured
['indʒəd]
loukkaus offence [ə'fens]
1 lounas (ateria) lunch
[lʌntʃ]
2 lounas (ilmansuunta)
south-west [sauθ 'west]
luento lecture ['lektʃə]
luettelo catalogue
['kætəlog]

luistella skate [skeit]
luistimet skates [skeits]
luistinrata skating rink
['skeitiŋ riŋk]
luja firm [fɜːm]
lukea read [riːd]
lukita lock [lok]
lukkoseppä locksmith
['loksmiθ]
luku figure ['figə]
lukulamppu reading lamp
['riːdiŋ læmp]
lukumäärä number
['nʌmbə]
lukuun ottamatta exclud-
ing [ik'skluːdiŋ]
lumi snow [snəu]
lumilauta snowboard
['snəubɔːd]
lumilautailla snowboard
['snəubɔːd]
lumimyrsky blizzard
['blizəd]
lumisade snowfall
[snəufɔːl]
lumivyöry avalanche
['ævəlaːnʃ]
luoda create [kri'eit]
luode north-west [nɔːθ
'west]
luola cave [keiv]
luomiväri eye shadow ['ai
ʃædəu]
luomu- organic [ɔː'gænik]
luomuruoka organic food
[ɔː'gænik fuːd]
luonne character ['kæriktə]
luonnollinen natural
['nætʃrəl]

luonnonilmiö natural phenomenon [ˈnætʃrəl fəˈnɒminən]

luonnonsuojelualue conservation area [konsəˈveiʃn eəriə]

luonto nature [ˈneitʃə]

luontomatkailu natural tourism [ˈnætʃərl tuərizm]

luontopolku nature trail [ˈneitʃə treil]

luostari monastery [ˈmɒnəstri]

luostarikirkko abbey [ˈæbi]

luotettava reliable [riˈlaiəbl]

luottaa trust [trʌst]

luottamuksellinen confidential [konfiˈdenʃl]

luottamus confidence [ˈkonfidəns]

luotto credit [ˈkredit]

luottokortti credit card [ˈkredit kaːd]

lupa permission [pəˈmiʃn]

lupaus promise [ˈpromis]

lusikka spoon [spuːn]

luu bone [bəun]

luukku counter [ˈkauntə]

luumu plum [plʌm]

luunmurtuma fracture [ˈfræktʃə]

luvata promise [ˈpromis]

Luxemburg Luxembourg [ˈlʌksəmbɜːg]

luxemburgilainen Luxembourger [ˈlʌksəmbɜːgə]

lyhentää shorten [ˈʃɔːtn]

lyhyt short [ʃɔːt]

lyijykynä pencil [ˈpensl]

lyijytön bensiini lead-free petrol [ˈled friː petrl]

lyödä hit [hit]

lyödä vetoa bet [bet]

lähde spring [spriŋ]

lähellä near [niə]

lähettäjä sender [ˈsendə]

lähettää send [send]

lähettää sähköpostia email [ˈiːmeil]

lähetystö embassy [ˈembəsi]

lähin nearest [ˈniərist]

lähivalot dipped headlights [dipt ˈhedlaits]

lähteä leave [liːv], depart [diˈpaːt]

lähtö departure [diˈpaːtʃə]

lähtöaika time of departure [taim əv diˈpaːtʃə]

lähtöselvitys check-in [ˈtʃekin]

lähtöselvitys automaatilla self-service check-in [selfˈsɜːvis tʃekin]

lähtöselvitys internetissä online check-in [ˈonlain tʃekin]

lämmin warm [wɔːm]

lämmin vesi hot water [hot ˈwɔːtə]

lämmitys heating [ˈhiːtiŋ]

lämpiö lobby [ˈlobi]

lämpö ① heat [hiːt] ② (ruumiin-) temperature [ˈtemprətʃə]

lämpöaste degree [diˈgriː]

lämpömittari thermometer
[θə'momitə]
lämpötila temperature
['temprətʃə]
länsi west [west]
läntinen western ['westən]
läpi through [θru:]
läpikulku thoroughfare
['θʌrəfeə]
läpikulkumatka through
trip ['θru: trip]
läpinäkyvä transparent
[træns'pærənt]
läpivalaista x-ray ['eksrei]
läpivalaisu x-ray screening
['eksrei skri:niŋ]
läsnäoleva present
['preznt]
läsnäolo presence
['prezens]
lääke medicine ['medisən]

lääkeannos dose [dəus]
lääkemääräys prescription
[pri'skripʃn]
lääkäri doctor ['doktə]
lääkärintodistus medical
certificate [medikl
sə'tifikət]
lääkäripäivystys doctor on
duty ['doktə(r) on dju:ti]
löydökset findings
['faindiŋs]
löyhkätä stink [stiŋk]
löysä loose [lu:s]
löytää find [faind]
löytöpalkkio reward
[ri'wɔ:d]
löytötavarat lost property
[lost 'propəti]
löytötavaratoimisto lost
property office [lost
'propəti ofis]

Mm

maa land [lænd]
maailma world [wɜ:ld]
maakoodi (puhelinliiken-
teessä) country code
['kʌntri kəud]
maalais- rural ['ruərəl]
maalaistalo farm [fa:m],
farmhouse [fa:mhaus]
maalata paint [peint]
maalaus painting ['peintiŋ]

maalaustaide pictorial art
[pik'tɔ:riəl a:t]
1 maali (pelissä) goal [gəul]
2 maali (väri) paint [peint]
maaliskuu March [ma:tʃ]
maalivahti goalkeeper
['gəulki:pə]
maanalainen underground
['ʌndəgraund]
maanantai Monday
['mʌndi]

maanjäristys earthquake
['ɜ:θkweik]
maanosa continent
['kontinənt]
maantie highway ['haiwei]
maantiekartta road map
['rəud mæp]
maantieteellinen geo-
graphical [dʒiə'kræfikl]
maanviljelys agriculture
['ægrikʌltʃə]
maaperä ground [graund]
maaseutu countryside
['kʌntrisaid]
maastoauto cross-country
vehicle [kros 'kʌntri
vi:ikl]
maastopyörä mountain
bike ['mauntin baik]
maata lie [lai]
maatalous agriculture
['ægrikʌltʃə]
maatila farm [fa:m]
maatilamajoitus farm-
house accommodation
['fa:mhaus əkomə'deiʃn]
maatilamatkailu agrotour-
ism ['ægrəutuərizm]
made burbot [bɜ:bit]
madeira madeira
[mə'diərə]
mahdollinen possible
['posəbl]
mahdollisesti possibly
['posəbli]
mahdollisuus possibility
[posə'biliti], chance
[tʃa:ns]

mahdoton impossible
[im'posəbl]
mahtava great [greit]
maihinnousukortti landing
card ['lændiŋ ka:d]
maila (tennis-) racket
['rækit], (pesäpallo-) bat
[bæt], (golf-) club [klʌb],
(jääkiekko-) stick [stik]
maili mile [mail]
maine reputation [repju-
'teiʃn]
mainita mention ['menʃn]
mainostaa advertise
['ædvətaiz]
maisema landscape
['lændskeip]
maissihiutaleet corn flakes
['kɔ:n fleiks]
maistaa taste [teist]
maito milk [milk]
maitokauppa dairy ['deəri]
maitotuotteet dairy prod-
ucts ['deəri prodʌkts]
majakka lighthouse
['laithaus]
majatalo inn [in]
majoitus accommodation
[əkomə'deiʃn]
majoneesi mayonnaise
[meiə'neiz]
makaroni macaroni
[mækə'rəuni]
makaronia juustokastik-
keessa macaroni cheese
[mækə'rəuni tʃi:z]
makea sweet [swi:t]
makeiset sweets [swi:ts]

makeiskauppa sweetshop
['swi:t ʃop]
makeutusaine sweetener
['swi:tənə]
makkara sausage ['sosidʒ]
maksa liver ['livə]
maksaa ① pay [pei] ② (olla
hintana) cost [kost]
maksapasteija liver paste
['livə peist]
maksukortti charge card
['tʃa:dʒ ka:d]
maksullinen chargeable
['tʃa:dʒəbl]
maksuosoitus payment
order ['peimənt ɔ:də]
maksutelevisio pay-tv ['pei
ti: vi:]
maksuväline means of pay-
ment [mi:nz əv
'peimənt]
maku taste [teist]
makuuhuone bedroom
['bedru:m]
makuupussi sleeping bag
['sli:piŋ bæg]
makuuvaunu sleeping car
['sli:piŋ ka:], sleeper
['sli:pə]
malaria malaria
[mə'leəriə]
malja bowl [bəul]
malli pattern ['pætn]
malttaa have patience
[hæv 'peiʃəns]
mandariini mandarin
['mændərin]
manikyyri manicure
['mænikjuə]

manner continent
['kontinənt]
mansikka strawberry
['strɔ:bəri]
manteli almond ['a:mənd]
marenki meringue
[mə'ræŋ]
margariini margarine
[ma:dʒə'ri:n]
marinoitu marinated
['mærineitid]
markkinat market
['ma:kit]
marmelaati marmalade
['ma:məleid]
marraskuu November
[nəu'vembə]
masennus depression
[di'preʃn]
masentunut depressed
[di'prest]
maskotti mascot ['mæskət]
matala low [ləu]
materiaali material
[mə'tiəriəl]
matka journey ['dʒ3:ni],
trip [trip]
matkailutoimisto tourist
office ['tuərist 'ofis]
matkakortti travelcard
['trævlka:d]
matkakustannukset travel-
ling expenses [trævəliŋ
ik'spensiz]
matkalaukku suitcase
['su:tkeis]
matkalippu ticket ['tikit]
matkamuisto souvenir
[su:və'niə]

matkaopas tourist guide ['tuərist gaid]

matkapahoinvointi travel sickness ['trævl siknəs]

matkapuhelin mobile phone ['məubail fəun]

matkapuhelinliittymä mobile phone subscription ['məubail fəun səb'skripʃn]

matkaradio portable radio ['pɔːtəbl 'reidiəu]

matkareitti route [ruːt]

matkasekki traveller's cheque ['trævləz tʃek]

matkasuunnitelma itinerary [ai'tinərəri], travel plan ['trævl plæn]

matkatavarakärryt trolley ['troli]

matkatavarasäiliö (auton) boot [buːt]

matkatavarat luggage ['lʌgidʒ]

matkatavaratoimisto left luggage office [left 'lʌgidʒ 'ofis]

matkatavaravaunu luggage van ['lʌgidʒ væn]

matkatoimisto travel agency ['trævl eidʒənsi]

matkavakuutus travel insurance [trævl in'ʃuərəns]

matkavaraus travel reservation [trævl rezə'veiʃn]

matkustaa travel ['trævl]

matkustaja passenger ['pæsindʒə]

matkustusasiakirja travel document [trævl 'dokjumənt]

matto carpet ['kaːpit]

mausoleumi mausoleum [mɔːsə'liəm]

mauste spice [spais]

mausteinen spicy ['spaisi]

maustekurkku pickled cucumber ['pikld 'kjuːkʌmbə]

maustettu spiced [spaist]

me we [wiː]

mehiläinen bee [biː]

mehu juice [dʒuːs]

meidän our ['auə]

meikki make-up ['meik ʌp]

meikkilaukku toilet bag ['tɔilit bæg]

meirami marjoram ['maːdʒ(ə)rəm]

mekaanikko mechanic [mə'kænik]

mekaaninen mechanical [mə'kænikl]

mela paddle ['pædl]

melkein almost ['ɔːlməust]

meloni melon ['melən]

melu noise [nɔiz]

meluisa noisy ['nɔizi]

menestys success [sək'ses]

menestyä succeed [sək'siːd]

menettää lose [luːz]

menetys loss [los]

menneisyys past [paːst]

mennä go [gəu]

mennä pois go away [gəu ə'wei]

mennä sijoiltaan get
sprained [get spreind]
mennä yli cross [kros]
menolippu single ticket
['siŋgl tikit]
meno-paluulippu return
ticket [ri'tɜ:n 'tikit]
meren ranta sea side [si:
said]
merenkäynti sea [si:], seas
[si:z], (voimakas) rough
sea [rʌf si:]
meri sea [si:]
meriantura sole [səul]
merimies sailor ['seilə]
meripihka amber ['æmbə]
meriravunpyrstöt prawn
tails ['prɔ:n teilz]
merkitys meaning ['mi:niŋ]
merkitä mean [mi:n]
mesimarja arctic bramble
[a:ktik 'bræmbl]
messinki brass [bra:s]
messu mass [mæs]
metalli metal ['metl]
meteli noise [nɔiz]
metro underground
['ʌndəgraund]
metroasema underground
station ['ʌndəgraund
steiʃn]
metsikkö wood [wud]
metso capercaillie
[kæpə'keili]
metsä forest ['forist], (met-
sikkö) woods [wudz]
metsämansikka wild
strawberry [waild
'strɔ:beri]

metsäpalo forest fire
['forist faiə]
metsäsieni forest mush-
room [forist 'mʌʃru:m]
metsästäjä hunter ['hʌntə]
metsästää hunt [hʌnt]
miekkakala swordfish
['sɔ:dfiʃ]
mielellään with pleasure
[wið 'pleʒə]
mieli mind [maind]
mieliala mood [mu:d]
mielihyvä pleasure ['pleʒə]
mielikuvitus imagination
[imædʒi'neiʃn]
mielipide opinion
[ə'piniən]
mielisairas insane [in'sein]
miellyttävä pleasant
['plezənt]
miellyttää please [pli:z]
mies man [mæn]
miestenhuone men's room
['menz ru:m], gents
['dʒents]
miestenosasto (tavarata-
lossa) men's department
[menz di'pa:tmənt]
migreeni migraine
['mi:grein]
mikroauto go-kart
['gəuka:t]
miksi why [wai]
mikä what [wot]
miljoona (1 000 000) a mil-
lion [ə 'miljən]
milloin when [wen]
minibaari minibar
[miniba:]

minigolf minigolf
[minigolf]
ministeri minister
['ministə]
minkki mink [miŋk]
minttu mint [mint]
minun my [mai]
minuutti minute ['minit]
minä I [ai], (be-verbin
jälkeen) me [mi:]
missä where [weə]
mistä where from
['weəfrəm]
mitata measure ['meʒə]
mitta measure ['meʒə]
mitä what [wot]
mokkanahka suede [sweid]
monet many ['meni]
moni many ['meni]
monot ski boots ['ski:
bu:ts]
monta many ['meni]
moonlight kuutamo
['mu:nlait]
moottori motor ['məutə]
moottoripyörä motorcycle
['məutəsaikl]
moottoritie highway
['haiwei], motorway
['məutəwei]
moottorivene motorboat
['məutəbəut]
moottorivika breakdown
['breikdaun]
mopedi moped ['məupəd]
morsian bride [braid]
moskeija mosque [mosk]
motelli motel [məu'tel]
muhennos stew [stju:]

muistaa remember
[ri'membə]
muistelmat memoirs
['memwa:z]
muisti memory ['meməri]
muistikirja notebook
['nəutbuk]
muistomerkki memorial
[mə'mɔ:riəl]
muistopäivä commemoration day [kəmemə'reiʃn
dei]
muistuttaa remind
[ri'maind]
mukaan lukien including
[in'klu:diŋ]
mukava comfortable
['kʌmftəbl]
muki mug [mʌg]
munakoiso aubergine
['əubəʒi:n]
munakokkeli scrambled
eggs ['skræmbld egs]
munankeltuainen egg yolk
['eg jəuk]
munanvalkuainen egg
white ['eg wait]
munkki doughnut
['dəunʌt]
munuainen kidney ['kidni]
munuaiskivi kidney stone
['kidni stəun]
munuaistulehdus nephritis
[ne'fraitis]
muodollinen formal
['fɔ:məl]
muodollisuus formality
[fɔ:'mæləti]
muoti fashion ['fæʃn]

muoto shape [ʃeip]
muotoilu design [di'zain]
muotokuva portrait
['pɔ:trit]
muovi plastic ['plæstik]
muovikassi plastic bag
['plæstik bæg]
murea tender ['tendə]
mureke meat loaf [mi:t
ləuf]
murha murder ['mɜ:də]
murot cereals ['siəriəls]
murtomaahiihto cross-
country skiing [kros-
'kʌntri ski:iŋ]
murtuma fracture ['fræktʃə]
murtunut (esim. jalka)
broken ['brəukən]
museo museum [mju:'ziəm]
musiikki music ['mju:zik]
musikaali musical
['mju:zikl]
musta black [blæk]
mustapippuri black pepper
[blæk 'pepə]
mustasukkainen jealous
['dʒeləs]
mustavalkoinen black-and-
white [blæk ən 'wait]
mustaviinimarja black
currant [blæk 'kʌrnt]
mustekynä pen [pen]
mustelma bruise [bru:z]
mustikka bilberry ['bil-
beri], blueberry ['blu:-
beri]
muta mud [mʌd]
mutka curve [kɜ:v]
mutta but [bʌt]

muuli mule [mju:l]
muurahainen ant [ænt]
muuri wall [wɔ:l]
muutama a few [ə fju:]
muutoin otherwise
['ʌðəwaiz]
muutos change [tʃeindʒ]
muutto removal [ɾi'mu:vl],
moving ['mu:viŋ]
muuttolintu migrant
['maigrənt], migratory
bird ['maigrətri bɜ:d]
mylly mill [mil]
myrkyllinen poisonous
['pɔizənəs]
myrkytys poisoning
['pɔizniŋ]
myrsky storm [stɔ:m], gale
[geil]
myydä sell [sel]
myyjä salesman
['seilzmən], shop assist-
ant [ʃop ə'sistnt]
myymälä shop [ʃop]
myytävänä for sale [fə 'seil]
myöhemmin later ['leitə]
myöhäisnäytäntö late show
['leit ʃəu]
myöhässä late [leit]
myöhästyminen delay
[di'lei]
myöhästyä be late [bi: 'leit]
myöhästyä junasta miss
the train [mis ðə trein]
myöhään late [leit]
myös also ['ɔ:lsəu]
myötätunto sympathy
['simpəθi]

myötätuntoinen sympa-
thetic [simpə'θetik]
myötätuuli tailwind
['teilwind]
mädäntynyt rotten ['rotn]
mäki hill [hil]
mänty pine [pain]
mäntä piston ['pistən]
märkä wet [wet]

märkäpuku wet suit ['wet
su:t]
mäti roe [rəu]
mätä pus [pʌs]
määritelmä definition
[defi'niʃən]
määrä quantity ['kwontiti]
määrätä determine
[di'tɜ:min]
mökki cottage ['kotidʒ]

Nn

naapuri neighbour ['neibə]
naarmu graze [greiz]
nahka leather ['leðə]
nahkiainen lamprey
['læmpri]
nailon nylon ['nailon]
naimaton single ['siŋgl]
naimisissa married
['mæri:d]
nainen woman ['wumən]
naistenhuone ladies'
(room) ['leidi:z (ru:m)]
naistenosasto (tavarata-
lossa) ladies' department
['leidi:z di'pa:tmənt]
nakki frankfurter ['fræŋk-
fɜ:tə]
nakkikioski hot-dog stand
['hot dog stænd]
napapiiri (pohjoinen) arctic
circle ['a:ktik sɜ:kl]
nappi button ['bʌtn]

naru string [striŋ]
naudanliha beef [bi:f]
naula nail [neil]
naulakko rack [ræk]
nauraa laugh [la:f]
nauris turnip ['tɜ:nip]
nauru laughter ['la:ftə]
nauttia enjoy [in'dʒɔi]
nelikulmainen square
[skweə]
nelinpeli doubles ['dʌblz]
neljä (4) four [fɔ:]
neljäkymmentä (40) forty
['fɔ:ti]
neljännes quarter ['kwɔ:tə]
neljäs (4.) fourth [fɔ:θ]
neljäsataa (400) four hun-
dred [fɔ: 'hʌndrəd]
neljäskymmenes (40.) for-
tieth ['fɔ:tiəθ]
neljässadas (400.) four
hundredth [fɔ: 'hʌndrəθ]

neljästoista (14.) fourteenth [fɔː'tiːnθ]
neljätoista (14) fourteen [fɔː'tiːn]
nenä nose [nəuz]
nenäliina handkerchief ['hæŋkətʃif]
nenäverenvuoto nose bleed ['nəuz bliːd]
neste liquid ['likwid]
nettikahvila internet café ['intənət kæfei]
neula needle ['niːdl]
neuloa knit [nit]
neutraali neutral ['njuːtrəl]
neuvo advice [əd'vais]
neuvoa advise [əd'vaiz]
neuvonta information [infə'meiʃn]
niellä swallow ['swoləu]
nielurisat tonsils ['tonslz]
nielurisatulehdus tonsillitis [tonsi'laitəs]
nieriä arctic char ['aːktik tʃaː]
niin so [səu]
niitty meadow ['medəu]
nikkeli nickel ['nikl]
nilkka ankle ['æŋkl]
nimi name [neim]
nimipäivä name day [neim dei]
niska neck [nek]
nisäkäs mammal ['mæml]
nivel joint [dʒoint]
noidannuoli lumbago [lʌm'beigəu]

noin about [ə'baut], approximately [ə'proksimətli]
nojatuoli easy-chair ['iːzitʃeə]
nokkonen nettle ['netl]
nolla (0) zero ['ziərəu]
nolo embarrassed [im'bærəst]
nopea quick [kwik], fast [faːst]
nopeammin quicker [kwikə], faster ['faːstə]
nopeus speed [spiːd]
nopeusmittari speedometer [spiː'domitə]
noppa dice [dais]
Norja Norway ['nɔːwei]
norjalainen Norwegian [nɔː'wiːdʒən]
normaali normal ['nɔːml]
normaalihinta standard price ['stændəd prais]
norsu elephant ['elifənt]
nostaa lift [lift]
nostotaso lifting ramp ['liftiŋ ræmp]
nousta rise [raiz]
nousta autoon get in a car [get 'in ə kaː]
nousta bussiin get on a bus [get 'on ə bʌs]
nousta laivaan board a ship [bɔːd ə 'ʃip]
nousta lentokoneeseen board a plane [bɔːd ə 'plein]
nousta ylös get up [get 'ʌp]

nousuvesi high tide [hai
'taid]
noutaa pick up [pik 'ʌp]
noutopöytä buffet ['bufei]
nudistiranta nude beach
['nju:d bi:tʃ]
nugaa nougat ['nu:ga:]
nuha cold [kəuld]
nukke doll [dol]
nukkua sleep [sli:p]
nukuttaa be sleepy [bi:
'sli:pi]
nukutusaine anaesthetic
[ænəs'θetik]
numero number ['nʌmbə]
numerotiedustelu direc-
tory enquiries [di'rektri
in'kwaiəriz]
nummi moorland
['muələnd]
nunnaluostari convent
['konvənt]
nuo those [ðəuz]
nuori young [jʌŋ]
nuoruus youth [ju:θ]
nuotio campfire ['kæmp-
faiə]
nuppi knob [nob]
nurkka corner ['kɔ:nə]
nurmikko lawn [lɔ:n]
nuttura bun [bʌn]

nuudelit noodles ['nu:dls]
nykyinen ['preznt] present
['preznt]
nykytaide modern art
['modən a:t]
nyrjähdys sprain [sprein]
nyrkkeily boxing [boksiŋ]
nyt now [nau]
nähdä see [si:]
nähtävyydet sights [saits]
nähtävyys sight [sait]
näkemiin! goodbye!
[gud'bai]
näkkileipä crispbread
['krispbred]
näköala view [vju:]
näköalapaikka vantage
point ['væntidʒ pɔint]
nämä these [ði:z]
näppylä pimple [pimpl]
närästys heartburn
['ha:tbɜ:n]
näytellä play [plei]
näytelmä play [plei]
näyttely exhibition
[eksi'biʃn]
näyttää (jotakin) show
[ʃəu]
näytäntö performance
[pə'fɔ:məns]

Oo

obeliski obelisk ['obəlisk]
objektiivi lens [lenz]
odottaa wait [weit], expect [ik'spekt]
odotushuone waiting room ['weitiŋ ru:m]
oheistaa enclose [in'kləuz]
ohi over ['əuvə]
ohikulkutie bypass ['baipa:s]
ohittaa pass [pa:s]
ohitus kielletty no over-taking [nəu 'əuvəteikiŋ]
ohjata (autoa) steer [stiə]
ohjauspyörä steering wheel ['stiəriŋ wi:l]
ohjelma programme ['prəugræm]
ohukainen pancake ['pænkeik]
ohut thin [θin]
oikea right [rait]
oikealle to the right [tə ðə 'rait]
oikeanpuoleinen right-hand [rait 'hænd]
oikein right [rait]
oikeudenmukainen fair [feə]
oikeusistuin court [kɔ:t]
oikeusjuttu case [keis]

oikosulku short circuit [ʃɔ:t 'sɜ:kit]
oikotie short cut [ʃɔ:t 'kʌt]
oire symptom ['simptəm]
oksennus vomit ['vomit]
oksentaa vomit ['vomit]
oksettaa feel sick [fi:l 'sik]
ole kiltti! please! [pli:z]
oleskelu stay [stei]
oleskelulupa residence permit ['rezidens pɜ:mit]
oleskelutila lounge [laundʒ]
olettaa suppose [sə'pəuz], presume [pri'zju:m], assume [ə'sju:m]
oliivi olive [oliv]
oliiviöljy olive oil ['oliv ɔil]
olkaa hyvä! please! [pli:z]
olkalaukku shoulder bag ['ʃəuldə bæg]
olkapää shoulder ['ʃəuldə]
olla be [bi:]
olla eksyksissä be lost [bi: 'lost]
olla epäkunnossa be out of order [bi: aut əv 'ɔ:də]
olla janoinen be thirsty [bi: 'θɜ:sti]
olla kunnossa be in order [bi: in 'ɔ:də]

olla **merisairas** be seasick [bi: 'si:sik]

olla **myöhässä** be late [bi: 'leit]

olla **nälkäinen** be hungry [bi: 'hʌŋgri]

olla **pahoillaan** be sorry [bi: 'sori]

olla **raskaana** be pregnant [bi: 'pregnənt]

olla **velkaa** owe [əu]

olla **vilustunut** have a cold [hæv ə 'kəuld]

olla **väärässä** be wrong [bi: 'roŋ]

olla **yhtä mieltä** agree [ə'gri:]

ollenkaan at all ['æt ɔ:l]

olohuone living room ['liviŋ ru:m]

olut beer [biə]

olutkellari brasserie ['bræsəri]

oluttuoppi (0,57 l) pint [paint]

oma own [əun]

omaisuus property ['propəti]

omatoimimatkailu independent travel [indi'pendənt trævl]

omena apple ['æpl]

omenamehu apple juice ['æpl dʒu:s]

omistaa have [hæv]

omistaja owner ['əunə]

omituinen strange [streindʒ]

ommella sew [səu]

ompelija dressmaker ['dresmeikə]

ongelma problem ['probləm]

onkia angle ['æŋgl]

onnekas lucky ['lʌki]

onneksi olkoon! congratulations! [kəngrætju-'leiʃns]

onnellinen happy ['hæpi]

onneton unhappy [ʌn'hæpi]

onnettomuus accident ['æksident]

onnistua succeed [sək'si:d]

ontto hollow ['holəu]

ooppera opera ['oprə]

opas guide [gaid]

opaskirja guidebook ['gaidbuk]

opaskoira guide dog ['gaid dog]

operetti operetta [opə'retə]

opettaa teach [ti:tʃ]

opettaja teacher ['ti:tʃə]

opiskelija student ['stju:dnt]

opiskelija-alennus student discount [stju:dnt 'diskaunt]

opiskella study ['stʌdi]

opisto academy [ə'kædəmi]

oppia learn [lɜ:n]

optikko optician [op'tiʃn]

oranssi orange ['orindʒ]

oregano oregano [ori-'ga:nəu]

orkesteri orchestra ['ɔ:kistrə]

orkesterinjohtaja conductor [kən'dʌktə]
orvokki violet ['vaiələt]
osa part [pa:t]
osasto department [di'pa:tmənt]
osata can [kæn]
osoite address [ə'dres]
osoittaa show [ʃəu]
ostaa buy [bai]
osteri oyster ['ɔistə]
ostoskeskus shopping centre ['ʃopiŋ sentə]

otsa forehead ['forid, 'fo:hed]
otsatukka fringe [frindʒ]
ottaa take [teik]
ottaa aurinkoa sunbathe ['sʌnbeiθ]
ottaa kiinni catch [kætʃ]
ottaa lainaksi borrow ['borəu]
ovela shrewd [ʃru:d]
ovi door [dɔ:]
ovikello doorbell ['dɔ:bel]
ovikoodi door code ['dɔ: kəud]

Pp

paahtoleipä toast [təust]
paahtopaisti roast beef [rəust 'bi:f]
paasto fast [fa:st]
paavi pope [pəup]
paeta escape [i'skeip]
paha bad [bæd], evil ['i:vəl]
pahe vice [vais]
pahoinpitely assault [ə'sɔ:lt]
pahoinvointi nausea ['nɔ:siə]
paikallinen local ['ləukl]
paikallisjuna local train [ləukl 'trein]
paikallispuhelu local call ['ləukl kɔ:l]

paikallispuudutus local anaesthetic [ləukl ænis'θetik]
paikallistie local road [ləukl rəud]
paikata mend [mend]
paikata hammas fill a tooth [fil ə tu:θ]
paikka (hampaassa) filling [filiŋ]
paikkakuntalainen local inhabitant [ləukl in-'hæbitənt]
paikkalippu seat ticket [si:t 'tikit]
paikkavaraamo booking office ['bukiŋ ofis]
painaa weigh [wei]

painajaisuni nightmare
['naitmeə]
painava heavy ['hevi]
paine pressure ['preʃə]
paini wrestling ['restliŋ]
paino weight [weit]
paise boil [bɔil]
paistaa ① (ruokaa) fry
[frai] ② (auringosta)
shine [ʃain]
paistettu fried [fraid],
roasted [rəustid]
paistettu kananmuna fried
egg [fraid 'eg]
paistinpannu frying pan
['fraiiŋ pæn]
paisua swell [swel]
paisunut swollen
['swəulən]
paita shirt [ʃɜ:t]
paitsi except [ik'sept]
pakastin freezer ['fri:zə]
paketti package ['pækidʒ]
pakettiauto van [væn]
pakettihinta package price
['pækidʒ prais]
pakkanen frost [frost]
pakkasneste antifreeze
['æntifri:z]
pakkolasku emergency
landing [i'mɜ:dʒənsi
lændiŋ]
pakkomielle obsession
[əb'seʃn]
pakolainen refugee
[refju'dʒi:]
pakoputki exhaust pipe
[ig'zɔ:st paip]
pakottaa force [fɔ:s]

paksu thick [θik]
pala piece [pi:s]
palaa burn [bɜ:n]
palanut (auringossa) burnt
[bɜ:nt]
palapeli jigsaw puzzle
['dʒigsɔ: pʌzl]
palata return [ri'tɜ:n]
palatsi palace ['pælis]
palaute feedback ['fi:dbæk]
palauttaa return [ri'tɜ:n]
palella be cold [bi: 'kəuld]
paleltunut frozen ['frəuzən]
paljas bare [beə]
paljastaa bare [beə]
paljon a lot of [ə lot əv],
much [mʌtʃ]
palkata hire ['haiə]
palkinto prize [praiz]
palkka salary ['sæləri], pay
[pei]
palkkio reward [ri'wɔ:d]
pallo ball [bɔ:l]
palmu palm (tree) ['pa:m
(tri:)]
palohälytys fire alarm
[faiə(r) ə'la:m]
paloiteltu chopped [tʃopt]
palokunta fire-brigade
[faiə bri'geid]
palovamma burn [bɜ:n]
palsternakka parsnip
['pa:snip]
paluu return [ri'tɜ:n]
paluulippu return ticket
[ri'tɜ:n tikit]
palvelu service ['sɜ:vis]
panimo brewery ['bruəri]
pankki bank [bæŋk]

pankkikorko interest ['intrəst]

pankkikortti bank card ['bæŋk ka:d]

pankkitili bank account ['bæŋk əkaunt]

panna put [put], lay [lei]

pannukakku pancake ['pænkeik]

paperi paper ['peipə]

paperikauppa stationer's ['steiʃənəz]

paperinenäliina paper handkerchief [peipə 'hæŋkətʃif]

paperipussi bag [bæg]

paperitarvikkeet stationery ['steiʃənəri]

papiljotti curler ['kɜ:lə]

pappi priest [pri:st]

paprika paprika ['pæprikə]

papu bean [bi:n]

parantaa cure [kjuə]

parempi better ['betə]

pari couple ['kʌpl], pair [peə]

paristo battery ['bætəri]

parisänky double bed ['dʌbl bed]

parkkimaksu parking fee ['pa:kiŋ fi:]

parranajo shave [ʃeiv]

parranajokone shaver ['ʃeivə]

parsa asparagus [ə'spærəgəs]

parsakaali broccoli ['brokəli]

parsia mend [mend]

parta beard [biəd]

partaterä razor blade ['reizə bleid]

partavaahto shaving cream ['ʃeiviŋ kri:m]

partaveitsi razor ['reizə]

partavesi aftershave lotion ['a:ftəʃeiv ləuʃn]

parturi barber ['ba:bə]

parveke balcony ['bælkəni]

passi passport ['pa:spɔ:t]

passintarkastus passport control ['pa:spɔ:t kən'trəul]

pasta pasta ['pæstə]

pata pot [pot]

patikkaretki hiking tour ['haikiŋ tuə]

patja mattress ['mætrəs]

patonki French stick [frentʃ 'stik], baguette [bæ'get]

patsas statue ['stætʃu:]

pedikyyri pedicure ['pedikjuə]

pehmeä soft [soft]

pehmeäksi keitetty kananmuna softboiled egg [softbɔild 'eg]

peili mirror ['mirə]

peite quilt [kwilt], blanket ['blæŋkit]

peitepuikko blemish stick ['blemiʃ stik]

pekoni bacon ['beikən]

pelastaa save [seiv]

pelastusliivit life jacket [laif 'dʒækit]

pelastusrengas life preserver [laif pri'zɜ:və]

pelata play [plei]
peli game [geim]
pelikortti playing card
['pleiiŋ ka:d]
pelkkä mere [miə]
pelko fear [fiə]
pellava linen ['linin]
pelokas anxious ['æŋkʃəs]
pelto field [fi:ld]
peltopyy partridge
['pa:tridʒ]
pelätä be afraid [bi: ə'freid]
penkki bench [bentʃ]
pensas bush [buʃ]
perhe family ['fæməli]
perhemajoitus family
accommodation [fæməli
əkomə'deiʃn]
periä inherit [in'herit]
perjantai Friday ['fraidei]
permanto stalls [stɔ:ls]
persikka peach [pi:tʃ]
persilja parsley ['pa:sli]
peruna potato [pə'teitəu]
perunalastut crisps [krisps]
perunamuusi mashed
potatoes [mæʃt
pə'teitəus]
perus- basic ['beisik]
perustua be based on [bi:
'beist on]
peruukki wig [wig]
peruuttaa ① cancel
['kænsl] ② (auto) back
[bæk], reverse [ri'vɜ:s]
peruutusvalot reversing
lights [ri'vɜ:siŋ laits]
peräpuikko suppository
[sə'pozitri]

peräpukamat hemorrhoids
['hemərɔidz]
peräsin rudder ['rʌdə]
perävaunu trailer ['treilə]
pestä wash [woʃ]
pesu wash [woʃ]
pesuaine detergent
[di'tɜ:dʒənt]
pesuallas wash basin [woʃ
'beisn]
pesujauhe soap powder
['səup paudə]
pesukone washing
machine ['woʃiŋ məʃi:n]
pesula laundry ['lɔ:ndri]
pesunkestävä washable
['woʃəbl]
pesusieni sponge [spʌndʒ]
pettymys disappointment
[disə'pɔintmənt]
pettää cheat [tʃi:t], betray
[bi'trei]
peukalo thumb [θʌm]
peukalokyyti hitch-hiking
[hitʃ 'haikiŋ]
pian soon [su:n]
pienempi smaller ['smɔ:lə]
pienentää make smaller
[meik 'smɔ:lə]
pieni small [smɔ:l], little
['litl]
piha courtyard ['kɔ:tja:d]
pihlajanmarja rowanberry
['rəuənberi]
pihvi steak [steik]
piikkikampela turbot
['tɜ:bət]
piilolinssit contact lenses
['kontækt 'lenziz]

piilottaa hide [haid]
piimä buttermilk ['bʌtə-milk]
piippu pipe [paip]
piirakka pie [pai]
piirre feature ['fi:tʃə]
piirustus drawing ['drɔ:iŋ]
piirustuspaperi drawing paper ['drɔ:iŋ peipə]
piispa bishop ['biʃəp]
pikajuna express train [ik'spres trein]
pikakirje express letter [ik'spres letə]
pikapassi temporary passport ['temprəri pa:spɔ:t]
pikkelssi pickles ['piklz]
pikkuauto car [ka:]
pikkubussi minibus ['mini-bʌs]
pikkuhousut knickers ['nikəz], panties ['pæntiz]
pikkukaupunki small town [smɔ:l 'taun]
pikkuleipä sweet biscuit [swi:t 'biskit]
pikkuraha small change [smɔ:l 'tʃeindʒ]
pilata spoil [spɔil]
pilleri pill [pil]
pilsneri mild ale ['maild eil]
pilvi cloud [klaud]
pimeys darkness ['da:knəs]
pimeä dark [da:k]
pinaatti spinach ['spinitʃ]
piparjuuri horseradish ['hɔ:srædiʃ]
pippuri pepper ['pepə]

pippuroitu peppered ['pepəd]
pirtelö milkshake ['milkʃeik]
piste point [pɔint]
pistoke plug [plʌg]
pistorasia socket ['sokit]
pistos injection [in'dʒekʃn]
pistää sting [stiŋ]
pitkin along [ə'lɔŋ]
pitkä long [lɔŋ], (henkilöstä) tall [tɔ:l]
pitkäveteinen boring ['bɔ:riŋ]
pitsa pizza ['pi:tsə]
pitsi lace [leis]
pituus length [leŋθ]
pituusaste longitude ['londʒitju:d]
pitää ① (täytyä) ought to [ɔ:t tə], have to [hæv tə] ② (kiinni) hold [həuld] ③ (hallussaan) keep [ki:p] ④ (vaatteita) wear [weə] ⑤ (tykätä) like [laik]
pitää arvossa appreciate [ə'pri:ʃieit]
pitää parempana prefer [pri'fɜ:]
planetaario planetarium [plæni'teəriəm]
platina platinum ['plætinəm]
pohja bottom ['botəm]
pohjakerros ground floor ['graund flɔ:]
Pohjanlahti the Gulf of Bothnia [ðə gʌlf ov 'boθniə]

pohjoinen (subst.) north [nɔ:θ]; (adj.) northern ['nɔ:ðən]

poika boy [bɔi], (jonkun lapsesta) son [sʌn]

poikamies bachelor ['bætʃələ]

poikki across [ə'kros]

poimia pick (up) [pik ('ʌp)]

poissaolo absence ['æbsns]

poistaa remove [ri'mu:v]

poistaminen removal [ri'mu:vl]

poistua get off [get 'of]

pojanpoika grandson ['grændsʌn]

pojantytär granddaughter ['grændɔ:tə]

pokeri poker ['pəukə]

poliisi police [pə'li:s]

poliisiasema police station [pə'li:s steiʃn]

poliisimies policeman [pə'li:smən]

politiikka politics ['politiks]

poljin pedal ['pedl]

polku path [pa:θ]

polkupyörä bicycle ['baisikl], bike [baik]

polkuvene pedal boat ['pedl bəut]

polttaa burn [bɜ:n]

polvi knee [ni:]

poolo polo ['pəuləu]

poolo-kaulus polo-neck ['pəuləunek]

poreallas whirlpool ['wɜ:lpu:l]

porkkana carrot ['kærət]

poro reindeer ['reindiə]

porsaankyljys pork chop ['pɔ:ktʃop]

portaali portal ['pɔ:tl]

portaat stairs [steəz]

portaaton sisäänkäynti stepless access [steplis 'ækses]

portieeri porter ['pɔ:tə]

portti gate [geit]

porttikäytävä gateway ['geitwei]

porttivahti porter ['pɔ:tə]

Portugali Portugal ['pɔ:tʃəgəl]

portugalilainen Portuguese [pɔ:tʃu'gi:z]

portviini port [pɔ:t]

poski cheek [tʃi:k]

poskiparta side whiskers ['said wiskə:z]

poskipuna blusher ['blʌʃə]

posliini porcelain ['pɔ:səlin]

poste restante poste restante [pəust 'resta:nt]

posti mail [meil]

postikortti postcard ['pəustka:d]

postilaatikko letter box ['letə boks]

postimaksu postage ['pəustidʒ]

postimerkki stamp [stæmp]

postinkantaja postman ['pəustmən]

postiosoitus postal order ['pəustl 'ɔ:də]

postitoimisto post office ['pəust ofis]

postitse by post [bai pəust]

potilas patient ['peiʃnt]

potta potty ['poti]

presidentti president ['prezidənt]

prinsessa princess [prin'ses]

prinssi prince [prins]

promillemittari alcometer ['ælkəmi:tə]

promilleraja legal alcohol limit [li:gl 'ælkəhol limit]

prosentti per cent [pə 'sent]

prostituoitu prostitute ['prostitju:t]

proteesi artificial limb [a:ti'fiʃl lim]

protestantti protestant ['protistənt]

prässätä press [pres]

pudota fall [fɔ:l]

puhdas pure [pjuə], clean [kli:n]

puhdistaa clean [kli:n]

puhe speech [spi:ʧ], talk [tɔ:k]

puhelin telephone ['telifəun]

puhelinkioski telephone booth ['telifəun bu:θ]

puhelinliittymä telephone subscription ['telifəun səb'skipʃən]

puhelinluettelo telephone book ['telifəun buk]

puhelinnumero telephone number ['telifəun nʌmbə]

puhelinvaihde telephone exchange ['telifəun iks'ʧcindʒ]

puhelu call [kɔ:l]

puheääni voice [vɔis]

puhtaus cleanliness ['klenlinəs]

puhua speak [spi:k], talk [tɔ:k]

puisto park [pa:k]

puistokatu avenue ['ævənju:]

pukeutua dress [dres]

puku (miesten) suit [su:t]

pullo bottle ['botl]

pullonaukaisin bottle opener [botl 'əupənə]

pulssi pulse [pʌls]

pumppu pump [pʌmp]

pumpuli cotton (wool) ['kotn (wul)]

punainen red [red]

punajuuri beetroot ['bi:tru:t]

punakaali red cabbage [red 'kæbidʒ]

punakampela plaice [pleis]

punasipuli red onion [red 'ʌnjən]

punaviini red wine [red 'wain]

punaviinimarja red currant [red 'kʌrənt]

punta pound [paund]

Puola Poland ['pəulənd]
puolalainen Polish ['pəuliʃ]
puoli half [ha:f]
puoliaika half time ['ha:f
taim]
puolihoito half board [ha:f
'bɔ:d]
puolikas half [ha:f]
puolikuiva medium dry
['mi:diəm drai]
puolikypsä medium
['mi:diəm]
puolillaan half full [ha:f
'ful]
puoliso spouse [spauz]
puolukka lingonberry
['liŋgənberi], cowberry
['kauberi]
puolustaa defend [di'fend]
puristaa squeeze [skwi:z]
purjehtia sail [seil]
purjelauta windsurfer
['windsɜ:fə]
purjevene sailing-boat
['seiliŋ bəut]
purjosipuli leek [li:k]
purkinaukaisin tin opener
[tin 'əupənə]
puro brook [bruk]
purra bite [bait]
pusero blouse [blauz]
putki pipe [paip]
putous falls [fɔ:ls]
puu tree [tri:]
puuaines wood [wud]
puuro porridge ['poridʒ]
puutarha garden [ga:dn]
puuteri powder ['paudə]
puuttua lack [læk]

puuvilla cotton ['kotn]
pyhiinvaelluspaikka place
of pilgrimage [pleis əv
'pilgrimidʒ]
pyhimys saint [seint]
pyhä holy ['həuli]
pyhäpäivä holiday
['holidei]
pyhättö sanctuary
['sæŋktʃuəri]
pyjama pyjamas
[pə'dʒa:məs]
pystysuora vertical
['vɜ:tikl]
pystyvä able ['eibl]
pysyvä permanent
['pɜ:mənənt]
pysyä stay [stei]
pysähdys stop [stop]
pysähdyspaikka stoppin
place ['stopiŋ pleis], (le-
vähdyspaikka) lay-by
['leibai]
pysähtyä stop [stop]
pysäkki stop [stop]
pysäköidä park [pa:k]
pysäköinti kielletty no
parking [nəu 'pa:kiŋ]
pysäköinti sallittu parking
allowed [pa:kiŋ ə'laud]
pysäköintikiekko parking
disc ['pa:kiŋ disk]
pysäköintimaksu parking
fee ['pa:kiŋ fi:]
pysäköintimittari parking
meter ['pa:kiŋ mi:tə]
pysäköintipaikka parking
place ['pa:kiŋ pleis]

pysäköintirajoitus restricted parking [ri'striktid 'pa:kiŋ]

pysäyttää stop [stop]

pysäytyskielto no waiting [nəu 'weitiŋ]

pyy hazel grouse ['heizl graus]

pyydystää catch [kætʃ]

pyyhekumi rubber ['rʌbə]

pyyheliina towel ['tauəl]

pyyhkiä wipe [waip]

pyykki washing [woʃiŋ]

pyykkinaru clothes line ['kləuðz lain]

pyykkipoika clothes peg ['kləuðz peg]

pyytää request [ri'kwest]

pyytää anteeksi apologize [ə'polədʒaiz]

pyökki beech [bi:tʃ]

pyöreä round [raund]

pyörtyä faint [feint]

pyörä wheel [wi:l]

pyöräilykartta cycling map ['saikliŋ mæp]

pyöräilykypärä cycle helmet ['saikl helmət]

pyöräretki bicycle trip ['baisikl trip]

pyörätie cycle path ['saikl pa:θ]

pyörätuoli wheelchair ['wi:ltʃeə]

pähkinä nut [nʌt]

päivittäinen daily ['deili]

päivystys emergency duty [i'mɜ:dʒənsi dju:ti]

päivä day [dei]

päivälehti daily (newspaper) [deili ('nju:speipə)]

päivälippu one-day travelcard [wandei 'trævlka:d]

päivällinen dinner ['dinə]

päivämaksu daily payment [deili 'peimənt]

päivämäärä date [deit]

päivän erikoinen dish of the day ['diʃ əv ðə dei]

päivänkakkara marguerite [ma:'gəri:t]

päivänvalo daylight ['deilait]

päivänvarjo parasol ['pærəsol]

päivänäytäntö matinée ['mætinei]

pätemätön invalid [in'vælid]

pätevyys competence ['kompitəns]

pätevä competent ['kompitənt]

pää head [hed]

pää- main [mein]

pääasia main point ['mein pɔint]

pääkatsomo grand stand ['grænd stænd]

pääkatu main street ['mein stri:t]

pääkaupunki capital ['kæpitl]

päällystakki overcoat ['əuvəkəut]

päällä on [on]

päänsärky headache ['hedeik]

pääosa leading role [li:diŋ 'rəul]
pääposti main post office [mein 'pəust ofis]
päärautatieasema main railway station [mein 'reilwei steiʃn]
pääruoka main course ['mein kɔ:s]
päärynä pear [peə]
pääsiäinen Easter ['i:stə]
pääsy access ['ækses]
pääsylippu ticket of admission ['tikit əv əd'miʃn]
päätepysäkki terminal ['tɜ:minəl]
päätie main road ['mein rəud]
päättää decide [di'said]
pöllö owl [aul]
pöly dust [dʌst]
pölyinen dusty ['dʌsti]
pörssi stock exchange [stok ik'stʃeindʒ]
pörssikurssi exchange rate [ik'stʃeindʒ reit]
pöytä table ['teibl]
pöytäliina table cloth ['teibl kloθ]
pöytätennis table tennis ['teibl tenis]

Rr

raaka ① (pihvistä) rare [reə] ② (kypsentämätön) raw [rɔ:]
raakaravinto raw food [rɔ: 'fu:d]
Raamattu Bible ['baibl]
radio radio ['reidiəu]
raejuusto cottage cheese [kotidʒ 'tʃi:z]
raha money ['mʌni]
rahake token ['təukən]
rahamäärä amount [ə'maunt]
rahanvaihto money exchange [mʌni iks'tʃeindʒ]
rahanvaihtotoimisto currency exchange office [kʌrənsi iks'tʃeindʒ ofis]
rahti freight [freit]
raidallinen striped [straipt]
raide track [træk]
raiskata rape [reip]
raitiotie tramway ['træmwei]
raitiovaunu tram [træm]
raitis ① sober ['səubə] ② (ilma) fresh [freʃ]
raja limit ['limit]
rajanylitys border crossing ['bɔ:də krosiŋ]

rajanylityspaikka check-point ['tʃekpɔint]

rajoittaa restrict [ri'strikt]

rakas dear [diə]

rakastaa love [lʌv]

rakastettu beloved [bi'lʌvd]

rakastua fall in love [fɔ:l in lʌv]

rakennus building ['bildiŋ]

rakentaa build [bild]

rakkaus love [lʌv]

rakkaussuhde affair [ə'feə]

rakko bladder ['blædə]

rakkula blister ['blistə]

rangaista punish ['pʌniʃ]

rangaistus punishment ['pʌniʃmənt]

rangaistuspotku penalty kick ['penəlti kik]

ranne wrist [rist]

ranneke (kellon) watch strap ['wotʃ stræp]

rannekello wristwatch ['ristwotʃ]

rannekoru bracelet ['breislit]

rannikko coast [kəust]

Ranska France [fra:ns]

ranskalainen French [frentʃ]

ranskanperunat French fries [frentʃ 'fraiz], chips [tʃips]

ranta (meren-) seaside ['si:front], (-katu) sea front ['si front], (hiekka-) beach [bi:tʃ]

rantahotelli seaside hotel [si:said həu'tel]

rantakäärme ringed snake ['riŋd sneik]

rantalentopallo beach volleyball ['bi:tʃ volibɔ:l]

rantaloma beach holiday ['bi:tʃ holidei]

rantapallo beach ball ['bi:tʃ bɔ:l]

rantapatja beach mattress ['bi:tʃ mætrəs]

rantatie coast road ['kəust rəud]

rantatuoli beach chair ['bi:tʃ tʃeə]

rantavahti lifeguard ['laifga:d]

raparperi rhubarb ['ru:-ba:b]

rapea crisp [krisp]

raportoida report [ri'pɔ:t]

rappu stairs [steəz]

rappukäytävä staircase ['steəkeis]

rapu crayfish ['kreifiʃ]

rasia box [boks]

raskaana oleva pregnant ['pregnənt]

raskas heavy ['hevi]

rastas thrush [θrʌʃ]

rasva fat [fæt]

rasvaton lean [li:n]

rasvaton maito skimmed milk [skimd 'milk]

ratsastaa ride [raid]

ratsastus riding ['raidiŋ]

ratsastusleiri riding camp ['raidiŋ kæmp]

ratsastustunti riding lesson ['raidiŋ lesn]

rauha peace [pi:s]
rauhallinen quiet ['kwaiət]
rauhanen gland [glænd]
rauhoittava lääke tranquilizer ['træŋkwilaizə]
rauhoitusaika off season ['of si:zn]
raunio ruin ['ru:in]
rauniot remains [ri'meinz]
rauta iron ['aiən]
rautakauppa ironmonger's ['aiənmʌŋgəz]
rautatie railway ['reilwei]
rautatieasema railway station ['reilwei 'steiʃn]
ravintola restaurant ['restərɔnt]
ravintolavaunu dining car ['dainiŋ ka:], restaurant car ['restərɔnt ka:]
ravistaa shake [ʃeik]
regatta regatta [ri'gætə]
rehellinen honest ['onist]
rehellisyys honesty ['onəsti]
reikä hole [həul]
reisi thigh [θai]
reittilento scheduled flight ['ʃedju:ld flait]
reki sledge [sledʒ]
rekisterikilpi registration plate [redʒi'streiʃn pleit]
rekisterinumero registration number [redʒi'streiʃn nʌmbə]
rekisteriote registration card [redʒi'streiʃn ka:d]
rengas ring [riŋ]
rentoutua relax [ri'læks]

rentukka marsh marigold ['ma:ʃ mærigəuld]
repiä tear [teə]
reppu rucksack ['rʌksæk], backpack ['bækpæk]
reppumatkailu backpacking ['bækpækiŋ]
resepti ① (lääkemääräys) presciption [pri'skripʃn] ② (ruoka-) recipe ['resipi]
retiisi radish ['rædiʃ]
retikka black radish [blæk 'rædiʃ]
retkeily camping ['kæmpiŋ]
retkeilymaja youth hostel ['ju:θ hostl]
retki excursion [ik'skɜ:ʃn]
retkieväät packed lunch [pækt 'lʌntʃ]
reuma rheumatoid arthritis [ru:mətɔid a:'θraitis]
reumatismi rheumatism ['ru:mətizəm]
reuna edge [edʒ]
revontulet Northern lights ['nɔ:ðən laits]
revyy revue [ri'vju:]
revähtymä rupture ['rʌptʃə]
riekko ptarmigan ['ta:migən]
riemukaari triumphal arch [trai'ʌmfəl a:tʃ]
riepu rag [ræg]
riikinkukko peacock ['pi:kok]
riippuliito hang-gliding ['hæŋglaidiŋ]
riipus pendant ['pendənt]
riisi rice [rais]

riisivanukas rice pudding [rais 'pudiŋ]
riista game [geim]
riisua take off [teik 'of]
riisuutua undress [ʌn'dres]
riita quarrel ['kworəl]
riittävä adequate ['ædəkwət]
rikas rich [ritʃ]
rikki broken ['brəukən]
rikkoa break [breik]
rikollinen criminal ['kriminl]
rikos crime [kraim]
rinkeli bagel ['beigl]
rinta breast [brest]
rintakehä chest [tʃest]
rintakoru brooch [brəutʃ]
rintaliivit bra [bra:]
ripuli diarrhoea [daiə'riə]
ripustaa hang [hæŋ]
riski risk [risk]
risteily cruise [kru:z]
risteys crossroads ['krosrəuds]
ristiriitainen contradictory [kontrə'diktəri]
ritari knight [nait]
rivi row [rəu]
rohdos drug [drʌg]
rohdoskauppa chemist's ['kemists]
rohkaista encourage [in'kʌridʒ]
rohkea brave [breiv]
roiskua splash [splæʃ]
rokottaa vaccinate ['væksineit]

rokotus vaccination [væksi'neiʃn]
rokotusaine vaccine ['væksi:n]
rokotustodistus certificate of vaccination [sə'tifikət əv væksi'neiʃn]
rollaattori rollator ['rəuleitə]
romaani novel ['novl]
rommi rum [rʌm]
roosa pink [piŋk]
roseeviini rosé [rɔzei]
roseepippuri rosé pepper [rəuzei 'pepə]
rosmariini rosemary ['rəuzməri]
rotko gorge [gɔ:dʒ]
routa ground frost ['graund frost]
rouva Mrs ['misiz]
ruhjevamma contusion [kən'tju:ʒn]
ruiskaunokki cornflower ['kɔ:nflauə]
ruiske injection [in'dʒekʃn]
ruisleipä brown bread [braun 'bred], rye bread [rai 'bred]
rukoilla pray [prei]
rukous prayer [preə]
rukousnauha rosary ['rəuzəri]
ruletti roulette [ru:'let]
rullalauta skateboard ['skeitbɔ:d]
rullalautailla skateboard ['skeitbɔ:d]

rullaluistella roller skate
['rəulə skeit]
rullaluistimet roller skates
['rəulə skeits]
rullaportaat escalator
['eskəleitə]
ruma ugly ['ʌgli]
runo poem ['pəuim]
runsaasti plenty ['plenti]
ruoansulatus digestion
[di'dʒestʃən]
ruoansulatushäiriö indi-
gestion [indi'dʒestʃn]
ruoho grass [gra:s]
ruohosipuli chive [tʃaiv]
ruoka food [fu:d]
ruoka-allergia food allergy
['fu:d ælədʒi]
ruokahalu appetite
['æpitait]
ruokakauppa grocer
['grəusə]
ruokalaji dish [diʃ]
ruokalista menu ['menju:]
ruokamyrkytys food poi-
soning ['fu:d pɔizniŋ]
ruokaryyppy schnapps
[ʃnæps]
ruokasali dining room
['dainiŋ ru:m]
ruokatorvi gullet ['gʌlit]
ruokavalio diet ['daiət]
ruokaöljy cooking oil
['kukiŋ ɔil]
ruoste rust [rʌst]
ruostumaton teräs stain-
less steel [steinles 'sti:l]

ruoto bone [bəun]
ruotsalainen Swedish
['swi:diʃ]
Ruotsi Sweden ['swi:dən]
rupisammakko toad [təud]
rusina raisin ['reizn]
ruskea brown [braun]
ruskettunut (sun)tanned
[('sʌn)tænd]
ruskistaa brown [braun]
ruudullinen checked [tʃekt]
ruuma hold [həuld]
ruumiintarkastus body
search ['bodi sɜ:tʃ]
ruumis body ['bodi]
ruusu rose [rəuz]
ruusukaali Brussels sprout
[brʌslz 'spraut]
ruusunmarja rose hip ['rəuz
hip]
ruuvi screw [skru:]
ruuvitaltta screwdriver
['skru:draivə]
ryhmitys (liikenteessä)
preselecting the line
[prisi'lektiŋ ðə lain]
ryhmä group [gru:p]
rypistymätön creaseproof
['kri:spru:f]
rypistyä crease [kri:s]
ryöstää rob [rob]
ryöstö robbery ['robəri]
räntä sleet [sli:t]
räpylä flipper ['flipə]
räätäli tailor ['teilə]
röntgenkuva x-ray ['eksrei]

Ss

saada get [get]

saapas boot [bu:t]

saapuminen arrival [ə'raivl]

saapumiskaavake registration form [reʤi'streiʃn fɔ:m]

saari island ['ailənd]

saaristo archipelago [a:ki'peləgəu]

saarnatuoli pulpit ['pulpit]

saastuminen pollution [pə'lu:ʃn]

saastuneisuus pollution [pə'lu:ʃn]

saastuttaa pollute [pə'lu:t]

saattaa (mennä saattamaan) see ... off [si: 'of]

saattaa kotiin see ... home [si: 'həum]

saattaja accompanying person [ə'kʌmpəniŋ pɜ:sn]

saavuttaa achieve [ə'tʃi:v]

saavutus achievement [ə'tʃi:vmənt]

sadas (100.) hundredth ['hʌndrəθ]

sade rain [rein]

sadekuuro shower ['ʃauə]

sadetakki raincoat ['reinkəut]

sadonkorjuu harvesting ['ha:vistiŋ]

saha saw [sɔ:]

sahrami saffron ['sæfrən]

saippua soap [səup]

sairaala hospital ['hospitl]

sairaanhoitaja nurse [nɜ:s]

sairas ill [il]

sairasauto ambulance ['æmbjuləns]

sairaus disease [di'ziz], illness ['ilnəs]

sairauskohtaus seizure ['si:ʒə], fit [fit], attack [ə'tæk]

sairausvakuutus health insurance [helθ in'ʃuərəns]

šakki chess [tʃes]

sakko fine [fain]

Saksa Germany ['ʤɜ:məni]

saksalainen German ['ʤɜ:mən]

saksanpähkinä walnut ['wɔ:lnʌt]

sakset scissors ['sizəz]

salaatinkastike salad dressing ['sæləd dresiŋ]

salaatti salad ['sæləd]

salaattisikuri chicory ['tʃikəri]

salaisuus secret ['si:krət]

salakuljettaa smuggle
['smʌgl]
salama lightning ['laitniŋ]
salamavalo flashlight
['flæʃlait]
salamimakkara salami
[sə'la:mi]
sali hall [hɔ:l]
salkku briefcase ['bri:fkeis]
sallia allow [ə'lau], let [let]
sallittu permitted
[pə'mitid]
salvia sage [seidʒ]
sama same [seim]
sametti velvet ['velvit]
sammakko frog [frog]
samppanja champagne
[ʃæm'pein]
**samppanja ja appelsiini-
mehu** bucks fizz [bʌks
'fiz]
sana word [wɜ:d]
sanakirja dictionary
['dikʃənri]
sandaalit sandals ['sændls]
saniainen fern [fɜ:n]
sanko pail [peil]
sanoa say [sei]
sanomalehti newspaper
['nju:zpeipə]
sappirakko gall bladder
['gɔ:l blædə]
sardiini sardine [sa:'di:n]
sarjakuvat comics
['komiks]
sarjalippu serial ticket
['siəriəl tikit]
sarkofagi sarcophagus
[sa:'kofəgəs]

sata (100) a hundred
[ə 'hʌndrəd]
sataa lunta snow [snəu]
sataa vettä rain [rein]
satakieli nightingale
['naitiŋgeil]
satama harbour ['ha:bə],
port [pɔ:t]
satayksi (101) a hundred
and one [ə 'hʌndrəd ænd
wʌn]
sateenvarjo umbrella
[ʌm'brelə]
satiini satin ['sætin]
sattua ① (tapahtua) hap-
pen ['hæpən] ② (tehdä
kipeää) hurt [hɜ:t]
sattuma chance [tʃa:ns]
satula saddle ['sædl]
satuttaa hurt [hɜ:t]
saukko otter ['otə]
sauna sauna ['sɔ:nə]
sauva stick [stik]
savi clay [klei]
savitavara pottery ['potəri]
savuke cigarette [sigə'ret]
savukekotelo cigarette
case [sigə'ret keis]
savukinkku gammon
['gæmən]
savupiippu chimney
['tʃimni]
savusilli kipper ['kipə]
savustettu smoked
[sməukt]
se it [it], that [ðæt]
seikkailu adventure
[əd'ventʃə]
seinä wall [wɔ:l]

seis! stop! [stop]

seisomapaikka standing place ['stændɪŋ pleis]

seitsemän (7) seven ['sevn]

seitsemänkymmentä (70) seventy ['sevnti]

seitsemänsataa (700) seven hundred [sevn 'hʌndɪəd]

seitsemäntoista (17) seventeen [sevn'ti:n]

seitsemäs (7.) seventh ['sevnθ]

seitsemäskymmenes (70.) seventieth ['sevntiəθ]

seitsemässadas (700.) seven hundredth [sevn 'hʌndɪəθ]

seitsemästoista (17.) seventeenth [sevn'ti:nθ]

sekavihannekset mixed vegetables [mikst 'vedʒtəbls]

sekki cheque [tʃek]

sekoittaa mix [miks]

sekoitus mixture ['mikstʃə]

seksikauppa sex shop ['seks ʃop]

sekunti second ['sekənd]

sekä ... että both ... and [bəuθ ənd]

selitys explanation [eksplə'neiʃn]

selkä back [bæk]

selkäranka spine [spain]

selkäsärky backache ['bækeik]

sellainen such [sʌtʃ]

selleri celery ['seləri]

selonteko account [ə'kaunt]

selvittää explain [ik'splein]

selvitys explanation [eksplə'neiʃn]

sen its [its]

serkku cousin ['kʌzn]

sesonki season ['si:zn]

sesonkihinta seasonal price ['si:zənl prais]

seteli note [nəut]

setä uncle ['ʌŋkl]

seura company ['kʌmpəni]

seuraava next [nekst]

seuramatka package tour ['pækidʒ tuə]

seurapeli parlour game ['pa:lə geim]

seurata follow ['foləu]

sherry sherry ['ʃeri]

sianliha pork [pɔ:k]

side bandage ['bændidʒ]

sideharso gauze [gɔ:z]

siellä there [ðeə]

sielu soul [səul]

sieni mushroom ['mʌʃrum]

sievä pretty ['priti], nice [nais]

siideri cider ['saidə]

siika whitefish ['waitfiʃ]

siili hedgehog ['hedʒhog]

siipikarja poultry ['pəultri]

siisti tidy ['taidi]

siitepölyallergia pollen allergy ['polən ælədʒi]

siitä lähtien since [sins]

siivooja cleaner ['kli:nə]

siivota clean [kli:n]

sijainti location [ləu'keiʃn]

sika pig [pig]

sikari cigar [si'ga:]

siksi therefore ['ðeəfɔ:]
silakka Baltic herring [bɔltik 'heriŋ]
sileä smooth [smu:ð]
silittämättä siisti wash'n'-wear [woʃ ən 'weə]
silittää iron ['aiən], press [pres]
silitysrauta iron ['aiən]
silkki silk [silk]
silli herring ['heriŋ]
silloin then [ðen]
sillä aikaa while [wail]
silminnäkijä eyewitness ['aiwitnis]
silmä eye [ai]
silmälasit spectacles ['spektəklz]
silmälääkäri eye specialist ['ai speʃəlist]
silmätipat eye drops ['ai drops]
silta bridge [bridʒ]
simpukka mussel ['mʌsl]
sinappi mustard ['mʌstəd]
sinfoniakonsertti symphony concert ['simpfəni konsət]
sinihomejuusto blue cheese [blu: 'tʃi:z]
sininen blue [blu:]
sinun your [jɔ:]
sinä you [ju:]
sipuli onion ['ʌniən]
sireeni lilac ['lailək]
sirupassi biometric passport [baiəmetrik 'pa:spɔ:t]
sisar sister ['sistə]

sisarenpoika nephew ['nefju:]
sisarentytär niece [ni:s]
sisarpuoli stepsister ['stepsistə]
sisäelin offal [ofl]
sisäkatto ceiling ['si:liŋ]
sisällä inside [in'said]
sisältyä hintaan be included in the price [bi: in'klu:did in ðə prais]
sisältö contents ['kontents]
sisämaa inland ['inlənd]
sisäpiha inner courtyard ['inə kɔ:tja:d]
sisään in [in]
sisäänkäynti entrance ['entrəns]
sisäänpääsy admission [əd'miʃn]
siten thus [ðʌs]
sitoa tie [tai]
sitoutua engage [in'geidʒ]
sitruuna lemon ['lemən]
sitruunajuoma lemon drink ['lemən driŋk]
sitäpaitsi besides [bi'saidz]
siunata bless [bles]
siviilisääty marital status [mæritl 'steitəs]
sivu (kirjan) page [peidʒ]
sivukatu side street ['said stri:t]
sivuontelotulehdus sinusitis [sainə'saitis]
skootteri scooter ['sku:tə]
Skotlanti Scotland ['skotlənd]

skotlantilainen Scottish ['skotiʃ]

smokki dinner jacket ['dinə 'dʒækit]

snapsi schnapps [ʃnæps]

snorkkeli snorkel ['snɔ:kl]

soijakastike soy sauce ['sɔi sɔ:s]

soikea oval ['əuvl]

soitin instrument ['instrumənt]

soittaa (soitinta t. musiikkia) play [plei]

soittaa puhelimella call [kɔ:l], phone [fəun], ring [riŋ]

soittokunta band [bænd]

sokea blind [blaind]

sokeri sugar ['ʃugə]

sokeritauti diabetes [daiə'bi:tiz]

sokeriton sugar-free ['ʃugəfri:]

sokki shock [ʃok]

sola defile [di'fail]

solarium solarium [sə'leəriəm]

solisluu collar bone ['kolə bəun]

solmio tie [tai]

solmioneula tie pin ['tai pin]

solmu knot [not]

soma nice [nais], cute [kju:t]

soodavesi soda water ['səudə wɔ:tə]

sopeutua adjust [ə'dʒʌst]

sopeutumiskyky adaptability [ə'dæptəbiliti]

sopia ① (käydä) suit [su:t] ② (olla sopiva) fit [fit] ③ (sopia jostakin) agree [ə'gri:], arrange [ə'reindʒ]

sopiva suitable ['su:təbl]

sopraano soprano [sə'pra:nəu]

sormi finger ['fiŋgə]

sormus ring [riŋ]

sortsit shorts [ʃɔ:ts]

sose purée ['pjuərei]

sosialismi socialism ['səuʃəlizəm]

sota war [wɔ:]

sotilas soldier ['səuldʒə]

soutaa row [rəu]

soutuvene rowing boat ['rəuiŋ bəut]

sovelias suitable ['su:təbl]

sovittaa (vaatetta) fit [fit]

spagetti spaghetti [spə'geti]

squash squash [skwoʃ]

stadion stadium ['steidiəm]

strategia strategy ['strætədʒi]

strutsi ostrich ['ostritʃ]

stuertti steward ['stju:əd]

suhde relation [ri'leiʃn], relationship [ri'leiʃnʃip]; (rakkaussuhde) affair [ə'feə]

suihku shower ['ʃauə]

suihkulähde fountain ['fauntin]

suihkutuoli shower seat ['ʃauə si:t]

suitset bridle ['braidl]

sujuva fluent ['flu:ənt]
sujuvuus fluency ['flu:ənsi]
sukellus diving [daiviŋ]
sukelluslasit diving goggles ['daiviŋ goglz]
sukellusvarusteet diving equipment [daiviŋ i'kwipmənt]
sukeltaa dive [daiv]
sukka sock [sok], (pitkä nailon-) stocking ['stokiŋ]
sukkahousut tights [taits]
suklaa chocolate ['tʃoklət]
sukset skis [ski:s]
suksivoide ski wax ['ski: wæks]
sukulainen relative ['relətiv]
sukunimi surname ['sɜ:-neim], family name ['fæməli neim]
sukupuolitauti sexually transmitted disease [seksjuəli trænz'mitid di'zi:z], STD [es ti: 'di:]
sulaa melt [melt]
sulatejuusto soft cheese ['soft tʃi:z]
sulhanen bridegroom ['braidgru:m]
suljettu closed [kləust]
sulka feather ['feðə]
sulkapallo badminton ['bædmintn]
sulkea shut [ʃʌt]
sulkemisaika closing time ['kləuziŋ taim]
summa sum [sʌm]

sumu fog [fog]
sunnuntai Sunday ['sʌndei]
suo marsh [ma:ʃ]
suodatin filter ['filtə]
suoja shelter ['ʃeltə]
suojakerroin protective factor [prə'tektiv fæktə]
suojakypärä protective helmet [prə'tektiv helmit]
suojapuku protecting clothes [prə'tektiŋ kləuðz]
suojatie pedestrian crossing [pə'destriən krosiŋ]
suojella protect [prə'tekt]
suola salt [sɔ:lt]
suolakurkku pickled cucumber [pikld 'kju:kʌmbə]
suolisto intestines [in'testins]
suomalainen Finnish ['finiʃ]
Suomi Finland ['finlənd]
suomuurain cloudberry ['klaudbəri]
suoni vein [vein]
suopea favourable ['feivərəbl]
suora straight [streit]
suoraan direct [di'rekt], straight ahead [strait ə'hed], straight on ['streit on]
suorakulmainen rectangular [rek'tæŋgjulə]
suorittaa achieve [ə'tʃi:v]
suosia favour ['feivə]
suositella recommend [rekə'mend]

suosittu popular ['popjulə]

suositus recommendation [rekəmen'deiʃn]

super(bensiini) premium ['pri:miəm]

surffata surf [sɜ:f]

surullinen sad [sæd]

susi wolf [wulf]

suu mouth [mauθ]

suudelma kiss [kis]

suunnaton enormous [i'nɔ:məs]

suunnilleen about [ə'baut]

suunnistus orienteering [ɔ:riən'tiəriŋ]

suunnitelma plan [plæn]

suunta direction [di'rekʃn]

suuntanumero area code ['eəriə kəud]

suurempi bigger [bigə]

suurenmoinen magnificent [mæg'nifisnt]

suurennus enlargement [in'la:dʒmənt]

suurentaa enlarge [in'la:dʒ]

suuri large [la:dʒ], great [greit], big [big]

suurkaupunki city ['siti]

suurlähettiläs ambassador [æm'bæsədə]

suurlähetystö embassy ['embəsi]

suutari shoemaker ['ʃu:meikə]

Sveitsi Switzerland ['switsələnd]

sveitsiläinen Swiss [swis]

sydämentahdistin pacemaker ['peismeikə]

sydän heart [ha:t]

sydänkohtaus heart attack ['ha:t ətæk]

sydänvika heart defec ['ha:t di:fekt], weak heart [wi:k 'ha:t]

sykkivä pulsating [pʌl'seitiŋ]

syksy autumn ['ɔ:təm]

syleillä embrace [im'breis]

sylimikro laptop ['læptop]

synagoga synagogue ['sinəgog]

synteettinen synthetic [sin'θetik]

synti sin [sin]

syntymä birth [bɜ:θ]

syntymäpaikka birthplace ['bɜ:θpleis]

syntymäpäivä birthday ['bɜ:θdei]

systeemi system ['sistəm]

sysätä push [puʃ]

sytytys ignition [ig'niʃn]

sytytystulppa spark plug ['spa:k plʌg]

syvyys depth [depθ]

syvä deep [di:p]

syy ① (aiheuttaja) reason ['ri:zn], cause [kɔ:z] ② (vika) fault [fɔ:lt]

syyllinen guilty ['gilti]

syylä wart [wɔ:t]

syyskuu September [sep'tembə]

syyttää accuse [ə'kju:z], blame [bleim]

syytön innocent ['inəsnt]

syödä eat [i:t]

syöpä cancer ['kænsə]
syötti bait [beit]
sähke telegram ['teligræm]
sähkö electricity [ilek-'trisəti]
sähköinen electric [i'lektrik]
sähköinen allekirjoitus electronic signature [ilek'tronik signitʃə]
sähköinen asiointi online shopping [onlain 'ʃopiŋ]
sähköinen henkilökortti electronic identity card [ilek'tronik ai'dentiti ka:d]
sähköinen matkalippu e-ticket ['i:tikit]
sähköjohto wire ['waiə]
sähköjuna electric train [i'lektrik trein]
sähköjännite voltage ['vəultiʤ]
sähköjärjestelmä electric system [i'lektrik sistəm]
sähkökatkaisin switch [switʃ]
sähkölamppu electric lamp [i'lektrik læmp]
sähköparranajokone electric shaver [i'lektrik 'ʃeivə]
sähköposti electronic mail [ilek'tronik meil], email ['i:meil]
sähköpostiosoite email address ['i:meil ə'dres]
sähköpostiviesti email (message) ['i:meil (mesiʤ)]

sähkövatkain mixer ['miksə]
säilykepurkki tin [tin]
säilykkeet tinned food [tind 'fu:d]
säilyttää keep [ki:p], preserve [pri'zɜ:v], retain [ri'tein]
säilytyslokero locker ['lokə]
sälekaihdin Venetian blind [və'ni:ʃn blaind]
sämpylä roll [rəul]
sänky bed [bed]
särkeä ① (koskea) ache [eik] ② (rikkoa) break [breik]
särki roach [rəutʃ]
särkylääke painkiller ['peinkilə]
särkyvä fragile ['fræʤail]
sävellys composition [kompə'ziʃn]
sää weather ['weðə]
sääennuste weather forecast ['weðə fɔ:ka:st]
sääli ① pity ['piti] ② (huudahduksena) a pity! [ə 'piti]
säännöllinen regular ['regjulə]
sääntö rule [ru:l]
sääri leg [leg]
sääski mosquito [mə'ski:təu]
säästää save [seiv]
säätiedotus weather report [weðə ri'pɔ:t]
säätää adjust [ə'dʒʌst]

Tt

taaksepäin backwards ['bækwəds]

taata guarantee [gærən'ti:]

taateli date [deit]

tabletti tablet ['tæblət]

tahra stain [stein]

tahranpoistoaine stain remover [stein ri'mu:və]

tahto will [wil]

tai or [ɔ:]

taide art [a:t]

taidegalleria art gallery [a:t 'gæləri]

taidemaalari artist ['a:tist], painter ['peintə]

taideteos work of art [wɜ:k əv 'a:t]

taikina dough [dəu]

taikinoitu in pastry [in 'peistri]

taimen trout [traut]

taistella battle ['bætl], combat ['kombæt], fight [fait]

taistelu battle ['bætl], combat ['kombæt], fight [fait]

taistelulajit martial arts ['ma:ʃəl a:ts]

taitava skillful ['skilfl], skilled [skild]

taiteilija artist ['a:tist]

taito skill [skil]

taivas sky [skai]

taivutella persuade [pə'sweid]

tajuta realise ['ri:əlaiz]

tajuton unconscious [ʌn'konʃəs]

taka-ala background ['bækgraund]

takana behind [bi'haind]

takavalot tail lights [teil laits]

takavarikoida confiscate ['konfiskeit]

takka fire place ['faiə pleis]

takki jacket ['dʒækit]

taksa rate [reit]

taksi taxi ['tæksi]

taksiasema taxi rank ['tæksi ræŋk]

takuumaksu deposit [di'pozit]

tallelokero safe-deposit box [seif di'pozit boks]

tallettaa deposit [di'pozit]

talletus deposit [di'pozit]

talo house [haus]

talvi winter ['wintə]

talviaika wintertime ['wintətaim]

talviloma winter vacation [wintə və'keiʃn]

talvirenkaat winter tyres
['wintə taiəz]

tammi oak [əuk]

tammikuu January
['ʤænjuəri]

Tanska Denmark
['denma:k]

tanskalainen Danish
['deiniʃ]

tanssia dance [da:ns]

tanssija dancer ['da:nsə]

tanssiravintola restaurant
with dancing ['restərɔnt
wið 'da:nsiŋ]

tanssit dance [da:ns]

tapa manners ['mænəz],
way [wei]

tapaaminen appointment
[ə'pɔintmənt]

tapahtua happen ['hæpən]

tapahtuma event [i'vent]

tapahtumakalenteri event
calendar [i'vent kælində]

tapaus case [keis]

tapella fight [fait]

tappaa kill [kil]

tarjoilija (miehestä) waiter
['weitə], (naisesta) wait-
ress ['weitrəs]

tarjoilla serve [sɜ:v]

tarjota offer ['ofə], (tar-
joilla) serve [sɜ:v]

tarjotin tray [trei]

tarjous offer ['ofə]

tarkastella ① (tutkiskella)
examine [ig'zæmin],
look at ['luk æt] ② (tark-
kailla) observe [əb'sɜ:v]

tarkistuskortti (matkusta-
jan) boarding card
['bɔ:diŋ ka:d]

tarkkaavaisuus attention
[ə'tenʃn]

tarkoitus purpose ['pɜ:pəs]

tarpeeksi enough [i'nʌf]

tarpeellinen necessary
['nesəsəri]

tartaripihvi steak Tartare
[steik ta:'ta:]

tarttuva contagious
[kən'teiʤəs]

tartunta infection
[in'fekʃn]

tarvita need [ni:d]

tasainen flat [flæt]

tasata ① (hiukset) trim
[trim] ② even out [i:vn
'aut]

tasavalta republic
[ri'pʌblik]

tasavirta D.C. ['di: si:]

tasku pocket ['pokit]

taskukirja paper back
['peipə bæk]

taskulamppu torch [tɔ:ʧ]

taskulaskin pocket-calcu-
lator [pokit 'kælkjuleitə]

taskuvaras pickpocket
['pikpokit]

taskuveitsi pocket-knife
['pokit naif]

taso level ['levl]

tattari buckwheat
['bʌkwi:t]

tatuoida tattoo [tə'tu:]

tauko pause [pɔ:z]

tausta background ['bækgraund]

tavallinen common ['komən], ordinary ['ɔ:dinəri]

tavallisesti usually ['ju:ʒəli]

tavarat goods [guds]

tavaratalo department store [di'pa:tmənt stɔ:]

tavarateline (auton katolla) roof rack ['ru:f ræk]

tavat manners ['mænəz]

tavata meet [mi:t]

tavoite aim [eim]

tavoittaa reach [ri:tʃ]

tax-free tax-free [tæks'fri:]

tax-free-myymälä tax-free shop [tæks'fri: ʃop]

tax-free-myynti tax-free sales [tæks'fri: seilz]

te you [ju:]

teatteri theatre ['θiətə]

tee tea [ti:]

teelautanen saucer ['sɔ:sə]

teelusikka teaspoon ['ti:spu:n]

teeri black grouse ['blæk graus]

teeskennellä pretend [pri'tend]

tehdas factory ['fæktəri]

tehdä do [du:], (valmistaa) make [meik]

tehokas effective [i'fektiv]

tehtävä errand ['erənd]

teidän your [jɔ:], yours [jɔ:z]

teippi adhesive tape [əd'hi:siv teip]

tekohampaat denture ['dentʃə]

tekosilkki artificial silk [a:ti'fiʃl silk]

tekstitys subtitles ['sʌbtaitlz]

tekstiviesti text message ['tekst mesidʒ]

televisio television ['teliviʒn]

teltta tent [tent]

telttailu camping ['kæmpiŋ]

telttatuoli beach chair [bi:tʃ tʃeə]

tennis tennis ['tenis]

tenniskenttä tennis court ['tenis kɔ:t]

tennismaila tennis racket ['tenis rækit]

tennistossut tennis shoes ['tenis ʃu:s]

tenori tenor ['tenə]

teollisuus industry ['indəstri]

tequila tequila [tə'ki:lə]

terassi terrace ['terəs]

termospullo thermos flask ['θɜ:məs fla:sk]

termostaatti thermostat ['θɜ:məstæt]

terve healthy ['helθi]

tervehdys greeting ['gri:tiŋ]

tervetuloa! welcome! ['welkəm]

tervetulomalja welcoming toast [welkəmiŋ 'təust]
terveys health [helθ]
terveysasema health centre ['helθ sentə]
terveysside sanitary towel ['sænitəri tauəl]
terälehti petal ['petl]
terävä sharp [ʃɑ:p]
teurastaja butcher ['butʃə]
tiainen tit [tit]
tie road [rəud]
tiede science ['saiəns]
tiedotus report [ri'pɔ:t]
tiedotusvälineet media ['mi:diə]
tiedustelu enquiry [in'kwaiəri]
tiekartta road map ['rəud mæp]
tietenkin certainly ['sɜ:tnli], of course [əv kɔ:s]
tietokone computer [kəm'pju:tə]
tietulli toll [təul]
tietysti certainly ['sɜ:tnli], of course [əv 'kɔ:s]
tietyö road works ['rəud wɜ:ks]
tietää know [nəu]
tihkusade drizzle ['drizl]
tiili brick [brik]
tiistai Tuesday ['tju:zdei]
tikapuut ladder ['lædə]
tikki stitch ['stitʃ]
tila ① (paikka) space [speis], place [pleis] ② (tilaa) room [ru:m], space [speis]

tilaisuus chance [tʃɑ:ns]
tilanne situation [sitʃu'eiʃn]
tilata order ['ɔ:də]
tilauslento charter flight ['tʃɑ:tə flait]
tili account [ə'kaunt]
tilli dill [dil]
timantti diamond ['daiəmənd]
timjami thyme [taim]
tina tin [tin]
tippa drop [drop]
tippukiviluola stalactite cave ['stæləkteit keiv]
tiristetty deep-fried ['di:pfraid]
tiskata wash up [woʃ 'ʌp]
tislattu vesi distilled water [di'stild wɔ:tə]
titteli title ['taitl]
tiukka tight [tait]
tivoli funfair ['fʌnfeə]
toalettilaukku toilet bag ['tɔilit bæg]
todella really ['riəli]
todellisuus reality [ri'æliti]
todennäköisesti probably ['probəbli]
todistaja witness ['witnəs]
todiste proof [pru:f], evidence ['evidens]
tohvelit slippers ['slipə:s]
toiminnassa oleva active ['æktiv]
toiminta action ['ækʃn], activity [æk'tiviti]
toimisto office ['ofis]
toimittaa deliver [di'livə]

toimiva active ['æktiv]
1 toinen (muu) another [ə'nʌðə], other ['ʌðə]
2 toinen (2.) second ['sekənd]
toinen luokka (esim. junassa) second class ['sekənd kla:s]
toinen parvi upper circle ['ʌpə sɜ:kl]
toipua recover [ri'kʌvə]
toistaa repeat [ri'pi:t], say again [sei ə'gen]
toivoa hope ['həup], wish [wiʃ]
toivomus wish [wiʃ]
tomaatti tomato [tə'ma:təu]
tomaattimehu tomato juice [tə'ma:təu ʤu:s]
tomaattisose tomato puree [tə'ma:təu 'pjuərei]
tonnikala tuna ['tju:nə]
torakka cockroach ['kokrəutʃ]
tori square [skweə], market place ['ma:kit pleis]
torni tower ['tauə]
torstai Thursday ['θɜ:zdei]
torttu pie [pai]
torua scold [skəuld], tell ... off [tel 'of]
tosi true [tru:]
tosiasia fact [fækt]
totella obey [ə'bei]
tottelematon disobedient [disəu'bi:diənt]
tottelevainen obedient [əu'bi:diənt]

tottunut used to ['ju:st tə]
totuus truth [tru:θ]
toukokuu May [mei]
treffit date [deit]
tuhannes (1 000.) thousandth ['θauzendθ]
tuhat (1 000) a thousand [ə 'θauzənd]
tuhkakuppi ashtray ['æʃtrei]
tuhkarokko measles ['mi:zlz]
tuhlata aikaa waste time [weist 'taim]
tuhma naughty ['nɔ:ti]
tuhota destroy [di'strɔi]
Tukholma Stockholm ['stokhəum]
tuki support [sə'pɔ:t]
tukka hair [heə]
tulehdus inflammation [inflə'meiʃn]
tulehtunut infected [in'fektid]
tulenarka inflammable [in'flæməbl]
tulevaisuus future ['fju:tʃə]
tuli fire ['faiə]
tulinen fiery ['faiəri]
tulipalo fire ['faiə]
tulitikku match [mætʃ]
tulivuori volcano [vol'keinəu]
tulkki interpreter [in'tɜ:pritə]
tulla come [kʌm]
tulla jksk become [bi'kʌm]
tullata declare [di'kleə]
tullattavaa goods to declare [gudz tu di'kleə]

tulli customs [ˈkʌstəms]
tulli-ilmoituskaavake customs declaration form [kʌstəms dekləˈreiʃn fɔːm]
tullimaksu duty [ˈdjuːti]
tullimääräys customs regulation [ˈkʌstəmz regjuˈleiʃn]
tullitarkastus customs check [ˈkʌstəmz tʃek]
tulliton duty-free [djuːtiˈfriː]
tullivirkailija customs officer [ˈkʌstəmz ofisə]
tuloaika time of arrival [taim əv əˈraivl]
tulos result [riˈzʌlt]
tulostaa print [print]
tulppaani tulip [ˈtjuːlip]
tumma dark [daːk]
tumma olut stout [staut]
tunkki jack [dʒæk]
tunne feeling [fiːliŋ]
tunneli tunnel [ˈtʌnl]
tunnistaa recognize [ˈrekəgnaiz]
tunnusluku Personal Identification Number (PIN) [pɜːsnl aidentifiˈkeiʃn nʌmbə]
tunnustaa confess [kənˈfes]
tuntea ① (aistein) feel [fiːl] ② (tietää) know [nəu]
tunteellinen emotional [iˈməuʃnl]
tunti hour [ˈauə]
tuntiveloitus hourly charge [ˈauəli tʃaːdʒ]

tunturi fell [fel]
tuo that [ðæt]
tuoda bring [briŋ]
tuoli chair [tʃeə]
tuolihissi chairlift [ˈtʃeəlift]
tuolla there [ðeə]
tuolloin then [ðen]
tuomari judge [dʒʌdʒ]
tuomio sentence [ˈsentəns]
tuomiokirkko cathedral [kəˈθiːdrəl]
tuore fresh [freʃ]
tuorekelmu clingfilm [ˈkliŋfilm]
tuoremehu juice [dʒuːs]
tuote product [ˈprodʌkt]
tupakansytytin cigarette lighter [sigəˈret laitə]
tupakka tobacco [təˈbækəu]
tupakkakauppa tobacconist's [təˈbækənist]
tupakkavaunu smokers [ˈsməukəz]
tupakoida smoke [sməuk]
tupakoimattomien osasto non-smokin compartment [nonˈsməukiŋ kəmˈpaːtmənt]
tupakoivien osasto smoking compartment [sməukiŋ kəmˈpaːtmənt]
turisti tourist [ˈtuərist]
turistilippu tourist ticket [ˈtuərist tikit]
turistiluokka economy class [iˈkonəmi klaːs]
turkki furcoat [ˈfɜːkəut]
turkoosi turquoise [ˈtɜːkwɔiz]

turska cod [kod]
turvaköysi securing rope [si'kjuəriŋ rəup]
turvallinen safe [seif]
turvallisuus safety ['seifti]
turvaohjeet safety instructions ['seifti in'strʌkʃns]
turvatarkastus security check [si'kjuəriti tʃek]
turvavyö safety belt ['seifti belt]
turvoksissa swollen ['swəulən]
turvotus swelling ['sweliŋ]
tusina dozen ['dʌzn]
tussi felt-tip pen [felt tip 'pen]
tutkavalvonta radar speed check [reida: 'spi:d tʃek]
tutkia examine [ig'zæmin]
tutkimus (lääkärin-) examination [igzæmi'neiʃn]
tutti dummy ['dʌmi]
tuttipullo feeding bottle ['fi:diŋ botl]
tuttu familiar [fə'miliə]
tuuletin fan [fæn]
tuuli wind [wind]
tuulilasi windscreen ['windskri:n]
tuulilasinpyyhkimet windscreen wipers ['windskri:n waipəz]
tyhjä empty ['empti]
tynnyri barrel ['bærəl]
tynnyriolut draught beer ['dra:ft biə]
typerys fool [fu:l]
typerä stupid ['stju:pid]

tyrnimarja buckthorn berry ['bʌkθɔ:n beri]
tyrä hernia ['hɜ:njə]
tyttärenpoika grandson ['grændsʌn]
tyttärentytär granddaughter ['grændɔ:tə]
tyttö girl [gɜ:l]
tyttönimi maiden name ['meidən neim]
tytär daughter ['dɔ:tə]
tyyli style [stail]
tyylikäs stylish ['stailiʃ]
tyyny cushion ['kuʃn]
tyynyliina pillow case ['piləu keis]
tyypillinen typical ['tipikl]
tyytyväinen satisfied ['sætisfaid]
työ work [wɜ:k]
työkalu tool [tu:l]
työllistää employ [im'plɔi]
työmatka business trip ['biznəs trip]
työntekijä employee [im'plɔi i:]
työntää push [puʃ]
työpäivä working day ['wɜ:kiŋ dei]
työskennellä work [wɜ:k]
tähdätä aim [eim]
tähti star [sta:]
tähtitorni observatory [əb'zɜ:vətri]
täkki quilt [kwilt], duvet ['du:vei]
tämä this [ðis]
tänä iltana tonight [tə'nait]
tänä yönä tonight [tə'nait]

tänään today [tə'dei]

täristä tremble ['trembl]

tärkeä important [im'pɔ:tnt]

tärykalvo eardrum ['iədrʌm]

täti aunt [a:nt]

täydellinen ① (kokonainen) complete [kəm'pli:t] ② (moitteeton) perfect ['pɜ:fekt]

täydentää finish ['finiʃ]

täynnä full [ful]

täysihoito full board ['ful bɔ:d]

täysihoitola boarding-house ['bɔ:diŋ haus]

täysvakuutus full insurance [ful in'ʃuərəns]

täytekynä fountain pen ['fauntin pen]

täytetty stuffed [stʌft]

täyttää fill [fil]

täyttöpakkaus refill ['ri:fil]

täytyä must [mʌst]

täällä here [hiə]

tölkinaukaisin tin opener [tin 'əupənə]

tölkki carton ['ka:tn]

törmäys crash [kræʃ]

Uu

uhata threaten ['θretn]

uhka threat [θret]

uhkapeli gamble ['gæmbl]

uida swim [swim]

uima-allas swimming pool ['swimiŋ pu:l]

uimahalli public swimming pool [pʌblik 'swimiŋ pu:l]

uimahousut swimming trunks ['swimiŋ trʌŋks]

uimalakki swimming cap ['swimiŋ kæp]

uimapuku swimming costume ['beiðiŋ su:t]

uimaranta beach [bi:tʃ]

uimarengas swimming ring ['swimiŋ riŋ]

ujo shy [ʃai]; (arka) timid ['timid]

ukkonen thunder ['θʌndə]

ulkoilla take outdoor exercise [teik autdɔ:(r) 'eksəsaiz]

ulkoilmamuseo open-air museum [əupneə mju:-'ziəm]

ulkoilmateatteri open-air theatre [əupneə 'θiətə]

ulkoilukartta map of outdoor recreation area [mæp əv autdɔ: rekri'eiʃn eəriə]

ulkomaalainen foreigner ['forənə]

ulkomaan lento international flight [intə'næʃənl flait]

ulkomailla abroad [ə'brɔ:d]

ulkomainen foreign ['forən]

ulkona outside [aut'said]

ulkonäkö appearance [ə'piərəns]

ullakko attic ['ætik]

ulos out [aut]

ulosajotie (liikenteessä) exit ['eksit]

uloskäynti exit ['eksit]

ulostenäyte stools sample ['stu:ls sæmpl]

ulostuslääke laxative ['læksətiv]

ummetus constipation [konsti'peiʃn]

umpilisäke appendix [ə'pendiks]

umpilisäkkeen tulehdus appendicitis [əpendi'saitis]

uni dream [dri:m]

unikko poppy ['popi]

unilääke sleeping pills ['sli:piŋ pilz]

Unkari Hungary ['hʌŋgəri]

unkarilainen Hungarian [hʌŋ'geəriən]

unohtaa forget [fə'get]

untuvapeite eiderdown ['əidədəun], duvet ['du:vei]

upseeri officer ['ofisə]

ura ① (uurre) rut [rʌt] ② (työ-) career [kə'riə]

urheilu sport [spɔ:t]

urheiluasu sportswear ['spɔ:tsweə]

urheiluauto sportscar ['spɔ:tska:]

urheilukenttä sports field ['spɔ:ts fi:ld]

urheiluliike sports shop ['spɔ:ts ʃop]

urologi urologist [juə'rolədʒist]

useat several ['sevrəl]

useimmiten mostly ['məustli]

usein often ['ofn]

uskaltaa dare [deə]

uskoa believe [bi'li:v]

uskonto religion [ri'lidʒən]

uskoton unfaithful [ʌn'feiθfl]

uskottava credible ['kredibl], plausible ['plɔ:zəbl]

utelias curious ['kjuəriəs]

uudenvuodenaatto New Year's Eve [nju: jiəz 'i:v]

uudenvuodenlupaus new year's resolution [nju: jiəz rezə'lu:ʃn]

uudistaa renew [ri'nju:]

uuni oven ['ʌvn]

uurre rut [rʌt]

uushopea German silver [dʒɜ:mən 'silvə]

uusi new [nju:]

uusivuosi New Year [nju: 'jiə]

uutiset news [nju:z]

VWvw

vaahtera maple ['meipl]

vaakasuora horizontal [,hori'zontl]

vaalea light [lait]

vaaleanpunainen pink [piŋk]

vaalennus (hiusten) blonde rinse ['blond rins]

vaali election [i'lekʃn]

vaara danger ['deindʒə]

vaarallinen dangerous ['deindʒərəs]

vaateharja clothes brush ['kləuðz brʌʃ]

vaatekaappi wardrobe ['wɔ:drəub]

vaatekoko size [saiz]

vaateripustin hanger ['hæŋə]

vaatesäilö cloakroom ['kləukru:m]

vaatia demand [di'ma:nd]

vaatimaton modest ['modist]

vaatimus claim [kleim]

vaatteet clothes [kləuðz]

vadelma raspberry ['ra:zbəri]

vaellus hike [haik]

vaellusretki trail [treil]

vaeltaa hike [haik]

vahdinvaihto changing of the guard ['tʃeinʒiŋ əv ðə 'ga:d]

vahinko damage ['dæmidʒ], harm [ha:m]

vahva olut strong beer [stroŋ 'biə]

vahvistaa confirm [kən'fɜ:m]

vaihde gear [giə]

vaihdelaatikko gear box ['giə boks]

vaihdetanko gear lever ['giə li:və]

vaihtaa change [tʃeindʒ], exchange [ik'stʃeindʒ]

vaihtaa vaatteita change clothes [tʃeindʒ 'kləuðz]

vaihto change [tʃeindʒ]

vaihtokurssi exchange rate [ik'stʃeindʒ reit]

vaihtoraha change [tʃeindʒ]

vaihtovirta A.C. [ei 'si:]

vaikea difficult ['difikəlt]

vaikka though [ðəu]

vaikutus influence ['influəns]

vaimo wife [waif]

vain only ['əunli]

vaippa nappy ['næpi]

vaiva trouble(s) ['trʌbl(z)]

vaivata trouble ['trʌbl]

vakava serious ['siəriəs]
vakuuttaa convince [kən'vins]
vakuutus insurance [in'ʃuərəns]
valehdella lie [lai]
valhe lie [lai]
valintamyymälä supermarket ['su:pəma:kit]
valita choose [tʃu:z]
valitus complaint [kəm'pleint]
valkohomejuusto white cheese ['wait tʃi:z]
valkoinen white [wait]
valkoiset pavut haricot beans [hærikəu 'bi:nz]
valkosipuli garlic ['ga:lik]
valkoviini white wine ['wait wain]
valkoviini ja soodavesi spritzer ['spritsə]
valkovuokko wood anemone [wud ə'nemɜni]
valmis ready ['redi], finished ['finiʃt]
valmistaa prepare [pri'peə], make [meik]
valo light [lait]
valoisa light [lait]
valokopio photocopy ['fəutəukopi]
valokuva photo(graph) ['fəutə(gra:f)]
valokuvausliike photographer's [fə'togrəfəs]
valottaa (valokuvauksessa) expose [ik'spəuz]
valtameri ocean ['əuʃn]

valtatie highway ['haiwei]
valtimo artery ['a:təri]
valtio state [steit]
valtionlippu flag [flæg]
valuutta currency ['kʌrənsi]
valuuttakurssi exchange rate [ik'stʃeindʒ reit]
valvonta control [kən'trəul]
vamma injury ['indʒəri]
vanha old [əuld]
vanha kaupunki old town [əuld 'taun]
vanhanaikainen old-fashioned [əuld'fæʃənd]
vanhemmat parents ['peərənts]
vaniljakastike custard ['kʌstəd]
vankila prison ['prizn]
vannoa swear [sweə]
vanukas pudding ['pudiŋ]
vapaa free [fri:]
vapaa pääsy admission free [əd'miʃn fri:]
vapaaehtoinen voluntary ['volәntri]
vapaakiipeily freeclimbing ['fri:klaimiŋ]
vapaapäivä day off [dei 'of]; (yleinen) holiday ['holidei]
vapaus freedom ['fri:dəm]
vappu the first of May [ðə 'fɜ:st əv 'mei]
varaosa spare part ['speə pa:t]
vararengas spare wheel ['speə wi:l]
varas thief [θi:f]

varastaa steal [sti:l]
varasto stock [stok]
varasto(rakennus) warehouse ['weəhaus]
varat mean(s) [mi:n(z)]
varata book [buk], reserve [ri'zз:v]
varattu occupied ['okjupaid]
varauloskäynti emergency exit [i'mз:dʒənsi eksit]
varaus reservation [rezə'veiʃn]
varausnumero reservation number [rezə'veiʃn nʌmbə]
varietee variety [və'raiəti]
varjo (jonkin heittämä) shadow ['ʃædəu], (varjoisa paikka) shade [ʃeid]
varma sure [ʃuə]
varmuus certainty ['sз:tənti]
varoittaa warn [wɔ:n]
varoitus warning ['wɔ:niŋ]
varoituskolmio warning triangle ['wɔ:niŋ traiæŋgl]
varoitusvilkut hazard warning lights [hæzəd 'wɔ:niŋ laitz]
varokaa! look out! ['luk aut]
varovainen careful ['keəfl]
varovasti! carefully! ['keəfəli]
varten for [fɔ:]
vartio guard [ga:d]
vartioida watch [wotʃ]
varusteet equipment [i'kwipmənt]

varvas toe [təu]
vasara hammer ['hæmə]
vasemmalle to the left [tə ðə 'left]
vasen left [left]
vasikanliha veal [vi:l]
vasikka calf [ka:f]
vastaan against [ə'genst]
vastaanottaa receive [ri'si:v]
vastaanottaja receiver [ri'si:və]
vastaanottoaika surgery hour ['sз:dʒəri auə]
vastaanottoapulainen receptionist [ri'sepʃənist]
vastaanottohuone surgery ['sз:dʒəri]
vastapuhelu reverse charge call [ri'vз:s tʃa:dʒ kɔ:l]
vastapäätä opposite ['opəzit]
vastata answer ['a:nsə]
vastatuuli headwind ['hedwind]
vastaväite objection [əb'dʒekʃn]
vastuullinen responsible [ri'sponsəbl]
vatsa stomach ['stʌmək]
vatsahaava ulcer ['ʌlsə]
vatsakipu stomach ache ['stʌmək eik]
vaunuosasto compartment [kəm'pa:tmənt]
vauva baby ['beibi]
wc toilet ['tɔilit], W.C. [dʌblju: 'si:], lavatory ['lævətri]

vedenpitävä waterproof
['wɔ:təpru:f]

vegaani vegan ['vi:gən]

veitsi knife [naif]

veli brother ['brʌðə]

velipuoli stepbrother
['stepbrʌðə]

veljenpoika nephew
['nefju:]

veljentytär niece [ni:s]

velvollisuus duty ['dju:ti]

vene boat [bəut]

venttiili valve [vælv]

venyttely stretching
['stretʃiŋ]

venähdys strain [strein]

Venäjä Russia ['rʌʃə]

venäläinen Russian ['rʌʃən]

verenhukka loss of blood
[los əv 'blʌd]

verenkiertolääke cardiac
stimulant [ka:diæk
'stimjulənt]

verenpaine blood pressure
['blʌd preʃə]

verenvuoto bleeding
['bli:diŋ]

verho curtain ['kɜ:tn]

veri blood [blʌd]

verinäyte blood sample
['blʌd sa:mpl]

veripalttu black pudding
[blæk 'pudiŋ]

veriryhmä blood group
['blʌd gru:p]

verisuoni blood vessel
['blʌd vesl]

verkkokauppa net trade
['net treid]

verkkopalvelu network
service [netwɜ:k 'sɜ:vis]

vero tax [tæks]

veroton tax-free [tæks 'fri:]

verrata compare [kəm'peə]

verryttelypuku track suit
['træk su:t]

verstas workshop ['wɜ:k-
ʃop]

vesi water ['wɔ:tə]

vesihana tap [tæp]

vesihiihto water skiing
['wɔ:tə ski:iŋ]

vesijohtovesi tap water
['tæp wɔ:tə]

vesikastanja water chest-
nut ['wɔ:tə tʃestnʌt]

vesikrassi cress [kres]

vesipuisto waterpark
['wɔ:təpa:k]

vesiputous water fall
['wɔ:tə fɔ:l]

vesirokko chicken pox
['tʃikin poks]

vesiskootteri jet ski ['dʒet
ski:]

vesisukset water skis
['wɔ:təski:z]

vesivirta flow [fləu]

vesivärimaalaus water-
colour ['wɔ:təkʌlə]

vessa toilet ['tɔilit], W.C.
[dʌblju: 'si:]

vessapaperi toilet paper
['tɔilit peipə]

vetoketju zip [zip]

vetolaatikko drawer [drɔ:ə]

vetolaukku bag on wheels
[bæg on 'wi:lz]

vetoomus appeal [ə'pi:l]
vetää pull [pul]
video video ['vidiəu]
videokamera video camera ['vidiəu kæmərə]
videokonferenssi video conference ['vidiəu konfərəns]
viehkeys charm [ʧa:m]
viehättävä attractive [ə'træktiv], charming ['ʧa:miŋ]
vielä yet [jet]
vieläpä even ['i:vn]
viemäri drain [drein]
vientipalvelu export service ['ekspɔ:t sɜ:vis]
vierailla visit ['vizit]
vierailu visit ['vizit]
vieras ① (tuntematon) strange [streinʤ], unknown [ʌn'nəun] ② (vieraileva) guest [gest]
vieressä next to ['nekst tə]
viesti message ['mesiʤ]
vietellä seduce [si'dju:s]
vieteri spring [spriŋ]
viettää spend [spend]
vihainen angry ['æŋgri]
vihannekset vegetables ['veʤtəblz]
vihanneskauppa greengrocer's ['gri:ngrəusəs]
vihanneskauppias greengrocer ['gri:n grəusə]
vihata hate [heit]
viheltää whistle ['wisl]

viherpippuri green pepper ['gri:n pepə]
vihjata hint [hint]
vihkisormus wedding ring ['wediŋ riŋ]
vihkiä (avioliittoon) marry ['mæri]
vihollinen enemy ['enəmi]
vihreä green [gri:n]
vihreät pavut green beans [gri:n 'bi:ns]
vihurirokko German measles [ʤɜ:mən 'mi:zlz]
viides (5.) fifth [fifθ]
viideskymmenes (50.) fiftieth ['fiftiəθ]
viidessadas (500.) five hundredth [faiv 'hʌndrəθ]
viidestoista (15.) fifteenth [fif'ti:nθ]
viikko week [wi:k]
viikkolippu weekly season ticket [wi:kli 'si:zn tikit]
viikonloppu weekend ['wi:kend]
viikset moustache [mə'sta:ʃ]
viikuna fig [fig]
viileä cool [ku:l]
viiltävä (kivusta) stabbing [stæbiŋ]
viime last [la:st]
viimeinen last [la:st]
viina spirits ['spirits]
viini wine [wain]
viinibaari wine bar ['wain ba:]
viinietikka vinegar ['vinigə]

viinikauppa wine shop ['wain ʃop]

viinilista wine list ['wain list]

viinimarja currant ['kʌrnt]

viinirypäle grape [greip]

viinitarha vineyard ['vinjəd]

viisas wise [waiz]

viisi (5) five [faiv]

viisikymmentä (50) fifty ['fifti]

viisisataa (500) five hundred [faiv 'hʌndrəd]

viisitoista (15) fifteen [fifʼtiːn]

viisumi visa ['viːzə]

viitata jhk refer to [riʼfɜː tə]

viittomakieli sign language ['sain læŋgwidʒ]

viiva line [lain]

viivoitin ruler ['ruːlə]

vika fault [fɔːlt]

vilja corn [kɔːn]

viljapelto corn field ['kɔːn fiːld]

viljaton not containing grain [not kənʼteiniŋ grein]

vilkku direction indicator [diʼrekʃn indikeitə]

villa wool [wul]

villapusero sweater ['swetə]

villatakki cardigan ['kaːdigən]

vilpitön sincere [sinʼsiə]

vintti attic ['ætik]

violetti violet ['vaiələt]

virallinen official [əʼfiʃl]

viranomaiset authorities [ɔːʼθorətiːz]

virhe error ['erə]

virkailija employee [implɔiʼiː]

virkamies official [əʼfiʃl]

virkistys refreshment [riʼfreʃmənt]

Viro Estonia [esʼtəuniə]

virolainen Estonian [esʼtəuniən]

virranjakaja distributor [disʼtribjuːtə]

virta current ['kʌrənt], flow [fləu]

virta-avain ignition key [igʼniʃn kiː]

virtsa urine ['juərin]

virvoitusjuoma soft drink ['soft driŋk]

viski whisky ['wiski]

vitamiini vitamin ['vitəmin]

vitsi joke [dʒəuk]

vodka ja tomaattimehu bloody mary [blʌdi 'meəri]

voi butter ['bʌtə]

voida can [kæn]

voida pahoin be sick [biː sik]

voide cream [kriːm], lotion ['ləuʃn], ointment ['ɔintmənt]

voikukka dandelion ['dændilaiən]

voileipä sandwich ['sændwidʒ]

voileipäkeksi cracker ['krækə]

voima force [fɔ:s]

voimakas strong [strɒŋ]

voimassa oleva valid ['vælid]

voimassaolo validity [vəˈliditi]

voimassaoloaika validity time [vəˈliditi taim]

voimistelu gymnastics [dʒimˈnæstiks]

voisarvi croissant ['krwæsɔ:nt]

voitelu (esim. koneen) lubrication [lu:briˈkeiʃn]

voittaa win [win]

vuode bed [bed]

vuodenaika season ['si:zn]

vuohenjuusto goat cheese [gəut ˈtʃi:z]

vuokko anemone [əˈneməni]

vuokra rent [rent]

vuokraemäntä landlady ['lændleidi]

vuokraisäntä landlord ['lændlɔ:d]

vuokrata ① (antaa vuokralle) let [let] ② (ottaa vuokralle) rent [rent], hire ['haiə]

vuokrattavana to let [tə 'let]

vuori mountain ['mauntin]

vuorikiipeily rock climbing ['rok klaimiŋ], mountaineering [maunti'niəriŋ]

vuoristojono mountain chain ['mauntin tʃein]

vuorovesi tide [taid]

vuosi year [jiə]

vuosijuhla anniversary [æniˈvɜ:səri]

vuosisata century ['sentʃəri]

vuotaa verta bleed [bli:d]

vuotava leaking ['li:kiŋ]

vyö belt [belt]

vyötärö waist [weist]

vähemmän less [les]

vähennys reduction [ri'dʌkʃn]

vähentää subtract [səbˈtrækt], deduct [di'dʌkt]

vähintään at least [ət 'li:st]

vähälaktoosinen low lactose [ləu ˈlæktəus]

vähän a little [ə 'litl]

väkivalta violence ['vaiələns]

väliaika intermission [intəˈmiʃn]

väliasema (hiihtohississä) middle station ['midl steiʃn]

välilasku stop [stop]

välilaskupaikka stopover ['stopəuvə]

välillä between [bi'twi:n]

välipala snack [snæk]

välissä between [bi'twi:n]

välittää (puhelu) connect [kə'nekt]

välityspalkkio commission [kəˈmiʃn]

välttyä escape [i'skeip]

välttää avoid [ə'vɔid]

väri colour ['kʌlə]

värikartta colour chart
['kʌlə tʃa:t]
värikynä colour pencil
['kʌlə pensl]
värillinen coloured ['kʌləd]
värisävytys colour rinse
['kʌlə rins]

värjäys (hiusten) hair-dye
['heə dai]
väsynyt tired ['taiəd]
väärin wrong [rɒŋ]
väärinymmärrys mis-
understanding [mis-
ʌndə'stændiŋ]
väärä wrong [rɒŋ]

Yy

yhdeksän (9) nine [nain]
yhdeksänkymmentä (90)
ninety ['nainti]
yhdeksänsataa (900) nine
hundred [nain 'hʌndrəd]
yhdeksäntoista (19) nine-
teen [nain'ti:n]
yhdeksäs (9.) ninth [nainθ]
yhdeksäskymmenes (90.)
ninetieth ['naintiəθ]
yhdeksässadas (900.) nine
hundredth [nain
'hʌndrəθ]
yhdeksästoista (19.) nine-
teenth [nain'ti:nθ]
yhden hengen huone single
room ['siŋgl ru:m]
yhdensuuntainen parallel
['pærələl]
yhdessä together [tə'geðə]
yhdestoista (11.) eleventh
[i'levnθ]
Yhdysvallat United States
[ju:'naitid steits]

yhteinen mutual
['mju:tʃuəl]
yhteismajoitus dormitory
accommodation
[dɔ:mitri əkomə'deiʃn]
yhteys connection
[kə'nekʃn]
yhtiö firm [fɜ:m]
yhtye band [bænd]
yhtäläinen equal ['i:kwəl]
YK U.N. [ju:'en]
yksi (1) one [wʌn]
yksin alone [ə'ləun]
yksinkertainen simple
['simpl]
yksisuuntainen one-way
['wʌn wei]
yksitoista (11) eleven
[i'levn]
yksityinen private ['praivit]
yksityismajoitus private
accommodation [praivit
əkomə'deiʃn]
yksiö studio ['stju:diəu]

yleisurheilu athletics
[æθ'letiks]
yleisö audience ['ɔ:diəns]
yleisöpuhelin public tele-
phone [pʌblik 'telifəun]
ylellisyys luxury ['lʌkʃəri]
ylhäällä up [ʌp]
ylikulku crossing ['krosiŋ]
ylimääräinen extra ['ekstrə]
ylinopeus speeding
['spi:diŋ]
yliopisto university
[ju:ni'vɜ:siti]
ylirasittunut overstrained
['əuvəstreind]
ylistää praise [preiz]
ylle over ['əuvə]
yllä over ['əuvə]
yllätys surprise [sə'praiz]
ylpeä proud [praud]
yltää reach [ri:ʧ]
yläasema (hiihtohississä)
top station [top 'steiʃn],
summit station ['sʌmit
steiʃn]
ylänkö highlands ['hai-
ləndz]
yläpuolella above [ə'bʌv]
ylävuode upper berth ['ʌpə
bɜ:θ]
ymmärtää understand
[ʌndə'stænd]
ymmärtää väärin mis-
understand [misʌndə-
'stænd]
ympyrä circle ['sɜ:kl]

ympäri around [ə'raund]
ympäristö surroundings
[sə'raundiŋs]
ympäristöystävällinen eco-
friendly ['i:kəufrendli]
yrittää try [trai]
yrtti herb [hɜ:b]
yrttijuusto cheese with
herbs [ʧi:z wið 'hɜ:bz]
yrttilikööri liqueur with
herbs [li'kjuə wið hɜ:bs]
yskiä cough [kof]
yskä cough [kof]
yskänlääke cough medi-
cine ['kof medsn]
yskäntabletti cough loz-
enge ['kof lozinʤ]
ystävä friend [frend]
ystävällinen friendly
['frendli], kind [kaind]
yö night [nait]
yökerho night club ['nait
klʌb]
yönäytäntö late-night
show ['leit nait ʃəu]
yöpaita nightgown
['naitgaun]
yöportieeri night porter
['nait pɔ:tə]
yöpuku pyjamas [pə'ʤa:-
məs]; night-dress ['nait-
dres]
yöpyä stay overnight [stei
əuvə'nait]
yöpäivystys night duty
['nait dju:ti]

Ää

äiti mother ['mʌðə]
äitipuoli stepmother
  ['stepmʌðə]
äkillinen sudden ['sʌdn]
äkkilähtö quick getaway
  [kwik 'getəwei]
äly intelligence
  [in'telidʒəns]
älykortti chip card ['tʃip
  ka:d]
älykäs clever ['klevə],
  intelligent [in'telidʒənt]
ämpäri bucket ['bʌkit]
ärsyttää irritate ['iriteit],
  annoy [ə'nɔi]
ärtynyt irritated ['iriteitid]

äskettäin recently
  ['ri:səntli]
äyriäinen shellfish ['ʃelfiʃ]
äänekäs loud [laud]
äänestää vote [vəut]
ääni sound [saund]; (melu)
  noise [nɔiz]; (ihmisääni)
  voice [vɔis]
äänilevy record ['rekɔ:d]
äänimerkki (esim. auton)
  signal ['signəl]
ääntäminen pronunciation
  [prənʌnsi'eiʃn]
ääntää pronounce
  [prə'nauns]

Öö

öljy oil [ɔil]
öljynvaihto oil change ['ɔil
  tʃeinʒ]

öljyssä keitetty deep-fried
  ['di:pfraid]

Hakusanasto

ENGLANTI
SUOMI

Aa

a few [ə 'fju:] muutama
a little [ə 'litl] vähän
a lot of [ə 'lot əv] paljon
a pity! [ə 'piti] sääli!
abandon [ə'bændən] hylätä
abbey ['æbi] luostari, luostarikirkko
able ['eibl] pystyvä
able to ['eibl tu] kykenevä
abnormal [æb'nɔ:məl] epänormaali
abortion [ə'bɔ:ʃn] abortti
about [ə'baut] noin, suunnilleen
above [ə'bʌv] yläpuolella
abrasion [ə'breiʃn] hankauma
abroad [ə'brɔ:d] ulkomailla
absence ['æbsns] poissaolo
absolutely [æbsə'lu:tli] ehdottomasti
A.C. [ei 'si:] vaihtovirta
academy [ə'kædəmi] koulu, opisto
accent ['æksnt] paino, korostus
accept [ək'sept] hyväksyä
access ['ækses] pääsy
accessory [ək'sesəri] asuste
accident ['æksident] onnettomuus

accommodation [əkomə'deiʃn] majoitus
accompanying person [ə'kʌmpəniŋ pɜ:sn] saattaja
account [ə'kaunt] ① tili ② selostus, kuvaus
accumulator [ə'kju:mjuleitə] akku
accuse [ə'kju:z] syyttää
ache [eik] särkeä, koskea (tehdä kipeää)
achieve [ə'tʃi:v] saavuttaa, suorittaa
achievement [ə'tʃi:vmənt] saavutus
acid ['æsid] happo
acquire [ə'kwaiə] hankkia, ostaa
across [ə'kros] poikki
acrylic [ə'krilik] akryyli
action ['ækʃn] toiminta
active ['æktiv] toimiva, toiminnassa oleva
activity [æk'tiviti] toiminta
acute [ə'kju:t] akuutti
adaptability [ə'dæptəbiliti] sopeutumiskyky
adapter [ə'dæptə] adapteri
add [æd] lisätä
add together [æd tə'geðə] laskea yhteen
addition [ə'diʃn] lisäys
address [ə'dres] osoite

addressee [ædres'i:] kirjeen saaja

adequate ['ædəkwət] riittävä

adhesive plaster [əd'hi:siv pla:stə] laastari

adhesive tape [əd'hi:siv teip] teippi

adjust [ə'dʒʌst] ① säätää ② sopeutua

administration [ədmini-'streiʃn] hallinto

admiration [ædmi'reiʃn] ihailu

admire [əd'maiə] ihailla

admission [əd'miʃn] sisäänpääsy

admission free [əd'miʃn fri:] vapaa pääsy

adult ['ædʌlt] aikuinen

advance [əd'va:ns] ennakko

advance booking [əd'va:ns 'bukiŋ] ennakkomyynti

advance payment [əd'va:ns 'peimənt] etumaksu

advanced [əd'va:nst] edistynyt

advantage [əd'va:ntidʒ] etu

adventure [əd'ventʃə] seikkailu

advertise ['ædvətaiz] mainostaa

advice [əd'vais] neuvo

advise [əd'vaiz] neuvoa

aerobics [eə'rəubiks] aerobic

aeroplane ['eərəplein] lentokone

affair [ə'feə] (rakkaus)suhde

after ['a:ftə] jälkeen, kuluttua

after sun lotion ['a:ftə sʌn 'ləuʃn] auringonoton jälkeen laitettava viilentävä voide

afternoon [a:ftə'nu:n] iltapäivä

aftershave lotion ['a:ftəʃeiv 'ləuʃn] partavesi

again [ə'gen] jälleen

against [ə'genst] vastaan

age [eidʒ] ikä

agree [ə'gri:] olla yhtä mieltä

agriculture ['ægrikʌltʃə] maatalous, maanviljelys

agrotourism ['ægrəutuərizm] maatilamatkailu

AIDS [eidz] aids

aim [eim] ① tähdätä ② tavoite

air [eə] ilma

air conditioning [eə kən-'diʃniŋ] ilmastointi

air pocket ['eə pokit] ① ilmakuoppa ② ilmatasku

air-bed ['eə bed] ilmapatja

airmail ['eəmeil] lentoposti

airport ['eəpɔ:t] lentoasema

airport shuttlebus [eəpɔ:t 'ʃʌtlbʌs] lentokenttäbussi

airport tax ['eəpɔ:t tæks] lentokenttävero

aisle [ail] käytävä

aisle seat [ail si:t] käytäväpaikka

alarm [ə'la:m] hälytys

alarm system [ə'la:m sistəm] hälytyslaite

alarm-clock [ə'la:m klok] herätyskello

alcohol ['ælkəhol] alkoholi

alcoholic [ælkə'holik] alkoholi-

alcometer ['ælkəmi:tə] alkometri, promillemittari

ale [eil] olut

alive [ə'laiv] elävä

all [ɔ:l] kaikki

allergic [ə'lɜ:dʒik] allerginen

allergy ['ælədʒi] allergia

allow [ə'lau] sallia

almond ['a:mənd] manteli

almost ['ɔ:lməust] melkein

alone [ə'ləun] yksin

along [ə'loŋ] pitkin

alpaca [æl'pækə] alpakka

already [ɔ:l'redi] jo

also ['ɔ:lsəu] myös

altitude ['æltitju:d] korkeus

alto ['æltəu] altto

altogether [ɔ:ltə'geðə] kaiken kaikkiaan

always ['ɔ:lweiz] aina

amazement [ə'meizmənt] hämmästys

amazing [ə'meiziŋ] hämmästyttävä

ambassador [æm'bæsədə] suurlähettiläs

amber ['æmbə] meripihka

ambition [æm'biʃn] kunnianhimo

ambulance ['æmbjuləns] sairasauto, ambulanssi

America [ə'merikə] Amerikka

American [ə'merikən] amerikkalainen

ammonia [ə'məuniə] ammoniakki

among [ə'mʌŋ] joukossa

amount [ə'maunt] rahamäärä

amphitheatre ['æmpfiθiətə] amfiteatteri

amulet ['æmjulət] amuletti

amusement [ə'mju:zmənt] huvitus

amusing [ə'mju:ziŋ] huvittava

anaemia [ə'ni:miə] anemia

anaesthetic [ænis'θetik] nukutusaine

analyse ['ænəlaiz] analysoida

analysis [ə'næləsis] analyysi

anchovy ['æntʃəvi] anjovis

and [ænd] ja

and so on [ænd səu on] ja niin edelleen

anemone [ə'neməni] vuokko

angel ['eindʒəl] enkeli

1 angle ['æŋgl] kulma

2 angle ['æŋgl] onkia

angry ['æŋgri] vihainen

animal ['æniml] eläin

ankle ['æŋkl] nilkka

anniversary [æni'vɜ:səri] vuosijuhla

annoy [ə'nɔi] ärsyttää

another [ə'nʌðə] toinen

answer ['a:nsə] vastata

ant [ænt] muurahainen

antenna [æn'tenə] antenni

antibiotic [æntibai'otik] antibiootti

antifreeze ['æntifri:z] pakkasneste

antique shop [æn'ti:k ʃop] antiikkiliike

antiques [æn'ti:ks] antiikkiesineet

antiquity [æn'tikwəti] antiikki

antiseptic [ænti'septik] ① antiseptinen ② antiseptinen aine

anxious ['æŋkʃəs] pelokas

any ['eni] yhtään; hiukan; kuka tahansa

anyway ['eniwei] joka tapauksessa

aperitif [əperi'ti:f] aperitiivi

apparent [ə'pærnt] ilmeinen

apparently [ə'pærntli] ilmeisesti

appeal [ə'pi:l] vetoomus

appear [ə'piə] ilmestyä

appearance [ə'piərəns] ulkonäkö

appendicitis [əpendi'saitis] umpilisäkkeen tulehdus

appendix [ə'pendiks] ① umpilisäke ② liite

appetite ['æpitait] ruokahalu

appetizer ['æpitaizə] alkupala

apple ['æpl] omena

apple juice ['æpl dʒu:s] omenamehu

appointment [ə'pɔintmənt] ajanvaraus; tapaaminen

appreciate [ə'pri:ʃieit] pitää arvossa, arvostaa

appreciation [ə'pri:ʃi'eiʃn] arvostus

approve ['əpru:v] hyväksyä

approximately [ə'proksimətli] noin

apricot ['eiprikot] aprikoosi

April ['eiprəl] huhtikuu

apron [ei'prən] esiliina

aquarium [ə'kweəriəm] akvaario

aquavit ['a:kwəvi:t] akvaviitti

arch [a:tʃ] holvikaari

archaeology [a:ki'olədʒi] arkeologia

archbishop [a:tʃ'biʃəp] arkkipiispa

archipelago [a:ki'peləgəu] saaristo

architect ['a:kitekt] arkkitehti

architecture ['a:kitektʃə] arkkitehtuuri

archive [a:'kaiv] arkisto

arctic bramble [a:ktik 'bræmbl] mesimarja

arctic char ['a:ktik tʃa:] nieriä

arctic circle ['a:ktik sɜ:kl] napapiiri

area code ['eəriə kəud] suuntanumero

arena [ə'ri:nə] areena

aristocrat ['æristəkræt] aatelinen

arm [a:m] käsivarsi

armagnac ['a:mənjʌk] armanjakki

army ['a:mi] armeija

around [ə'rɑund] ympäri

arrange [ə'reindʒ] järjestää

arrival [ə'raivl] saapuminen

art [a:t] taide

art gallery ['a:t gæləri] taidegalleria

artery ['a:təri] valtimo

artichoke ['a:titʃəuk] artisokka

artificial [a:ti'fiʃl] keinotekoinen

artificial light [a:ti'fiʃl lait] keinovalo

artificial limb [a:ti'fiʃl lim] proteesi

artificial silk [a:ti'fiʃl silk] tekosilkki

artist ['a:tist] taiteilija, taidemaalari

as far as [əz 'fa: əz] asti (paikasta)

as from [əz from] alkaen

as though [əz ðəu] ikään kuin

ashtray ['æʃtrei] tuhkakuppi

ask [a:sk] kysyä

ask for ['a:sk fɔ:] anoa

asparagus [ə'spærəgəs] parsa

asphalt ['æsfælt] asfaltti

aspirin ['æspirin] aspiriini

assault [ə'sɔ:lt] hyökkäys; pahoinpitely

assign to [ə'sain tə] antaa toimeksi

assume [ə'sju:m] olettaa

asthma ['æsmə] astma

at all ['æt ɔ:l] ollenkaan

at last [ət 'la:st] lopulta

at least [ət 'li:st] vähintään

at most [ət 'məust] enintään

at times [ət 'taimz] ajoittain

Athens ['æθens] Ateena

athletics [æθ'letiks] yleisurheilu

attack [ə'tæk] ① hyökkäys ② sairauskohtaus

attention [ə'tenʃn] tarkkaavaisuus

attic ['ætik] vintti, ullakko

attitude ['ætitju:d] asenne

attractive [ə'træktiv] viehättävä

aubergine ['əubəʒi:n] munakoiso

audience ['ɔ:diəns] yleisö

audio-visual [ɔ:diəu'viʒuəl] audiovisuaalinen

auditorium [ɔ:di'tɔ:riəm] katsomo

August [ˈɔːgəst] elokuu
aunt [aːnt] täti
Australia [oˈstreiliə] Australia
Australian [oˈstreiliən] australialainen
Austria [ˈostriə] Itävalta
Austrian [ˈostriən] itävaltalainen
author [ˈɔːθə] kirjailija
authorities [ɔːˈθorətiːz] viranomaiset
automatic [ɔːtəˈmætik] automaattinen

automatic transmission [ɔːtəˈmætik trænzˈmiʃn] automaattivaihteisto
autumn [ˈɔːtəm] syksy
avalanche [ˈævəlaːnʃ] lumivyöry
avenue [ˈævənjuː] puistokatu
avocado [ævəˈkaːdəu] avokado
avoid [əˈvɔid] välttää
awful [ˈɔːfl] kamala, kauhea
axle [ˈæksəl] akseli

Bb

baby [ˈbeibi] vauva
baby intercom [beibi ˈintəkom] itkuhälytin
babycare table [ˈbeibikeə teibl] hoitopöytä
babysitter [ˈbeibisitə] lapsenvahti
bachelor [ˈbætʃələ] poikamies
1 back [bæk] selkä
2 back [bæk] peruuttaa (autoa)
backache [ˈbækeik] selkäsärky
background [ˈbækgraund] tausta, taka-ala
backpack [ˈbækpæk] reppu

backpacking [ˈbækpækiŋ] reppumatkailu
backwards [bækwəds] taaksepäin
bacon [ˈbeikən] pekoni
bacteria [bækˈtiəriə] bakteeri
bad [bæd] huono, paha
bad luck [bæd lʌk] epäonni
badminton [ˈbædmintn] sulkapallopeli
bag [bæg] ① laukku ② paperipussi; muovikassi
bag on wheels [bæg on ˈwiːlz] vetolaukku
bagel [ˈbeigl] rinkeli
baguette [bæˈget] patonki
bait [beit] syötti

bake [beik] leipoa
baked [beikt] gratinoitu
baker's ['beikəz] leipomo
baking powder ['beikiŋ
  paudə] leivinjauhe
balcony ['bælkəni] parveke
ball [bɔ:l] pallo
ballet ['bælei] baletti
ballpoint pen [bɔ:lpɔint
  'pen] kuulakärkikynä
Baltic herring [bɔltik
  'heriŋ] silakka
banana [bə'na:nə] banaani
band [bænd] soittokunta,
  bändi, yhtye
bandage ['bændidʒ] side
bank [bæŋk] pankki
bank account ['bæŋk
  əkaunt] pankkitili
bank card ['bæŋk ka:d]
  pankkikortti
bar [ba:] baari
barbecued ['ba:bikju:d]
  hiillostettu
barber ['ba:bə] parturi
bare [beə] ① paljas, karu
  ② paljastaa
baritone ['bæritəun] bari-
  toni
bark [ba:k] haukkua
barn [ba:n] lato
barrel ['bærəl] tynnyri
barrier-free ['bæriə fri:]
  esteetön
base [beis] jalusta (kame-
  ran)
basement ['beismənt] kel-
  lari

basic ['beisik] perus-; al-
  keis-
basil ['bæzl] basilika
basket ['ba:skit] kori
basketball ['ba:skitbɔ:l]
  koripallo
bath [ba:θ] kylpy
bath foam ['ba:θ fəum] kyl-
  pyvaahto
bathing suit ['beiðiŋ su:t]
  uimapuku
bathrobe ['ba:θrəub] kyl-
  pytakki
bathroom ['ba:θru:m] kyl-
  pyhuone
baths [ba:θs] kylpylä
battery ['bætəri] ① akku,
  paristo ② pahoinpitely
battle ['bætl] ① taistelu
  ② taistella
bay [bei] lahti
be [bi:] olla
be afraid [bi: ə'freid] pelätä
be based on [bi: 'beist on]
  perustua
be cold [bi: 'kəuld] palella
be hungry [bi: 'hʌŋgri] olla
  nälkäinen
be in order [bi: in 'ɔ:də]
  olla kunnossa
be included in the price [bi:
  in'klu:did in ðə prais] si-
  sältyä hintaan
be late [bi: 'leit] olla myö-
  hässä, myöhästyä
be lost [bi: 'lost] olla eksyk-
  sissä
be mistaken [bi: mi'steikn]
  erehtyä

be out of order [bi: aut əv 'ɔ:də] olla epäkunnossa

be pregnant [bi: 'pregnənt] olla raskaana

be seasick [bi: 'si:sik] olla merisairas

be sick [bi: 'sik] voida pahoin

be sleepy [bi: 'sli:pi] nukuttaa

be sorry [bi: 'sori] olla pahoillaan

be thirsty [bi: 'θɜ:sti] olla janoinen

be wrong [bi: roŋ] olla väärässä

beach [bi:tʃ] uimaranta

beach ball ['bi:tʃ bɔ:l] rantapallo

beach chair ['bi:tʃ tʃeə] telttatuoli

beach holiday ['bi:tʃ holidei] rantaloma

beach mattress ['bi:tʃ mætrəs] rantapatja

beach volleyball ['bi:tʃ volibɔ:l] rantalentopallo

bean [bi:n] papu

bear [beə] karhu

beard [biəd] parta

beautiful ['bju:tifl] kaunis

beauty salon ['bju:ti sælon] kauneushoitola

because [bi'koz] koska

become [bi'kʌm] tulla jksk

become due [bi'kʌm dju:] erääntyä

bed [bed] vuode

bed and breakfast [bed ænd 'brekfəst] aamiaismajoitus

bedroom ['bedru:m] makuuhuone

bee [bi:] mehiläinen

beech [bi:tʃ] pyökki

beef [bi:f] häränliha, naudanliha

beer [biə] olut

beetroot ['bi:tru:t] punajuuri

before [bi'fɔ:] ennen

beforehand [bi'fɔ:hænd] etukäteen

beg anoa [beg]

beggar ['begə] kerjäläinen

begin [bi'gin] alkaa

beginner [bi'ginə] aloittelija

beginning [bi'giniŋ] alku

behave [bi'heiv] käyttäytyä

behaviour [bi'heiviə] käytös

behind [bi'haind] takana

beige [beiʒ] beige

Belgian belgialainen ['beldʒən]

Belgium ['beldʒəm] Belgia

believe [bi'li:v] uskoa

bellboy ['belbɔi] hotellipoika

belong to [bi'loŋ tə] kuulua jllek

beloved [bi'lʌvd] rakastettu

belt [belt] vyö

bench [bentʃ] penkki

benefit ['benifit] etu, hyöty

berth [bɜ:θ] makuusija
besides [bi'saidz] sitäpaitsi
bet [bet] lyödä vetoa
better ['betə] parempi
between [bi'twi:n] välillä, välissä
beverage ['bevridʒ] juoma
Bible ['baibl] raamattu
bicycle ['baisikl] polku-pyörä
bicycle trip ['baisikl trip] pyöräretki
big [big] kookas, iso, suuri
bigger [bigə] isompi, suu-rempi
bike [baik] polkupyörä
bikini [bi'ki:ni] bikinit
bilberry ['bilberi] mustikka
bilingual [bai'liŋgwl] kak-sikielinen
bill [bil] lasku
billiards ['biliədz] biljardi
binoculars [bi'nokjuləz] kiikari
biometric identifier [baiə-'metrik ai'dentifaiə] bio-tunniste
biometric passport [baiə-'metrik pa:spɔ:t] biomet-rinen passi, sirupassi
birch [bɜ:tʃ] koivu
bird [bɜ:d] lintu
bird reserve [bɜ:d ri'zɜ:v] lintujensuojelualue
birth [bɜ:θ] syntymä
birthday ['bɜ:θdei] synty-mäpäivä
birthplace ['bɜ:θpleis] syn-tymäpaikka

biscuit ['biskit] keksi
bishop ['biʃəp] piispa
bite [bait] purra
bitter ['bitə] katkera
bitters ['bitəz] katkero
black [blæk] musta
black currant [blæk 'kʌrnt] mustaviinimarja
black grouse [blæk 'graus] teeri
black pepper [blæk 'pepə] mustapippuri
black pudding [blæk 'pudiŋ] veripalttu, verivanukas
black radish [blæk 'rædiʃ] retikka
Black Velvet [blæk 'velvit] Guinnesiä ja samppan-jaa
black-and-white [blæk ən 'wait] mustavalkoinen
blackberry ['blækberi] kar-hunvatukka, karhun-marja
bladder ['blædə] rakko
blame [bleim] syyttää
blanket ['blæŋkit] huopa
bleed [bli:d] vuotaa verta
bleeding ['bli:diŋ] veren-vuoto
blemish stick ['blemiʃ stik] peitepuikko
bless [bles] siunata
blind [blaind] sokea
blister ['blistə] rakkula
blizzard ['blizəd] lumi-myrsky
blond rinse [blond 'rins] (hiusten) vaalennus

blood [blʌd] veri

blood group ['blʌd gru:p] veriryhmä

blood pressure ['blʌd preʃə] verenpaine

blood sample ['blʌd sa:mpl] verinäyte

blood vessel ['blʌd vesl] verisuoni

bloody mary [blʌdi'meəri] vodka ja tomaattimehu

blouse [blauz] pusero

blow [bləu] isku

blue [blu:] sininen

blue cheese [blu: 'tʃi:z] sinihomejuusto

blusher ['blʌʃə] poskipuna

board [bɔ:d] nousta (kulkuneuvoon)

boarding card ['bɔ:diŋ ka:d] tarkistuskortti (matkustajan)

boarding-house ['bɔ:diŋ haus] täysihoitola

boat [bəut] vene

body ['bodi] ruumis

body search ['bodi sɜ:tʃ] ruumiintarkastus

1 boil [bɔil] kiehua

2 boil [bɔil] paise

boiled [bɔild] keitetty

boiled egg [bɔild 'eg] keitetty muna

bone [bəun] ① ruoto ② luu

bonnet ['bonit] konepelti

book [buk] kirja

booking office ['bukiŋ ofis] paikkavaraamo

bookshop ['bukʃop] kirjakauppa

1 boot [bu:t] saapas

2 boot [bu:t] (autossa) tavaratila

border crossing ['bɔ:də krosiŋ] rajanylitys

boring ['bɔ:riŋ] pitkäveteinen

borrow ['borəu] ottaa lainaksi, lainata joltakulta

botanical garden [bə'tænikl ga:dn] kasvitieteellinen puutarha

both [bəuθ] kumpikin

both ... and [bəuθ ənd] sekä ... että

bottle ['botl] pullo

bottle opener ['botl əupənə] pullonaukaisin

bottom ['botəm] pohja

bouquet [bu'kei] kukkakimppu

bowl [bəul] malja

box [boks] ① laatikko, rasia ② aitio

boxing ['boksiŋ] nyrkkeily

boy [bɔi] poika

bra [bra:] rintaliivit

bracelet ['breislit] rannerangas, ranneketju

brain [brein] aivot

braised [breizd] haudutettu

brake fluid ['breik flu:id] jarruneste

brake lights ['breik laits] jarruvalot

brake pedal ['breik pedl]
jarrupoljin
brakes [breiks] jarrut
brandy ['brændi] brandy
brass [bra:s] messinki
brasserie ['bræsəri] olut-
kellari
brave [breiv] rohkea
bread [bred] leipä
break [breik] rikkoa, sär-
keä
breakdown ['breikdaun]
konerikko, moottori-
vika, auton vika
breakdown service ['breik-
daun sɜ:vis] hinauspal-
velu
breakdown vehicle
['breikdaun vi:ikl] hi-
nausauto
breakfast ['brekfəst] aami-
ainen
bream [bri:m] lahna
breast [brest] rinta
breathalyser ['breθəlaizə]
alkometri
breathe [bri:ð] hengittää
breathing apparatus
[bri:ðiŋ æpə'reitəs] hen-
gityslaitteet
brewery ['bruəri] panimo
brick [brik] tiili
bride [braid] morsian
bridegroom ['braidgru:m]
sulhanen
bridge [briʤ] silta
bridle ['braidl] suitset
briefcase ['bri:fkeis]
salkku

briefs [bri:fs] (miesten ly-
hyet) alushousut, (nais-
ten) pikkuhousut
bring [briŋ] tuoda
Brit [brit] (subst.) britti
Britain ['britən] Britannia
British ['britiʃ] ① (adj.)
brittiläinen ② (subst.;
the British) britit
broad [brɔ:d] leveä
broccoli ['brokəli] parsa-
kaali
brochure ['brəuʃə] esite
broken ['brəukən] ① rikki,
rikkinäinen ② katken-
nut, murtunut
bronchial tubes ['broŋkjəl
tju:bz] keuhkoputket
brooch [brəutʃ] rintakoru
brook [bruk] puro
brother ['brʌðə] veli
brother-in-law ['brʌðə(r) in
lɔ:] lanko
brown [braun] ① ruskea
② ruskistaa
brown bread [braun 'bred]
ruisleipä, tumma leipä
bruise [bru:z] mustelma
brunch [brʌntʃ] brunssi
brush [brʌʃ] ① harja ② har-
jata
Brussels sprout [brʌslz
'spraut] ruusukaali
bucket ['bʌkit] sanko, äm-
päri
bucks fizz [bʌks 'fiz] samp-
panja ja appelsiinimehu
buckthorn berry ['bʌkθɔ:n
beri] tyrnimarja

buckwheat ['bʌkwi:t] tat-
tari
buffet ['bufei] noutopöytä
build [bild] rakentaa
building ['bildiŋ] rakennus
bulb [bʌlb] hehkulamppu
bump [bʌmp] kuhmu,
kyhmy
bun [bʌn] nuttura
bungee jump [bʌn'dʒi:
dʒʌmp] benjihyppy
burbot ['bɜ:bit] made
buried ['berid] haudattu
burn [bɜ:n] ① polttaa, pa-
laa ② palovamma
burnt [bɜ:nt] palanut
bus [bʌs] bussi
bus station [bʌs 'steiʃn]
linja-autoasema
bus stop ['bʌs stop] bussi-
pysäkki
bush [buʃ] pensas
business ['biznis] liikeasiat

business card ['biznis ka:d]
käyntikortti
business class ['biznis
kla:s] liikemiesluokka
business trip ['biznis trip]
liikematka, työmatka
businessman ['biznismæn]
liikemies
but [bʌt] mutta
butcher ['butʃə] teurastaja
butcher's ['butʃəz] liha-
kauppa
butler ['bʌtlə] hovimestari
butter ['bʌtə] voi
buttermilk ['bʌtəmilk]
piimä
button ['bʌtn] nappi
buy [bai] ostaa
by means of [bai 'mi:nz əv]
avulla
by post [bai 'pəust] postitse
bypass ['baipa:s] ohikul-
kutie

Cc

cabaret ['kæbərei] kabaree
cabbage ['kæbidʒ] kaali
cabin ['kæbin] hytti (lai-
vassa)
cable ['keibl] kaapeli
cable television [keibl 'teli-
viʒn] kaapelitelevisio
cableway [keiblwei] köysi-
rata

café ['kæfei] kahvila
cake [keik] kakku
calf [ka:f] vasikka
call [kɔ:l] ① soittaa puheli-
mella ② puhelu
calorie ['kæləri] kalori
camel's hair ['kæmls heə]
kamelinkarva
camera ['kæmərə] kamera

camera bag ['kæmərə bæg] kameralaukku

camper ['kæmpə] asunto-vaunu

campfire ['kæmpfaiə] nuotio

camping ['kæmpiŋ] leirintä, telttailu, retkeily

camping card ['kæmpiŋ ka:d] leirintäkortti

camp(ing) site ['kæmpiŋ sait] leirintäalue

can [kæn] voida, osata

Canada ['kænədə] Kanada

Canadian [kə'neidiən] kanadalainen

canary [kə'neəri] kanarialintu

cancer ['kænsə] syöpä

candle ['kændl] kynttilä

canister ['kænistə] kanisteri

canoe [kə'nu:] kanootti

cap [kæp] lakki

capercaillie [kæpə'keili] metso

capers ['keipəz] kapris

capital ['kæpitl] pääkaupunki

cappuccino [kæpə'tʃi:nəu] cappuccino

captain ['kæptin] kapteeni

car [ka:] (pikku)auto

car ferry ['ka: feri] autolautta

car radio [ka: 'reidiəu] autoradio

car rental ['ka: rentl] autovuokraamo

carafe [kə'ræf] karahvi

carafe wine [kə'ræf wain] karahviviini

caramel pudding [kærəml 'pudiŋ] karamellivanukas

carat ['kærət] karaatti

caravan ['kærəvæn] asuntovaunu

caraway ['kærəwei] kumina

carburettor [ka:bju'retə] kaasutin

card [ka:d] kortti, pelikortti

cardiac stimulant ['ka:diæk 'stimjulənt] verenkiertolääke

cardigan ['ka:digən] villatakki

cards [ka:dz] korttipeli

careful ['keəfl] varovainen

carefully! ['keəfəli] varovasti!

careless ['keələs] huolimaton

carnival ['ka:nivl] karnevaali

carp [ka:p] karppi

carpet ['ka:pit] matto

carrot ['kærət] porkkana

carry ['kæri] kantaa

carton ['ka:tn] kartonki (pakkaus)

case [keis] oikeusjuttu, tapaus

cash [kæʃ] käteinen raha

cashier [kə'ʃiə] kassa

casino [kə'si:nəu] kasino

casserole ['kæsərəul] laa-
tikko

castle ['ka:sl] linna

cat [kæt] kissa

catacomb ['kætəku:m] ka-
takombi

catalogue ['kætəlog] luet-
telo

catch [kætʃ] pyydystää, ot-
taa kiinni

cathedral [kə'θi:drəl] tuo-
miokirkko

Catholic ['kæθəlik] katoli-
lainen

cauliflower ['koliflauə]
kukkakaali

cause [kɔ:z] ① syy ② ai-
heuttaa

cave [keiv] luola

caviar ['kævia:] kaviaari

CD [si: di:] cd-levy

ceiling ['si:liŋ] sisäkatto

celery ['seləri] selleri

cellar ['selə] kellari

cemetery ['semətri] hau-
tausmaa

cemetery chapel ['semətri
tʃæpl] hautakappeli

central heating ['sentrəl
'hi:tiŋ] keskuslämmitys

centre ['sentə] keskusta,
keskus

century ['sentʃəri] vuosi-
sata

ceramics [si'ræmiks] kera-
miikka

cereals ['siəriəls] murot

certainly ['sɜ:rtnli] tietysti

certainty ['sɜ:tənti] var-
muus

certificate of vaccination
[sə'tifikət əv væksi'neiʃn]
rokotustodistus

chain [tʃein] ketju

chair [tʃeə] tuoli

chairlift ['tʃeəlift] tuolihissi

champagne [ʃæm'pein]
samppanja

champignon [ʃæm'pinjən]
herkkusieni

chance [tʃa:ns] mahdolli-
suus, tilaisuus; sattuma

change [tʃeindʒ] ① muutos,
vaihto ② vaihtoraha
③ vaihtaa

change clothes [tʃeindʒ
'kləuðz] vaihtaa vaatteita

changeable ['tʃeinʒəbl] epä-
vakainen

changing of the guard
['tʃeinʒiŋ əv ðə 'ga:d]
vahdinvaihto

chanterelle kanttarelli,
keltavahvero

chapel ['tʃæpl] kappeli

character ['kæriktə]
luonne

charge card ['tʃa:dʒ ka:d]
maksukortti

chargeable ['tʃa:dʒəbl]
maksullinen

charger ['tʃa:dʒə] laturi

charity ['tʃæriti] hyvänte-
keväisyys

charm [tʃa:m] viehkeys

charming ['tʃa:miŋ] viehät-
tävä

charter flight ['tʃa:tə flait] tilauslento

chat [tʃæt] jutella

cheap [tʃi:p] halpa

cheaper [tʃi:pə] halvempi

cheater [tʃi:tə] huijari

checked [tʃekt] ruudullinen

check-in ['tʃekin] lähtöselvitys

checkpoint ['tʃekpɔint] rajanylityspaikka

cheek [tʃi:k] poski

cheers! [tʃiəz] kippis!

cheese [tʃi:z] juusto

cheese with herbs ['tʃi:z wið hɜ:bz] yrttijuusto

cheesecake ['tʃi:zkeik] juustokakku

chemist's ['kemists] kosmetiikkakauppa, rohdoskauppa; apteekki

cheque [tʃek] sekki

cherry ['tʃeri] kirsikka

chess [tʃes] šakki

chest [tʃest] rintakehä

chestnut ['tʃestnʌt] kastanja

chicken ['tʃikin] kana

chicken leg ['tʃikin leg] kanankoipi

chicken pox ['tʃikin poks] vesirokko

chicory ['tʃikəri] salaattisikuri

child [tʃaild] lapsi

child discount [tʃaild 'diskaunt] lapsialennus

child seat [tʃaild 'si:t] lastenistuin

children's bed ['tʃildrəns bed] lastenvuode

children's chair ['tʃildrəns tʃeə] lastentuoli

children's department [tʃildrəns di'pa:tmənt] lastenosasto (tavaratalossa)

children's pool ['tʃildrəns pu:l] lastenallas

children's room ['tʃildrəns ru:m] lastenhuone

children's ticket ['tʃildrəns tikit] lastenlippu

chilli ['tʃili] chilipippuri

chimney ['tʃimni] savupiippu

chin [tʃin] leuka

Chinese cabbage [tʃai'ni:z kæbidʒ] kiinankaali

chip card ['tʃip ka:d] älykortti

chips [tʃips] ranskanperunat

chive [tʃaiv] ruohosipuli

chocolate ['tʃoklət] suklaa

choir [kwaiə] kuoro

cholera ['kolərə] kolera

cholic ['kolik] koliikki

choose [tʃu:z] valita

chop [tʃop] kyljys

chopped [tʃopt] paloiteltu

Christmas ['krisməs] joulu

Christmas Day ['krisməs dei] joulupäivä

Christmas Eve ['krisməs i:v] jouluaatto

chronic ['kronik] krooni-
nen

church [tʃ3:tʃ] kirkko

church service ['tʃ3:tʃ s3:vis]
jumalanpalvelus

cider ['saidə] siideri

cigar [si'gɑ:] sikari

cigarette [sigə'ret] savuke

cigarette case [sigə'ret
keis] savukekotelo

cigarette lighter [sigə'ret
laitə] tupakansytytin

cinema ['sinəmə] elokuva-
teatteri

circle ['s3:kl] ympyrä

citation [sai'teiʃn] lainaus

city ['siti] suurkaupunki

city hall ['siti hɔ:l] kaupun-
gintalo

claim [kleim] vaatimus

classic(al) ['klæsik(l)] klas-
sinen

clay [klei] savi

clean [kli:n] ① siivota,
puhdistaa ② puhdas

cleaner ['kli:nə] siivooja

cleanliness ['klenlinəs]
puhtaus

clear [kliə] kirkas

clearance sale ['kliərəns
seil] loppuunmyynti

clever ['klevə] älykäs

cliff [klif] jyrkänne

climate ['klaimit] ilmasto

climate change ['klaimət
tʃeindʒ] ilmastonmuutos

climb [klaim] kiivetä

clingfilm ['kliŋfilm] tuore-
kelmu

cloakroom ['kləukru:m]
vaatesäilö

cloister ['klɔistə] ristikäy-
tävä

closed [kləuzd] suljettu,
kiinni

closing time ['kləuziŋ taim]
sulkemisaika

cloth [kloθ] kangas

clothes [kləuðz] vaatteet

clothes brush ['kləuðz brʌʃ]
vaateharja

clothes line ['kləuðz lain]
pyykkinaru

clothes peg ['kləuðz peg]
pyykkipoika

cloud [klaud] pilvi

cloudberry ['klaudbəri]
lakka, suomuurain

clover ['kləuvə] apila

clumsy ['klʌmzi] kömpelö

clutch [klʌtʃ] kytkin

coal [kəul] hiili

coast [kəust] rannikko

coast road ['kəust rəud]
rantatie

cockroach ['kokrəutʃ] to-
rakka

cocktail ['kokteil] cocktail

cocktail party ['kokteil
pɑ:ti] cocktailkutsut

cocoa ['kəukəu] kaakao

cod [kod] turska

coeliac disease [si:li:æk
di'zi:z] keliakia

coffee ['kofi] kahvi

coffee maker ['kofi meikə]
kahvinkeitin

coin [kɔin] kolikko

cold [kəuld] ① kylmä ② nuha

cold bag ['kəuld bæg] kylmälaukku

cold cuts ['kəuld kʌts] leikkeleet

cold-smoked ['kəuld sməukt] kylmäsavustettu

coleslaw ['kəulslɔ:] valkokaalisalaatti

collar ['kolə] kaulus

collar bone ['kolə bəun] solisluu

collect [kə'lekt] kerätä

collection [kə'lekʃn] keräys, kokoelma

colour ['kʌlə] väri

colour chart ['kʌlə tʃa:t] värikartta

colour pencil ['kʌlə pensl] värikynä

colour rinse ['kʌlə rins] värisävytys

coloured ['kʌləd] värillinen

comb [kəum] kampa

combat ['kombæt] ① taistelu ② taistella

come [kʌm] tulla

comedy ['komədi] komedia

comfortable ['kʌmftəbl] mukava

comics ['komiks] sarjakuvat

commemoration day [kəmemə'reiʃn dei] muistopäivä

commission [kə'miʃn] välityspalkkio

common ['komən] tavallinen

communion [kə'mju:niən] ehtoollinen

communism ['komjunizm] kommunismi

company ['kʌmpəni] seura

compare [kəm'peə] verrata

compartment [kəm'pa:tmənt] vaunuosasto

compensate ['kompenseit] korvata

compensation [kompen'seiʃn] hyvitys

competence ['kompitəns] pätevyys

competent ['kompitənt] pätevä

competition [kompə'tiʃn] kilpailu

complaint [kəm'pleint] valitus

complete [kəm'pli:t] täydellinen

composition [kompə'ziʃn] sävellys

computer [kəm'pju:tə] tietokone

concert ['konsət] konsertti

concert hall ['konsət hɔ:l] konserttitalo

concussion [kən'kʌʃn] aivotärähdys

condition [kən'diʃn] ehto

conditioner [kən'diʃənə] hoitoaine

condom ['kondom] kondomi

conductor [kən'dʌktə]
① konduktööri, junailija
② kapellimestari, orkesterinjohtaja

conductor's car [kən'dʌktəz ka:] junailijanvaunu

confectionery [kən'fekʃənəri] konditoria

confess [kən'fes] tunnustaa

confidence ['konfidəns] luottamus

confidential [konfi'denʃl] luottamuksellinen

confirm [kən'fɜ:m] vahvistaa

confiscate ['konfiskeit] takavarikoida

confused [kən'fju:zd] hämmentynyt

congratulations! [kəngrætju'leiʃns] onneksi olkoon!

congress ['koŋgres] kongressi

conifer tree ['konifə tri:] havupuu

connect [kə'nekt] yhdistää, välittää (puhelu)

connecting flight [kə'nektiŋ flait] jatkolento

connection [kə'nekʃn] yhteys; jatkoyhteys (matkustettaessa)

conservation area [konsə'veiʃn eəriə] luonnonsuojelualue

consider [kən'sidə] harkita

considerate [kən'sidərət] huomaavainen

consommé [kən'somei] lihaliemi

constipation [konsti'peiʃn] ummetus

consulate ['konsjulət] konsulaatti

contact lenses ['kontækt lenziz] piilolasit

contagious [kən'teidʒəs] tarttuva

contents ['kontents] sisältö

continent ['kontinənt] manner, maanosa

continue [kən'tinju:] jatkaa

continuous [kən'tinjuəs] jatkuva

contraceptive [kontrə'septiv] ehkäisyväline

contradictory [kontrə'diktəri] ristiriitainen

control [kən'trəul] valvonta

contusion [kən'tju:ʒn] ruhjevamma

convent ['konvənt] nunnaluostari

conversation [konvə'seiʃn] keskustelu

convince [kən'vins] vakuuttaa

cook [kuk] ① laittaa ruokaa, keittää ② kokki

cookbook ['kukbuk] keittokirja

cooking oil ['kukiŋ ɔil] ruokaöljy

cool [ku:l] viileä
cooling water ['ku:liŋ wɔ:tə] jäähdytysneste
copper ['kopə] kupari
copy ['kopi] kopio
copying machine ['kopiŋ mə'ʃi:n] kopiokone
cork [kɔ:k] korkki
corkscrew ['kɔ:kskru:] korkkiruuvi
corn [kɔ:n] vilja
corn field ['kɔ:n fi:ld] viljapelto
corn flakes ['kɔ:n fleiks] maissihiutaleet
corner ['kɔ:nə] kulma, nurkka
cornflower ['kɔ:nflauə] ruiskaunokki
cosmetics [kɔz'metiks] kosmetiikka
cost [kost] ① maksaa (olla hintana) ② kustannus
cot [kot] vauvan-, lastensänky
cottage ['kotiʤ] mökki, kesämökki
cottage cheese [kotiʤ 'tʃi:z] raejuusto
cotton ['kotn] puuvilla
cotton (wool) ['kotn (wul)] pumpuli
couchette compartment [ku:'ʃet kəm'pa:tmənt] lepovaunu
cough [kof] ① yskä ② yskiä
cough lozenge ['kof lozinʤ] yskäntabletti

cough medicine ['kof medsn] yskänlääke
count [kaunt] laskea
counter ['kauntə] (asiointi)luukku
country code ['kʌntri kəud] maakoodi (puhelinliikenteessä)
country house ['kʌntri haus] maatalo, maalaistalo
country's identification sign [kʌntriz aidentifi'keiʃn sain] kansallistunnus (autossa)
countryside ['kʌntrisaid] maaseutu
couple ['kʌpl] pari
courgette [kɔ:'ʒet] kesäkurpitsa
course [kɔ:s] kurssi
court [kɔ:t] oikeusistuin
courtyard ['kɔ:tja:d] piha
cousin ['kʌzn] serkku
covered market ['kʌvəd ma:kit] kauppahalli
cow [kau] lehmä
cowberry ['kauberi] puolukka
crack [kræk] halkeama (pieni)
cracker ['krækə] voileipäkeksi
cramp [kræmp] kramppi, kouristus
cranberry ['krænberi] karpalo
crankshaft ['kræŋksha:ft] kampiakseli

crash [kræʃ] kolari, tör-
mäys
crayfish ['kreifiʃ] rapu
crazy ['kreizi] hullu
cream [kri:m] kerma
cream cheese [kri:m 'tʃi:z]
kermainen sulatejuusto
cream-coloured [kri:m
'kʌlə:d] kermanvärinen
creamed fish [kri:md 'fiʃ]
kalamureke
crease [kri:s] rypistyä
creaseproof ['kri:spru:f]
rypistymätön
create [kri'eit] luoda
creche [kreʃ] lapsiparkki
credible ['kredibl] uskot-
tava
credit ['kredit] luotto
credit card ['kredit ka:d]
luottokortti
cress [kres] vesikrassi
crime [kraim] rikos
criminal ['kriminl] rikolli-
nen
crisp [krisp] rapea
crisp bread ['krisp bred]
näkkileipä
crisps [krisps] perunalas-
tut
croissant ['krwæsɔ:nt]
voisarvi
cross [kros] mennä yli
cross-country course
[kros'kʌntri kɔ:s] latu
cross-country skiing
[kros'kʌntri ski:iŋ] mur-
tomaahiihto

cross-country vehicle [kros
'kʌntri vi:ikl] maasto-
auto
crossing ['krosiŋ] ylikulku
crossroads ['krosrəuds] ris-
teys
crown [kraun] kruunu
crucifix ['kru:sifiks] krusi-
fiksi
cruel [kruəl] julma
cruise [kru:z] risteily
crutch [krʌtʃ] kainalosauva
cry [krai] itkeä; huutaa
crystal ['kristl] kristalli
cucumber ['kju:kʌmbə]
kurkku
cufflinks ['kʌfliŋks] kalvo-
sinnapit
culture ['kʌltʃə] kulttuuri
cumin ['kju:min] kumina
cup [kʌp] kuppi
cupboard ['kʌbəd] kaappi
cure [kjuə] parantaa
curious ['kjuəriəs] utelias
curler ['kɜ:lə] papiljotti
curling ['kɜ:liŋ] curling
curls [kɜ:ls] kiharat
currant ['kʌrnt] viinimarja
currency ['kʌrənsi] va-
luutta
currency exchange office
[kʌrənsi ik'stʃeindʒ ofis]
rahanvaihtotoimisto
1 current ['kʌrənt] virta
2 current ['kʌrənt] ajan-
kohtainen
curry ['kʌri] curry
curtain ['kɜ:tn] verho
curve [kɜ:v] mutka

cushion ['kuʃn] tyyny
custard ['kʌstəd] vanilja-
kastike
customs ['kʌstəms] tulli
customs check ['kʌstəmz
tʃek] tullitarkastus
customs declaration form
[kʌstəms deklə'reiʃn
fɔ:m] tulli-ilmoituskaa-
vake
customs officer ['kʌstəmz
ofisə] tullivirkailija

customs regulation [kʌs-
təmz reg'juleiʃn] tulli-
määräys
cut [kʌt] ① leikata ② haa-
va, viilto ③ leikkaus
cute [kju:t] soma, söpö
cutlet ['kʌtlət] kyljys
cycle helmet ['saikl helmət]
pyöräilykypärä
cycle path ['saikl pa:θ] pyö-
rätie
cycling map ['saikliŋ mæp]
pyöräilykartta

Dd

dab [dæb] hietakampela
daily ['deili] päivittäinen
daily (newspaper) [deili
('nju:speipə)] päivälehti
daily payment [deili
'peimənt] päivämaksu
dairy ['deəri] maitokauppa
dairy products ['deəri
prodʌts] maitotuotteet
damage ['dæmidʒ] vahinko
damp [dæmp] kostea
dance [da:ns] ① tanssit
② tanssia
dancer ['da:nsə] tanssija
dandelion ['dændilaiən]
voikukka
dandruff ['dændrʌf] hilse
danger ['deindʒə] vaara

danger to life ['deindʒə tə
laif] hengenvaara
dangerous ['deindʒərəs]
vaarallinen
Danish ['deiniʃ] tanskalai-
nen
dare [deə] uskaltaa
dark [da:k] ① pimeä
② tumma
darkness ['da:knəs] pi-
meys
1 date [deit] ① treffit
② päivämäärä
2 date [deit] taateli
daughter ['dɔ:tə] tytär
day [dei] päivä
day off [dei 'of] vapaapäivä
daylight ['deilait] päivän-
valo

D.C. [di: 'si:] tasavirta

de luxe hotel [di 'lʌks həu'tel] loistohotelli

dead [ded] kuollut

deaf [def] kuuro

dear [diə] rakas

deceit [di'si:t] huijaus

December [di'sembə] joulukuu

decide [di'said] päättää

declare [di'kleə] tullata

deduct [di'dʌkt] vähentää

deep [di:p] syvä

deep-fried ['di:pfraid] öljyssä keitetty, tiristetty, friteerattu

deep-sea fishing ['di:psi: fiʃiŋ] avomerikalastus

defend [di'fend] puolustaa

defile [di'fail] sola

definition [defi'niʃən] määritelmä

degree [di'gri:] lämpöaste

delay [di'lei] myöhästyminen

delicacy ['delikəsi] herkku

delicatessen [delikə'tesn] herkkumyymälä

delicious [di'liʃəs] herkullinen

delighted [di'laitid] ihastunut

deliver [di'livə] toimittaa

demand [di'ma:nd] vaatia

democracy [di'mokrəsi] demokratia

Denmark ['denma:k] Tanska

dentist ['dentist] hammaslääkäri

denture ['dentʃə] tekohampaat

deny [di'nai] kieltää; kiistää

deodorant [di:'əudərənt] deodorantti

depart [di'pa:t] lähteä

department [di'pa:tmənt] osasto

department store [di'pa:tmənt stɔ:] tavaratalo

departure [di'pa:tʃə] lähtö

deposit [di'pozit] ① talletus; takuumaksu ② tallettaa

depressed [di'prest] masentunut

depression [di'preʃn] masennus

depth [depθ] syvyys

desert ['dezət] autiomaa

deserted [di'zɜ:tid] autio

design [di'zain] muotoilu

desperate ['despərət] epätoivoinen

dessert [di'zɜ:t] jälkiruoka

dessert wine [di'zɜ:t wain] jälkiruokaviini

destroy [di'strɔi] tuhota

detergent [di'tɜ:dʒənt] pesuaine

determine [di'tɜ:min] määrätä

detour ['di:tuə] kiertotie

develop [di'veləp] kehittää

diabetes [daiə'bi:tiz] sokeritauti

diabetic [daiə'betik] dia-
beetikko
diamond ['daimənd]
timantti
diarrhoea [daiə'riə] ripuli
dice [dais] noppa
dictator [dik'teitə] diktaat-
tori
dictionary ['dikʃənri] sana-
kirja
diet ['daiət] ruokavalio
diet food ['daiət fu:d] dieet-
tiruoka
different ['difrənt] erilainen
difficult ['difikəlt] vaikea
dig [dig] kaivaa
digestion [di'dʒestʃən]
ruoansulatus
digital camera [didʒitl
'kæmrə] digikamera
digital photo [didʒitl
'fəutəu] digikuva
dill [dil] tilli
dimension [dai'menʃən]
laajuus
dining car ['dainiŋ ka:] ra-
vintolavaunu
dining room ['dainiŋ ru:m]
ruokasali
dinner ['dinə] päivällinen,
illallinen
dinner jacket ['dinə dʒækit]
smokki
dinner service ['dinə sɜ:vis]
astiasto
diphtheria [dip'θiəriə]
kurkkumätä
dipped headlights [dipt
'hedlaits] lähivalot

direct [di'rekt] suoraan
direction [di'rekʃn] suunta
direction indicator [di'rekʃn
indikeitə] vilkku
directory enquiries
[di'rektri in'kwaiəriz]
numerotiedustelu
dirty ['dɜ:ti] likainen
disabled parking [dis'eibld
pa:kiŋ] invalidipaikka
disabled person [dis'eibld
pɜ:sən] invalidi
disabled taxi [dis'eibld
tæksi] invataksi
disabled toilet [dis'eibld
tɔilət] invalidikäymälä
disappear [disə'piə] kadota
disappoint [disə'pɔint] pet-
tää
disappointment [disə'pɔint-
mənt] pettymys
disbelief [disbi'li:f] epäusko
disco ['diskəu] disko
discount ['diskaunt] alen-
nus
discuss [di'skʌs] keskus-
tella
disease [di'ziz] sairaus
dish [diʃ] ruokalaji
dish of the day ['diʃ əv ðə
'dei] päivän erikoinen
dishonest [dis'onist] epä-
rehellinen
disinfect [disin'fekt] desin-
fioida
disobedient [disəu'bi:diənt]
tottelematon
disorder [dis'ɔ:də] epäjär-
jestys

dispirited [di'spiritid] ala-kuloinen

dissolve [di'zolv] liueta

distance ['distəns] etäisyys

distilled water [di'stild wɔ:tə] tislattu vesi

distributor [dis'tribju:tə] virranjakaja

district ['distrikt] alue, kaupunginosa

disturb [di'stɜ:b] häiritä

dive [daiv] sukeltaa

divide [di'vaid] jakaa

diving ['daiviŋ] sukellus

diving equipment [daiviŋ i'kwipmənt] sukellus-varusteet

diving goggles ['daiviŋ goglz] sukelluslasit

divorce [di'vɔ:s] avioero

dizziness ['dizinəs] hui-maus

do [du:] tehdä

doctor ['doktə] lääkäri

doctor on duty ['doktə(r) on dju:ti] lääkäripäivystys

documentary [dokju'men-tri] dokumentti

dog [dog] koira

doll [dol] nukke

dollar ['dolə] dollari

domestic [də'mestik] koti-mainen

domestic flight [də'mestik flait] kotimaan lento

domicile ['domisail] asuin-paikka

donate [dəu'neit] lahjoit-taa

donkey ['doŋki] aasi

door [dɔ:] ovi

door code ['dɔ: kəud] ovi-koodi

doorbell ['dɔ:bel] ovikello

dormitory accommodation [dɔ:mitri əkomə'deiʃn] yhtcismajoitus

dose [dəus] (lääke)annos

double ['dʌbl] kaksinker-tainen

double bed ['dʌbl bed] pari-sänky

double cream ['dʌbl kri:m] kuohukerma

double room ['dʌbl ru:m] kahden hengen huone

doubles ['dʌblz] nelinpeli

doubt [daut] epäillä

dough [dəu] taikina

doughnut ['dəunʌt] munkki, donitsi

down [daun] alas

down-hill skiing [daun hil 'ski:iŋ] laskettelu

dozen ['dʌzn] tusina

drain [drein] viemäri

drama ['dra:mə] draama

dramatic [drə'mætik] dra-maattinen

draper's ['dreipə:z] kan-gaskauppa

draught beer ['dra:ft biə] tynnyriolut

drawer [drɔ:ə] vetolaa-tikko

drawing ['drɔ:iŋ] piirustus

drawing paper ['drɔ:iŋ peipə] piirustuspaperi

dreadful ['dredfl] kamala, kauhistuttava
dream [dri:m] uni, haave
dress [dres] ① leninki ② pukeutua
dress circle ['dres sɜ:kl] ensi parvi
dressing gown ['dresiŋ gaun] aamutakki
dressmaker ['dresmeikə] ompelija
drink [driŋk] ① drinkki ② juoda
drinking water ['driŋkiŋ wɔ:tə] juomavesi
drive [draiv] ① ajaa (autoa) ② ajelu
driver ['draivə] ajaja
driving licence ['draiviŋ laisns] ajokortti
drizzle ['drizl] tihkusade
drop [drop] tippa
drown [draun] hukkua
drug [drʌg] rohdos
drunk [drʌŋk] humaltunut

dry [drai] kuiva
dry cleaner's [drai 'kli:nəz] kemiallinen pesula
dry-clean [drai'kli:n] kuivapestä
dual carriageway [djuəl kæridʒ'wei] kaksikaistainen tie
dubbed [dʌbd] jälkiäänitetty
dubious ['dju:biəs] arveluttava
duck [dʌk] ankka
dummy ['dʌmi] tutti
during ['djuəriŋ] aikana
dust [dʌst] pöly
dusty ['dʌsti] pölyinen
Dutch [dʌtʃ] hollantilainen
duty ['dju:ti] ① velvollisuus ② tullimaksu
duty-free [dju:ti'fri:] tulliton
duvet ['du:vei] täkki
DVD [di: vi: 'di:] dvd-levy

Ee

each [i:tʃ] kukin
eager [i:gə] innokas
ear [iə] korva
ear specialist [iə 'speʃəlist] korvalääkäri
earache ['iə(r)eik] korvasärky

earclips [iəklips] korvakorut
ear-drops ['iədrops] korvatipat
eardrum ['iədrʌm] tärykalvo
earlier ['ɜ:liə] aikaisempi

early ['ɜ:li] aikaisin, aikaisin

early morning coffee [ɜ:li mɔ:niŋ 'kofi] aamukahvi

earn [ɜ:n] ansaita

ear-piece ['iə pi:s] kuuloke

earring ['iəriŋ] korvarengas

earthquake ['ɜ:θkweik] maanjäristys

east [i:st] itä

Easter [i:stə] pääsiäinen

eastern ['i:stən] itäinen

easy ['i:zi] helppo

easy-chair ['i:zitʃeə] nojatuoli

eat [i:t] syödä

ebb tide ['eb taid] laskuvesi

ebony ['ebəni] eebenpuu

echo ['ekəu] kaiku

eco-friendly ['i:kəufrendli] ympäristöystävällinen

ecologic [i:kə'loʤik] ekologinen

economy class [i'konəmi kla:s] turistiluokka

edge [edʒ] reuna

education [edʒu'keiʃn] koulutus

eel [i:l] ankerias

effective [i'fektiv] tehokas

egg [eg] kananmuna

egg white ['eg wait] munanvalkuainen

egg yolk ['eg jəuk] munankeltuainen

eiderdown ['əidədəun] untuvapeite

eight (8) [eit] kahdeksan

eight hundred (800) [eit 'hʌndrəd] kahdeksansataa

eight hundredth (800.) [eit 'hʌndrəθ] kahdeksassadas

eighteen (18) [ei'ti:n] kahdeksantoista

eighteenth (18.) [ei'ti:nθ] kahdeksastoista

eighth (8.) [eitθ] kahdeksas

eightieth (80.) ['eitiəθ] kahdeksaskymmenes

eighty (80) ['eiti] kahdeksankymmentä

either ... or [aiðə ɔ:] joko...tai

elbow ['elbəu] kyynärpää

election [i'lekʃn] vaali

electric [i'lektrik] sähköinen

electric lamp [i'lektrik læmp] sähkölamppu

electric shaver [i'lektrik ʃeivə] sähköparranajokone

electric system [i'lektrik sistəm] sähköjärjestelmä

electric train [i'lektrik trein]] sähköjuna

electricity [ilek'trisəti] sähkö

electronic [i'lektronik] elektroninen

electronic identity card [ilek'tronik ai'dentiti ka:d] sähköinen henkilökortti

electronic immobiliser [ilek'tronik i'məubilaizə] ajonestolaite

electronic mail [ilek'tronik meil] sähköposti

electronic signature [ilek'tronik signitʃə] sähköinen allekirjoitus

elegant ['eligənt] elegantti

elephant ['elifənt] norsu, elefantti

eleven (11) [i'levn] yksitoista

eleventh (11.) [i'levenθ] yhdestoista

elk [elk] hirvi

elm [elm] jalava

email ['i:meil] ① sähköposti ② lähettää sähköpostia

email address ['i:meil ə'dres] sähköpostiosoite

email (message) ['i:meil mesidʒ] sähköpostiviesti

embarrassed [im'bærəst] nolo

embassy ['embəsi] (suur)lähetystö

embrace [im'breis] syleillä

embroidery [im'brɔidəri] kirjonta

emergency [i'mɜ:dʒənsi] hätätapaus

emergency duty [i'mɜ:dʒənsi dju:ti] päivystys

emergency exit [i'mɜ:dʒənsi 'eksit] varauloskäynti

emergency landing [i'mɜ:dʒənsi lændiŋ] pakkolasku

emergency telephone [i'mɜ:dʒənsi telifəun] hätäpuhelin

emotional [i'məuʃnl] tunteellinen

emperor ['emprə] hallitsija

employ [im'plɔi] antaa työtä, työllistää

employee [implɔi'i:] virkailija

empress ['emprəs] keisarinna

empty ['empti] tyhjä

enamel [i'næml] emali

enclose [in'kləuz] oheistaa

encourage [in'kʌridʒ] rohkaista

end [end] loppu

endearing [in'diəriŋ] herttainen

endive ['endiv] endiivi

enemy ['enəmi] vihollinen

engage [in'geidʒ] ① sitoutua ② ottaa palvelukseen

engagement ring [in'geidʒmənt riŋ] kihlasormus

engine ['endʒin] kone

England ['iŋglənd] Englanti

English ['iŋgliʃ] englantilainen

enjoy [in'dʒɔi] nauttia

enlarge [in'la:dʒ] suurentaa

enlargement [in'la:dʒmənt] suurennus

enormous [i'nɔːməs] suun-
naton
enough [i'nʌf] tarpeeksi
enquiry [in'kwaiəri] tie-
dustelu
entertainment [entə'tein-
mənt] ajanviete
enthusiasm [in'θjuːziæzm]
into
entrance ['entrəns] sisään-
käynti
envelope ['envələup] kirje-
kuori
envy ['envi] kadehtia
epic ['epik] eepos
epidemic [epi'demik] epi-
demia
epilepsy ['epilepsi] epilep-
sia
Epiphany [i'pifəni] loppiai-
nen
epoch ['iːpok] aikakausi
equal ['iːkwəl] yhtäläinen
equipment [i'kwipmənt]
varusteet
errand ['erənd] tehtävä
error ['erə] virhe
escalator ['eskəleitə] rulla-
portaat
escape [i'skeip] välttyä,
paeta
especially [i'speʃəli] erit-
täin, erikoisesti
espresso [es'presəu]
espresso
estimate ['estimət] ① arvio
② arvioida
Estonia [es'təuniə] Viro

Estonian [es'təuniən] viro-
lainen
e-ticket ['iːtikit] sähköi-
nen matkalippu
EU-citizen [iːˈ juː sitizn]
EU-kansalainen
EU-country [iːˈ juː kʌntri]
EU-maa
euro ['juərəu] euro
eurocheque ['juərəutʃek]
eurosekki
eurocheque card ['juərəu-
tʃek kaːd] eurosekki-
kortti
Europe ['juərəp] Eurooppa
European [juərə'piːən] eu-
rooppalainen
European Union (EU)
[juərə'piːən juːniən] Eu-
roopan Unioni (EU)
eurozone ['juərəuzəun]
euroalue
evacuate [i'vækjueit] eva-
kuoida
eve [iːv] aatto
even ['iːvn] vieläpä
evening ['iːvniŋ] ilta
evening dress ['iːvniŋ dres]
iltapuku
evening get-together
[iːvniŋ 'get tə'geðə] illan-
vietto
evening service ['iːvniŋ
sɜːvis] iltajumalanpalve-
lus
event [i'vent] tapahtuma
event calendar [i'vent
kælində] tapahtuma-
kalenteri

ever ['evə] koskaan

every ['evri] jokainen

everybody ['evribodi] joka ainoa

everyday ['evridei] arkipäiväinen

everywhere ['evriweə] kaikkialla

evidence ['evidens] todiste

evil ['i:vəl] paha, ilkeä

ex- [eks] entinen

exaggerate [ig'zædʒəreit] liioitella

exaggeration [igzædʒə'reiʃn] liioittelu

examination [igzæmi'neiʃn] tutkimus (lääkärissä)

examine [ig'zæmin] tutkia

example [ig'za:mpl] esimerkki

excavations [ekskə'veiʃns] kaivaukset

excellent ['eksələnt] erinomainen

except [ik'sept] paitsi

exchange [iks'tʃeindʒ] vaihtaa

exchange rate [iks'tʃeindʒ reit] pörssikurssi, valuuttakurssi, vaihtokurssi

excluding [ik'sklu:diŋ] lukuun ottamatta

exclusive [ik'sklu:siv] hieno

excursion [ik'sk3:ʃn] retki

excuse [ik'skju:s] ① anteeksipyyntö ② pyytää anteeksi

exercise ['eksəsaiz] harjoitus

exhaust pipe [ig'zɔ:st paip] pakoputki

exhibition [eksi'biʃn] näyttely

exit ['eksit] ① uloskäynti ② ulosajotie, liittymä

exotic [ig'zotik] eksoottinen

expand [ik'spænd] laajentaa

expect [ik'spekt] odottaa

expense [ik'spens] kustannus, kulut

expensive [ik'spensiv] kallis

experience [ik'spiəriəns] kokemus, elämys

expert ['eksp3:t] asiantuntija

expire [ik'spaiə] loppua

explain [ik'splein] selvittää

explanation [eksplə'neiʃn] selvitys, selitys

export service ['ekspɔ:t s3:vis] vientipalvelu

expose [ik'spəuz] valottaa (valokuvauksessa)

exposure metre [ik'spəuʒə mi:tə] valotusmittari

express letter [ik'spres letə] pikakirje

express train [ik'spres trein] pikajuna

expression [ik'spreʃn] ilmaisu

extension lead [ik'stentʃən li:d] jatkojohto

extra ['ekstrə] ylimääräi-
nen
extra bed [ekstrə 'bed] lisä-
vuode
extra week [ekstrə 'wi:k]
lisäviikko
eye [ai] silmä
eye drops ['ai drops] silmä-
tipat

eye shadow ['ai ʃædəu] luo-
miväri
eye specialist ['ai speʃəlist]
silmälääkäri
eyebrow pencil ['aibrau
pensl] kulmakynä
eyewitness ['aiwitnis] sil-
minnäkijä

Ff

facade [fə'sa:d] julkisivu
face [feis] kasvot
face lotion [feis 'ləuʃn] kas-
vovesi
face treatment ['feis tri:t-
mənt] kasvojenhoito
fact [fækt] tosiasia
factory ['fæktəri] tehdas
fail [feil] epäonnistua
faint [feint] pyörtyä
fair [feə] oikeudenmukai-
nen
fall [fɔ:l] pudota
fall in love [fɔ:l in lʌv] ra-
kastua
falls [fɔ:ls] putous
familiar [fə'miliə] tuttu
family ['fæməli] perhe
family accommodation
[fæməli əkomə'deiʃn]
perhemajoitus
family name ['fæməli neim]
sukunimi

family with children
[fæməli wið 'tʃildrən] lap-
siperhe
famous ['feiməs] kuuluisa
fan [fæn] tuuletin
far away [fa:r ə'wei] kau-
kana
farewell [feə'wel] jäähy-
väiset
farm [fa:m] maatila, maa-
laistalo
farmhouse ['fa:mhaus]
maatalo, maalaistalo
farmhouse accommodation
[fa:mhaus əkomə'deiʃn]
maatilamajoitus
fashion ['fæʃn] muoti
1 fast [fa:st] nopea
2 fast [fa:st] paasto
faster ['fa:stə] nopeammin
fat [fæt] ① lihava ② rasva
father ['fa:ðə] isä
fault [fɔ:lt] vika

favour ['feivə] ① suosia
② palvelus
favourable ['feivərəbl] suopea
fax [fæks] ① faksata ② faksi
fear [fiə] pelko
feather ['feðə] sulka
feature ['fi:tʃə] piirre
February ['februəri] helmikuu
feedback ['fi:dbæk] palaute
feeding bottle ['fi:diŋ botl] tuttipullo
feel [fi:l] tuntea
feel dizzy [fi:l 'dizi] huimata
feel faint [fi:l 'feint] heikottaa
feel sick [fi:l 'sik] oksettaa
feeling ['fi:liŋ] tunne
fell [fel] tunturi
felt-tip pen [felt tip 'pen] tussi
fennel ['fenəl] fenkoli
fern [fɜ:n] saniainen
ferry ['feri] lautta
festival ['festivl] juhlat; festivaalit
fever ['fi:və] kuume
few [fju:] harvat
fiancé(e) [fi'onsei] kihlattu
field [fi:ld] kenttä; pelto
fiery ['fairi] tulinen
fifteen (15) [fif'ti:n] viisitoista
fifteenth (15.) [fif'ti:nθ] viidestoista

fifth (5.) [fifθ] viides
fiftieth (50.) ['fiftiəθ] viideskymmenes
fifty (50) ['fifti] viisikymmentä
fig [fig] viikuna
fight [fait] ① tapella, taistella ② taistelu
figure ['figə] luku
fill [fil] täyttää
fill a tooth [fil ə tu:θ] paikata hammas
fillet ['filit] filee
filling ['filiŋ] paikka (hampaassa)
film [film] elokuva, filmi
filter ['filtə] suodatin
find [faind] löytää
finds [faindz] löydökset
fine [fain] ① hieno ② sakko
fine art [fain 'a:t] kuvataide
finger ['fiŋgə] sormi
finish ['finiʃ] lopettaa, täydentää
finished ['finiʃt] lopussa; valmis
Finland ['finlənd] Suomi
Finnish ['finiʃ] suomalainen
fire ['faiə] tuli, tulipalo
fire alarm [faiə ə'la:m] palohälytys
fire place ['faiə pleis] takka
fire-brigade [faiə bri'geid] palokunta
fireworks ['faiəwɜ:ks] ilotulitus
firm [fɜ:m] ① luja ② yhtiö

first (1.) [fɜ:st] ensimmäi-
nen
first class [fɜ:st 'kla:s] en-
simmäinen luokka
(esim. junassa)
first name ['fɜ:st neim]
etunimi
first aid [fɜ:st 'eid] ensiapu
first-aid kit [fɜ:st eid 'kit]
ensiapulaukku
fish [fiʃ] kalastaa
fish balls ['fiʃ bɔ:ls] kala-
pullat
fishing net ['fiʃiŋ net] ka-
lastusverkko
fishing permit ['fiʃiŋ
pɜ:mit] kalastuslupa
fishing trip ['fiʃiŋ trip] ka-
lastusretki
fishmonger's ['fiʃmʌŋgəs]
kalakauppa
fit [fit] sovittaa (vaatetta)
fitness training ['fitnis
treiniŋ] kuntoharjoittelu
five (5) [faiv] viisi
five hundred (500) [faiv
'hʌndrəd] viisisataa
five hundredth (500.) [faiv
'hʌndrəθ] viidessadas
fix [fiks] sopia (tapaami-
sesta)
flag [flæg] (valtion)lippu
flannel ['flænl] flanelli
flashlight ['flæʃlait] sala-
mavalo
flat [flæt] ① huoneisto,
asunto ② tasainen
flat rate [flæt 'reit] kiinteä
hinta

fleet [fli:t] laivasto
flight [flait] lento
flight attendant ['flait
ətendənt] lentoemäntä
flight reservation ['flait
rezəveiʃn] lentovaraus
flight socks ['flait soks] len-
tosukat
flipper ['flipə] räpylä
float [fləut] kellua
floor [flɔ:] ① kerros ② lat-
tia
florist's ['florists] kukka-
kauppa
flounder ['flaundə] kam-
pela
flow [fləu] (vesi)virta
flower ['flauə] kukka
flu [flu:] flunssa
fluency ['flu:ənsi] suju-
vuus
fluent ['flu:ənt] sujuva
fly [flai] ① lentää ② kärpä-
nen
fog [fog] sumu
folk dance ['fəuk da:ns]
kansantanssi
folk song ['fəuk soŋ] kan-
sanlaulu
folklore ['fəuklɔ:] kansan-
perinne
follow ['foləu] seurata
food [fu:d] ruoka
food allergy ['fu:d ælədʒi]
ruoka-allergia
food poisoning ['fu:d
pɔizniŋ] ruokamyrkytys
fool [fu:l] typerys
foot [fut] jalka

football ['futbɔ:l] jalka-
pallo
football match ['futbɔ:l
mætʃ] jalkapallo-ottelu
for [fɔ:] varten
for sale [fə 'seil] myytä-
vänä
forbid [fə'bid] kieltää
forbidden [fə'bidn] kiel-
letty
force [fɔ:s] ① voima ② pa-
kottaa
forehead ['forid, 'fo:hed]
otsa
foreign ['forən] ulkomai-
nen
foreigner ['forənə] ulko-
maalainen
forest ['forist] metsä
forest fire ['forist faiə]
metsäpalo
forest mushroom [forist
'mʌʃru:m] metsäsieni
forget [fə'get] unohtaa
forgive [fə'giv] antaa an-
teeksi
forgiveness [fə'givnəs] an-
teeksianto
fork [fɔ:k] haarukka
form [fɔ:m] lomake
formal ['fɔ:məl] muodolli-
nen
formality [fɔ:'mæləti]
muodollisuus
formula ['fɔ:mjulə] kaava
fortieth (40.) ['fɔ:tiəθ] nel-
jäskymmenes
fortress ['fɔ:trəs] linnoitus

forty (40) ['fɔ:ti] neljäkym-
mentä
forward ['fɔ:wəd] eteen-
päin
fountain ['fauntin] suihku-
lähde
fountain pen ['fauntin pen]
täytekynä
four (4) [fɔ:] neljä
four hundred (400) [fɔ:
'hʌndrəd] neljäsataa
four hundredth (400.) [fɔ:
'hʌndrəθ] neljässadas
fourteen (14) [fɔ:'ti:n] nel-
jätoista
fourteenth (14.) [fɔ:'ti:nθ]
neljästoista
fourth (4.) [fɔ:θ] neljäs
fracture ['fræktʃə] luun-
murtuma
fragile ['frædʒail] särkyvä
frame [freim] kehys
France [fra:ns] Ranska
frankfurter ['fræŋkfɜ:tə]
nakki
free [fri:] ① ilmainen
② vapaa
freeclimbing ['fri:klaimiŋ]
vapaakiipeily
freedom ['fri:dəm] vapaus
freeze [fri:z] jäätyä, jää-
dyttää
freezer ['fri:zə] pakastin
freight [freit] rahti
French [frentʃ] ranskalai-
nen
French fries [frentʃ 'fraiz]
ranskalaiset perunat

French stick [frentʃ 'stik]
patonki
fresh [freʃ] ① tuore ② (il-
ma) raitis
Friday ['fraidei] perjantai
fridge [fridʒ] jääkaappi
fried [fraid] paistettu
fried egg [fraid eg] pais-
tettu kananmuna
friend [frend] ystävä
friendly ['frendli] ystävälli-
nen
fringe [frindʒ] otsatukka
frog [frog] sammakko
from the stone age [from ðə
'stəun eidʒ] kivikautinen
front [frʌnt] etupuoli
frost [frost] pakkanen
frozen ['frəuzən] paleltu-
nut
fruit [fruːt] hedelmä

fruit salad [fruːt 'sæləd]
hedelmäsalaatti
fry [frai] paistaa (ruokaa)
frying pan ['fraiiŋ pæn]
paistinpannu
full [ful] täynnä
full board [ful 'bɔːd] täysi-
hoito
full insurance [ful
in'ʃuərəns] täysvakuutus
fun [fʌn] huvi
funeral ['fjuːnərəl] hauta-
jaiset
funfair ['fʌnfeə] tivoli
funny [fʌni] hauska
furcoat ['fɜːkəut] turkki
furnished ['fɜːniʃt] kalus-
tettu
furniture ['fɜːnitʃə] huone-
kalut
further ['fɜːðə] edelleen
future ['fjuːtʃə] tulevaisuus

Gg

gale [geil] myrsky
gall-bladder ['gɔːlblædə]
sappirakko
gamble ['gæmbl] uhkapeli
game [geim] ① peli
② riista
gammon ['gæmən] savu-
kinkku
garage ['gærɑːʒ] autotalli;
autokorjaamo

garbage ['gɑːbiʤ] jätteet
garden ['gɑːdn] puutarha
garlic ['gɑːlik] valkosipuli
garnish ['gɑːniʃ] ① lisäke
② koristella
gas cooker ['gæs kukə] kaa-
suliesi
gas oven ['gæs ʌvn] kaasu-
uuni
gate [geit] portti

gateway ['geitwei] portti-
käytävä

gauze [gɔːz] sideharso

gear [giə] (auton)vaihde

gear box ['giə bɒks] vaihde-
laatikko

gear lever ['giə liːvə] vaih-
detanko

generosity [dʒenə'rositi]
anteliaisuus

generous ['dʒenərəs] ante-
lias

gents ['dʒents] miesten-
huone

genuine ['dʒenjuin] aito

geographical [dʒiə'kræfikl]
maantieteellinen

germ [dʒɜːm] basilli

German ['dʒɜːmən] saksa-
lainen

German measles [dʒɜːmən
'miːzlz] vihurirokko

German silver [dʒɜːmən
'silvə] uushopea

Germany ['dʒɜːməni] Saksa

gesticulate [dʒe'stikjuleit]
elehtiä

gesture ['dʒestʃə] ele

get [get] saada

get in a car [get 'in ə kaː]
nousta autoon

get off [get 'of] poistua

get on a bus [get 'on ə bʌs]
nousta bussiin

get sprained [get 'spreind]
mennä sijoiltaan

get stuck [get 'stʌk] juut-
tua

get up [get 'ʌp] nousta ylös

get worried [get 'wʌrid]
huolestua

ghost [gəust] haamu, aave

giant ['dʒaiənt] jättiläinen

gift [gift] lahja

gift package ['gift pækidʒ]
lahjapaketti

gin [dʒin] gini

ginger ['dʒindʒə] inkivääri

girl [gɜːl] tyttö

give [giv] antaa

give feedback [giv 'fiːd-
bæk] antaa palautetta

glad [glæd] iloinen

gland [glænd] rauhanen

glass [glaːs] lasi

glass of ['glaːs əv] (a glass
of) lasillinen

glove [glʌv] käsine, hansi-
kas

glucose ['gluːkəus] glu-
koosi

glue [gluː] liima

go [gəu] mennä

go away [gəu ə'wei] mennä
pois

goal [gəul] maali

goalkeeper ['gəulkiːpə]
maalivahti

goat cheese [gəut 'tʃiːz]
vuohenjuusto

God [gɒd] Jumala

go-kart ['gəukaːt] mikro-
auto

gold [gəuld] kulta

gold leaf [gəuld 'liːf] lehti-
kulta

golden ['gəuldən] kultai-
nen, kullanvärinen

gold-plated [gəuld 'pleitid] kullattu

golf ball ['golf bɔ:l] golfpallo

golf club ['golf klʌb] golfmaila

golf course ['golf kɔ:s] golfkenttä

good [gud] hyvä

good afternoon! [gud a:ftə'nu:n] hyvää päivää!

good evening! [gud 'i:vniŋ] hyvää iltaa!

good morning! [gud 'mɔ:niŋ] hyvää huomenta!

good night! [gud nait] hyvää yötä!

goodbye! [gud'bai] näkemiin!

good-natured [gud 'neitʃəd] hyväntahtoinen

goods [guds] tavarat

goods to declare [gudz tu di'kleə] tullattavaa

google [gu:gl] etsiä hakukone Googlesta, googlata

goose [gu:s] hanhi

goose liver [gu:s 'livə] hanhenmaksa

gooseberry ['guzberi] karviaismarja

gorge [gɔ:dʒ] rotko

gossip ['gosip] juoru

government ['gʌvənmənt] hallitus

grand stand ['grænd stænd] pääkatsomo

grandchild ['grændtʃaild] lapsenlapsi

granddaughter ['grændɔ:tə] pojantytär, tyttärentytär

grandfather ['grændfa:ðə] isoisä

grandmother ['grændmʌðə] isoäiti

grandparents ['grændpeərənts] isovanhemmat

grandson ['grændsʌn] pojanpoika, tyttärenpoika

grape [greip] viinirypäle

grapefruit ['greipfru:t] greippi

graphics ['græfiks] grafiikka

grass [gra:s] ruoho

grasshopper ['gra:shopə] heinäsirkka

grateful ['greitfl] kiitollinen

gratinated ['grætineitid] kuorrutettu, gratinoitu

gratis ['grætis] ilmainen

gravestone ['greivstəun] hautakivi

gravy ['greivi] ruskeakastike

graze [greiz] naarmu

great [greit] suuri, mahtava

Greece [gri:s] Kreikka

greedy ['gri:di] ahne

Greek [gri:k] kreikkalainen

green [gri:n] vihreä

green beans [gri:n 'bi:ns] vihreät pavut

green pepper [gri:n 'pepə] viherpippuri

green-grocer ['gri:n grəusə] vihanneskauppias

greengrocer's ['gri:n-grəusəz] vihanneskauppa

greeting ['gri:tiŋ] tervehdys

grey [grei] harmaa

grilled [grild] grillattu

grocery ['grəusəri] ruokakauppa

grotto ['grotəu] kallioluola

ground [graund] maaperä, maa

ground floor [graund 'flɔ:] pohjakerros

ground frost [graund 'frost] routa

group [gru:p] ryhmä

grow [grəu] kasvaa

guarantee [gærən'ti:] taata

guard [ga:d] vartio

guess [ges] arvata

guest [gest] (vierailijasta) vieras

guide [gaid] opas

guide dog ['gaid dog] opaskoira

guidebook ['gaidbuk] opaskirja

guilty ['gilti] syyllinen

guitar [gi'ta:] kitara

gullet ['gʌlit] ruokatorvi

gum [gʌm] ien

gun [gʌn] ase

gym [dʒim] kuntosali

gymnastics [dʒim'næstiks] voimistelu

gynaecologist [gaini'kolədʒist] gynekologi

Hh

haddock ['hædək] kolja

hair [heə] hiukset, tukka

hair care ['heə keə] hiustenhoito

hair conditioner [heə kən-'diʃ(ə)nə] hiustenhoitoaine

hair drier ['heə draiə] hiustenkuivaaja

hair pin ['heə pin] hiusneula

hair spray ['heə sprei] hiuslakka

hair wash ['heə woʃ] hiustenpesu

haircut ['heəkʌt] hiustenleikkuu

hair-do ['heə du:] kampaus

hairdresser's ['heədresəz] kampaamo

hair-dye ['heə dai] (hiusten) värjäys

hairnet ['heənet] hiusverkko

half [ha:f] puolikas, puoli

half board [ha:f 'bɔ:d] puolihoito

half full [ha:f 'ful] puolillaan

half time [ha:f 'taim] puoliaika

hall [hɔ:l] aula, sali

ham [hæm] kinkku

hamburger ['hæmbɜ:gə] hampurilainen

hammer ['hæmə] vasara

hand [hænd] käsi

hand cream ['hænd kri:m] käsivoide

hand luggage ['hænd lʌgiʤ] käsimatkatavara

handbag ['hændbæg] käsilaukku

handball ['hændbɔ:l] käsipallo

handbrake ['hændbreik] käsijarru

handicraft work ['hændikra:ft wɜ:k] käsiteollisuus

handkerchief ['hæŋkətʃif] nenäliina

handmade [hænd'meid] käsintehty

handsome ['hænsəm] komea

hand-woven ['hændwəuvən] käsinkudottu

hang [hæŋ] ripustaa

hanger ['hæŋə] henkari, vaateripustin

hang-gliding ['hæŋglaidiŋ] riippuliito

hangover ['hæŋəuvə] krapula

happen ['hæpən] tapahtua, sattua

happy ['hæpi] onnellinen

harass ['hærəs] ahdistella

harbour ['ha:bə] satama

hard [ha:d] kova

hardboiled egg [ha:dbɔild 'eg] kovaksi keitetty kananmuna

hard-of-hearing [ha:d əv 'hiəriŋ] huonokuuloinen

hard-working ['ha:dwɜ:kiŋ] ahkera

hare [heə] jänis

haricot beans [hærikəu 'bi:nz] valkoiset pavut

harm [ha:m] vahinko

harpoon [ha:'pu:n] harppuuna

harvest ['ha:vist] elonkorjuu

harvesting ['ha:vistiŋ] sadonkorjuu

hat [hæt] hattu

hate [heit] vihata

have [hæv] omistaa, olla (jollakulla)

have a cold [hæv ə 'kəuld] olla vilustunut

have patience [hæv 'peiʃəns] malttaa

have ... repaired [hæv ri'peəd] korjauttaa

hawk [hɔ:k] haukka

hay fever ['hei fi:və] heinänuha

hazard warning lights [hæzəd 'wɔ:niŋ laitz] varoitusvilkut

hazel grouse ['heizl graus] pyy

he [hi:] (miehestä) hän

head [hed] pää

headache ['hedeik] päänsärky

headlight ['hedlait] etuvalo

headwind ['hedwind] vastatuuli

health [helθ] terveys

health centre ['helθ sentə] terveysasema

health insurance [helθ in'ʃuərəns] sairausvakuutus

health resort [helθ ri'zɔ:t] kylpyläkaupunki

healthy ['helθi] terve

hear [hiə] kuulla

hearing ['hiəriŋ] kuulo

hearing aid ['hiəriŋ eid] kuulolaite

heart [ha:t] sydän

heart attack ['ha:t ətæk] sydänkohtaus

heart specialist ['ha:t speʃəlist] kardiologi

heartburn ['ha:tbɜ:n] närästys

heat [hi:t] kuumuus, lämpö; helle

heather ['heðə] kanerva

heating ['hi:tiŋ] lämmitys

heatwave ['hi:tweiv] helleaalto

heavy ['hevi] raskas, painava

hedgehog ['hedʒhog] siili

heel [hi:l] ① korko ② kantapää

heeltap ['hi:ltæp] korkolappu

height [hait] korkeus

helicopter ['helikoptə] helikopteri

hell [hel] helvetti

hello! [hə'ləu] hei!, haloo!

helmet ['helmit] kypärä

help [help] ① auttaa ② apua!

helpful ['helpfl] avulias

hemorrhoids ['hemərɔidz] peräpukamat

hen [hen] kana

her [hɜ:] (naisesta) hänen

herb [hɜ:b] yrtti

here [hiə] täällä

hernia ['hɜ:njə] tyrä

herring ['heriŋ] silli

hesitate ['heziteit] epäröidä

hiccup ['hikʌp] hikka

hide [haid] piilottaa

high [hai] korkea

high beam [hai 'bi:m] kaukovalot

high tide [hai 'taid] nousuvesi

highlands ['hailəndz]
ylänkö

highway ['haiwei] maan-
tie, moottoritie

hike [haik] ① vaeltaa
② vaellus

hiking tour ['haikiŋ tuə] pa-
tikkaretki

hill [hil] kukkula, mäki

hint [hint] vihjata

hip [hip] lantio; lonkka

hire ['haiə] ① vuokrata
② palkata

his [hiz] (miehestä) hänen

history ['histr(ə)ri] historia

hit [hit] lyödä

hitch-hike ['hitʃhaik] lif-
tata

hitch-hiking ['hitʃhaikiŋ]
peukalokyyti

hoarse [hɔ:s] käheä

hobby ['hobi] harrastus

hold [həuld] ① pitää kiinni
② ruuma

hole [həul] reikä

holiday ['holidei] ① loma
② vapaapäivä ③ pyhä-
päivä

holiday cottage ['holidei
kotidʒ] lomamökki

holidays ['holideiz] loma

Holland ['holənd] Hollanti

hollow ['holəu] ontto

holy ['həuli] pyhä

home [həum] koti

home address [həum
ə'dres] kotiosoite

homesickness ['həum-
siknəs] koti-ikävä

honest ['onist] rehellinen

honesty ['onəsti] rehelli-
syys

honey ['hʌni] hunaja

honeydew melon [hʌnidju:
'melən] hunajameloni

honeymoon ['hʌnimu:n]
kuherruskuukausi

honorary title ['onərəri
taitl] arvonimi

honour ['onə] kunnia

hoover ['hu:və] ① imu-
roida ② imuri

hope ['həup] toivoa

horizontal [hori'zontl] vaa-
kasuora

horse [hɔ:s] hevonen

horseradish ['hɔ:srædiʃ] pi-
parjuuri

hospital ['hospitl] sairaala

host [həust] isäntä

hostel ['hostl] hostelli

hostess ['həustis] emäntä

hot [hot] kuuma

hot chocolate [hot 'tʃoklət]
kaakao

hot water [hot 'wɔ:tə] läm-
min vesi

hot-dog stand ['hot dog
stænd] nakkikioski

hotel [həu'tel] hotelli

hotel room [həu'tel ru:m]
hotellihuone

hotel voucher [həu'tel
vautʃə] hotellisekki

hour ['auə] tunti

hourly charge ['auəli
tʃa:dʒ] tuntiveloitus

house [haus] talo

housewife ['hauswaif] ko-
tirouva
how [hau] kuinka
how much [hau mʌtʃ]
kuinka paljon
hug [hʌg] halata
human ['hju:mən] inhi-
millinen
humour ['hju:mə] huumori
hundred (100) ['hʌndrəd]
(a hundred) sata
hundred and one (101)
['hʌndrəd ænd wʌn]
(a hundred and one)
satayksi
hundredth (100.) ['hʌndrəθ]
sadas
Hungarian [hʌŋ'geəriən]
unkarilainen

Hungary ['hʌŋgəri] Unkari
hunt [hʌnt] metsästää
hunter ['hʌntə] metsästäjä
hunting trip ['hʌntiŋ trip]
eräretki
hurry ['hʌri] ① kiiruhtaa
② kiire
hurt [hɜ:t] satuttaa
husband ['hʌzbənd] avio-
mies
hydrofoil boat ['haidrəfɔil
bəut] kantosiipialus
hygiene ['haidʒi:n] hygie-
nia
hygienic [hai'dʒi:nik] hy-
gieeninen
hysterical [hi'sterikl] hys-
teerinen

Ii

I [ai] minä
ice [ais] jää
ice bag ['ais bæg] jääpussi
ice coffee [ais 'kɔfi] jää-
kahvi
ice cream [ais 'kri:m] jää-
telö
ice hockey ['ais hoki] jää-
kiekko
ice tea [ais 'ti:] jäätee
ice water ['ais wɔ:tə] jää-
vesi
Iceland [ais'lənd] Islanti

Icelandic [ais'lændik] is-
lantilainen
idea [ai'diə] idea
identical [ai'dentikl] ident-
tinen
identity card [ai'dentiti
ka:d] henkilökortti
ideology [aidi'olədʒi] aate
idle ['aidl] laiska
if [if] jos
ignition [ig'niʃn] sytytys
ignition key [ig'niʃn ki:]
virta-avain

ill [il] sairas
illegal [i'li:gl] laiton
illness ['ilnəs] sairaus
imagination [imædʒi'neiʃn] mielikuvitus
imagine [i'mædʒin] kuvitella
imitation [imi'teiʃn] jäljitelmä
immediately [i'mi:diətli] heti
immunity [i'mju:niti] immuniteetti
impatient [im'peiʃnt] kärsimätön
impolite [impə'lait] epäkohtelias
important [im'pɔ:tnt] tärkeä
impossible [im'posəbl] mahdoton
in [in] sisään; sisäänajo (liikenteessä)
in a bad shape [in ə 'bæd ʃeip] huonokuntoinen (esim. tie)
in addition [in ə'diʃn] lisäksi
in cash [in 'kæʃ] käteisellä
in front of [in 'frʌnt əv] edessä
in need of care [in 'ni:d əv 'keə] hoitoa tarvitseva
in order [in 'ɔ:də] kunnossa (esim. jokin laite)
in pastry [in 'peistri] taikinoitu
in the middle of [in ðə 'midl əv] keskellä

inanimate [i'nænimət] eloton
including [in'klu:diŋ] mukaan lukien
independence day [indi'pendəns dei] itsenäisyyspäivä
independent [indi'pendənt] itsenäinen
independent travel [indi'pendənt trævl] omatoimimatkailu
indigestion [indi'dʒestʃn] ruoansulatushäiriö
induction loop [in'dʌkʃn lu:p] induktiosilmukka
industry ['indəstri] teollisuus
infected [in'fektid] tulehtunut
infection [in'fekʃn] tartunta
inflammable [in'flæməbl] tulenarka
inflammation [inflə'meiʃn] tulehdus
inflatable [in'fleitəbl] kumivene
influence ['influəns] vaikutus
influenza [influ'enzə] influenssa
information [infə'meiʃn] informaatio, neuvonta
inhabitant [in'hæbitənt] asukas
inherit [in'herit] periä
injection [in'dʒekʃn] pistos, ruiske

injured ['indʒəd] loukkaan-
tunut (vammautunut)
injury ['indʒəri] vamma
inland ['inlənd] sisämaa
inn [in] majatalo
inner courtyard ['inə kɔːt-
 jaːd] sisäpiha
innocent ['inəsnt] syytön
inquiry [in'kwaiəri] tiedus-
telu
insane [in'sein] mielisairas
insect ['insekt] hyönteinen
insect bite ['insekt bait]
hyönteisenpisto
insect repellent [insekt
ri'pelənt] hyönteiskar-
kote
insecure [insi'kjuə] epä-
varma
inside [in'said] sisällä
instrument ['instrumənt]
soitin
insulin ['insjulin] insuliini
insurance [in'ʃuərəns] va-
kuutus
intelligence [in'telidʒəns]
äly
intelligent [in'telidʒənt]
älykäs
intention [in'tenʃn] aiko-
mus
interest ['intrəst] ① pank-
kikorko ② kiinnostus
interesting ['intrəstiŋ]
kiinnostava
intermission [intə'miʃn]
väliaika
international [intə'næʃənəl]
kansainvälinen

international flight [intə-
'næʃənl flait] ulkomaan
lento
**international identification
letters** [intə'næʃənl
aidentifi'keiʃn letəz] au-
ton kansallisuustunnus
Internet ['intənet] internet
Internet café ['intənət
kæfei] nettikahvila
Internet site ['intənet sait]
internetsivusto
interpreter [in'tɜːpritə]
tulkki
interrail pass ['intəreil
paːs] interrailkortti
interrupt [intə'rʌpt] kes-
keyttää
interview ['intəvjuː]
① haastattelu ② haasta-
tella
intestines [in'testins] suo-
listo
intro ['intrəu] alkusoitto
introduce [intrə'djuːs] esi-
tellä
1 invalid ['invəlid] invalidi
2 invalid [in'vælid] pätemä-
tön, kelpaamaton
invalid lift ['invəlid lift] in-
validihissi
invitation [invi'teiʃn] kutsu
Ireland ['aiələnd] Irlanti
Irish ['airiʃ] irlantilainen
iron ['aiən] ① silitysrauta
② rauta
ironmonger's ['aiən-
mʌŋgəz] rautakauppa
irony ['airəni] iva

irregular [i'regjələ] epä-
  säännöllinen
irritate ['iriteit] ärsyttää
irritated ['iriteitid] ärtynyt
island ['ailənd] saari
it [it] se

Italian [i'tæliən] italialai-
  nen
Italy ['itəli] Italia
itch [itʃ] kutista
itinerary [ai'tinərəri] mat-
  kareitti
its [its] sen

Jj

jack [dʒæk] tunkki
jacket ['dʒækit] takki
jam [dʒæm] hillo
January ['dʒænjuəri] tam-
  mikuu
jaundice ['dʒɔ:ndis] kelta-
  tauti
jaw [dʒɔ:] leuka(luu)
jealous ['dʒeləs] mustasuk-
  kainen
jeans [dʒi:nz] farkut
jelly ['dʒeli] hyytelö
jet lag ['dʒet læg] aikaero-
  rasitus
jet ski ['dʒet ski:] vesi-
  skootteri
jewel ['dʒu:əl] jalokivi
jeweller ['dʒu:ələ] jalokivi-
  kauppias

jigsaw puzzle ['dʒigsɔ: pʌzl]
  palapeli
join [dʒɔin] liittyä
joint [dʒɔint] nivel
joke [dʒəuk] vitsi
journey ['dʒɜ:ni] matka
joy [dʒɔi] ilo
judge [dʒʌdʒ] tuomari
juice [dʒu:s] (tuore)mehu
July [dʒu'lai] heinäkuu
jump [dʒʌmp] hypätä
jump leads ['dʒʌmp li:dz]
  käynnistysjohdot
June [dʒu:n] kesäkuu
juniper berry ['dʒu:nipə
  beri] katajanmarja
just a moment! [dʒʌst ə
  'məumənt] hetkinen!

Kk

karaoke [kæri'əuki] kara-
oke
kayak ['kaiæk] kajakki
kennel ['kenl] koirahoi-
tola, kennel
ketchup ['ketʃʌp] ketsuppi
kettle ['ketl] kattila
key [ki:] avain
key card ['ki: ka:d] avain-
kortti
kidney ['kidni] munuainen
kidney stone ['kidni stəun]
munuaiskivi
kill [kil] tappaa
kilometre ['kiləmi:tə] kilo-
metri
kind [kaind] ① laji ② ystä-
vällinen
king [kiŋ] kuningas

kiosk ['ki:osk] kioski
kipper ['kipə] savusilli
kiss [kis] suudelma
kitchen ['kitʃin] keittiö
kitchenette [kitʃi'net] keit-
tokomero
kitchenware ['kitʃənweə]
keittiötarvikkeet
kite [kait] leija
knee [ni:] polvi
knickers ['nikəz] (naisten)
alushousut
knife [naif] veitsi
knight [nait] ritari
knit [nit] neuloa
knob [nob] nuppi
knock [nok] koputtaa
knot [not] solmu
know [nəu] tuntea, tietää

Ll

lace [leis] pitsi
lack [læk] puuttua
lactose intolerance
[læktəus in'tolərəns] lak-
toosi-intoleranssi

lactose-free ['læktəus fri:]
laktoositon
ladder ['lædə] tikapuut
ladies' (room) ['leidi:z
(ru:m)] naistenhuone

ladies' department [leidi:z di'pa:tmənt] naisten-osasto (tavaratalossa)

ladies' hairdresser [leidi:z 'heədresə] kampaaja

lager ['la:gə] lager-olut

lake [leik] järvi

lamb [læm] lammas

lamp [læmp] lamppu

lamprey ['læmpri] nahki-ainen

land [lænd] ① laskeutua ② maa

landing card ['lændiŋ ka:d] maihinnousukortti

landlady ['lændleidi] vuok-raemäntä

landlord ['lændlɔ:d] vuok-raisäntä

landscape ['lændskeip] maisema

lane [lein] ajokaista

language ['læŋgwidʒ] kieli

laptop ['læptop] kannet-tava tietokone

larch [la:tʃ] lehtikuusi

large [la:dʒ] suuri

lasagne [lə'sa:njə] lasagne

last [la:st] ① kestää ② vii-meinen; viime

late [leit] myöhään, myö-hässä

late show ['leit ʃəu] myö-häisnäytäntö

late-night show ['leit nait ʃəu] yönäytäntö

later ['leitə] myöhemmin

latitude ['lætitju:d] leveys-aste

Latvia ['lætviə] Latvia

Latvian ['lætviən] latvialai-nen

laugh [la:f] nauraa

laughter ['la:ftə] nauru

laundrette [lɔ:n'dret] itse-palvelupesula

laundry ['lɔ:ndri] pesula

lava ['la:və] laava

lavatory ['lævətri] pesu-huone; wc

law [lɔ:] laki

lawn [lɔ:n] nurmikko, nurmi

lawyer ['loiə] asianajaja

laxative ['læksətiv] ulos-tusaine, ulostuslääke

lay [lei] asettaa, panna

lay-by ['leibai] levähdys-alue

lazy ['leizi] laiska

lead [li:d] johtaa

leader ['li:də] johtaja

lead-free petrol ['led fri: petrl] lyijytön bensiini

leading role [li:diŋ 'rəul] pääosa

leaking ['li:kiŋ] vuotava

lean [li:n] ① (lihasta) ras-vaton ② laiha

learn [lɜ:n] oppia

leather ['leðə] nahka

leave [li:v] lähteä, jättää, hylätä

leave out [li:v 'aut] jättää pois

lecture ['lektʃə] luento, esi-telmä

leek [li:k] purjosipuli

left [left] vasen

left luggage office [left 'lʌgidʒ ofis] matkatavaratoimisto

leg [leg] sääri

legal ['li:gl] laillinen

legal alcohol limit [li:gl 'ælkəhol limit] promilleraja

lemon ['lemən] sitruuna

lemon drink ['lemən driŋk] sitruunajuoma

lemonade [lemə'neid] limonadi

lend [lend] antaa lainaksi, lainata jollekulle

length [leŋθ] pituus

lens [lenz] linssi; objektiivi

lentil ['lentl] (ruoka) linssi

less [les] vähemmän

let [let] ① sallia ② antaa vuokralle

letter ['letə] ① kirje ② kirjain

letter box ['letə boks] kirjelaatikko, postilaatikko

lettuce ['letis] lehtisalaatti

level ['levl] taso

librarian [lai'breəriən] kirjastonhoitaja

library ['laibrəri] kirjasto

licorice ['likəris] lakritsa

lid [lid] kansi

lie [lai] ① maata ② valehdella ③ valhe

life [laif] elämä

life jacket ['laif dʒækit] pelastusliivit

life preserver ['laif pri-zɜ:və] pelastusrengas

lifeguard ['laifga:d] hengenpelastaja

lift [lift] ① nostaa ② hissi

lifting ramp ['liftiŋ ræmp] nostotaso

light [lait] ① kevyt ② vaalea ③ valo ④ valoisa

lighthouse ['laithaus] majakka

lightning ['laitniŋ] salama

like [laik] pitää jstk

lilac ['lailək] liila

lily of the valley [lili əv ðə 'væli] kielo

lime limetti [laim]

limit ['limit] raja

linden ['lindən] lehmus

line [lain] viiva

linen ['linin] ① pellava ② liinavaatteet

linen change ['linin tʃeindʒ] liinavaatteiden vaihto

lingonberry ['liŋgənberi] puolukka

lion ['laiən] leijona

lip [lip] huuli

lip-balm ['lip ba:m] huulirasva

lipstick ['lipstik] huulipuna

liqueur [li'kjuə] likööri

liqueur with herbs [li'kjuə wið hɜ:bs] yrttilikööri

liquid ['likwid] neste

listen ['lisn] kuunnella

Lithuania [liθ'jueiniə] Liettua

Lithuanian [liθ'jueiniən]
liettualainen

litre ['li:tə] litra

little [litl] pieni

live [liv] elää; asua

lively ['laivli] eloisa

liver ['livə] maksa

liver paste ['livə peist]
maksapasteija

living food ['liviŋ fu:d]
elävä ravinto

living room ['liviŋ ru:m]
olohuone

loaf [ləuf] leipä

loan [ləun] laina

lobby ['lobi] ① aula, etei-
nen ② lämpiö

lobster ['lobstə] hummeri

local ['ləukl] paikallinen

local anaesthetic [ləukl
ænis'θetik] paikallispuu-
dutus

local call ['ləukl kɔ:l] pai-
kallispuhelu

local inhabitant [ləukl
in'hæbitənt] paikkakun-
talainen

local road [ləukl 'rəud] pai-
kallistie

local train [ləukl 'trein]
paikallisjuna

location [ləu'keiʃn] sijainti

lock [lok] lukita

locker ['lokə] säilytyslo-
kero

locksmith ['loksmiθ] lukko-
seppä

loganberry ['ləugænberi]
villivadelma

London ['lʌndən] Lontoo

Londoner ['lʌndənə] lon-
toolainen

long [loŋ] pitkä

long for ['loŋ fɔ:] kaivata

long-distance call [loŋ
'distəns kɔ:l] kaukopu-
helu

long-distance train [loŋ
'distəns trein] kaukojuna

longitude ['londʒitju:d] pi-
tuusaste

look at ['luk æt] katsoa

look for ['luk fɔ:] etsiä

look out! [luk 'aut] varo-
kaa!

loose [lu:s] löysä

lorry ['lori] kuorma-auto

lose [lu:z] menettää, ka-
dottaa

lose one's way ['lu:z wʌnz
wei] eksyä

loss [los] menetys

loss of blood [los əv 'blʌd]
verenhukka

lost [lost] eksynyt

lost property [lost 'propəti]
löytötavarat

lost property office [lost
'propəti ofis] löytötavara-
toimisto

loud [laud] äänekäs

loudspeaker [laud'spi:kə]
kaiutin

lounge [laundʒ] oleskelu-
tila

love [lʌv] ① rakkaus ② ra-
kastaa

low [ləu] matala

low lactose [ləu 'læktəus]
vähälaktoosinen
low-cost airline [ləu kost
'eəlain] halpalentoyhtiö
low-cost flight [ləu kost
'flait] halpalento
lower berth [ləuə 'bɜːθ] ala-
vuode
lubrication [luːbri'keiʃn]
voitelu (esim. koneen)
lucky ['lʌki] onnekas
luggage ['lʌgidʒ] matkata-
varat

luggage van ['lʌgidʒ væn]
matkatavaravaunu
lumbago [lʌm'beigəu] noi-
dannuoli
lunch [lʌnʧ] lounas
lung [lʌŋ] keuhko
Luxembourg ['lʌksəmbɜːg]
Luxemburg
Luxembourger ['lʌksəm-
bɜːgə] luxemburgilainen
luxury ['lʌkʃəri] ylellisyys

Mm

macaroni [mækə'rəuni]
makaroni
macaroni cheese [mækə-
'rəuni ʧiːz] makaronia
juustokastikkeessa
machine [mə'ʃiːn] kone
madeira [mə'diərə] madeira
magazine [mægə'ziːn] ai-
kakauslehti
magnificent [mæg'nifisnt]
suurenmoinen
maid [meid] kerrospalve-
lija; palvelustyttö
maiden name ['meidən
neim] tyttönimi
mail [meil] posti
main [mein] pää-
main course ['mein kɔːs]
pääruoka

main point ['mein pɔint]
pääasia
main post office [main
'pəust ofis] pääposti
main railway station [mein
'reilwei steiʃn] päärauta-
tieasema
main road ['mein rəud]
kantatie; pääkatu
make [meik] valmistaa,
tehdä
make smaller [meik
'smɔːlə] pienentää
make-up ['meik ʌp] meikki
malaria [mə'leəriə] mala-
ria
mammal ['mæml] nisäkäs
man [mæn] mies

manager ['mænidʒə] johtaja

mandarin ['mændərin] mandariini

manicure ['mænikjuə] käsienhoito

manners ['mænəz] tavat

many ['meni] moni, monet, monta

map [mæp] kartta

map of outdoor recreation area [mæp əv autdɔ: rek'rieiʃn eəriə] ulkoilukartta

maple ['meipl] vaahtera

March [ma:tʃ] maaliskuu

margarine [ma:dʒə'ri:n] margariini

marguerite [ma:'gəri:t] päivänkakkara

marinated ['mærineitid] marinoitu

marital status [mæritl 'steitəs] siviilisääty

marjoram ['ma:dʒərəm] meirami

market ['ma:kit] markkinat

market place ['ma:kit pleis] tori

marmalade ['ma:məleid] marmelaati

marriage ['mæridʒ] avioliitto

married ['mæri:d] naimisissa

marrow ['mærəu] kurpitsa

marry ['mæri] vihkiä (avioliittoon)

marsh [ma:ʃ] suo

marsh marigold [ma:ʃ 'mærigəuld] rentukka

martial arts ['ma:ʃəl a:ts] taistelulajit

mascot ['mæskət] maskotti

mashed potatoes [mæʃt pə'teitəus] perunamuusi

mass [mæs] messu

massage ['mæsa:ʒ] hieronta

match [mætʃ] tulitikku

material [mə'tiəriəl] materiaali

matinée ['mætinei] päivänäytäntö

matter ['mætə] asia

mattress ['mætrəs] patja

mausoleum [mɔ:sə'liəm] mausoleumi

May [mei] toukokuu

mayonnaise [meiə'neiz] majoneesi

meadow ['medəu] niitty

meal [mi:l] ateria

mean [mi:n] merkitä

meaning ['mi:niŋ] merkitys

mean(s) [mi:n(z)] varat

means of livelihood [mi:nz əv 'laivlihud] elinkeino

means of payment [mi:nz əv 'peimənt] maksuväline

measles ['mi:zlz] tuhkarokko

measure ['meʒə] ① mitta ② mitata

meat [mi:t] liha

meat loaf ['mi:t ləuf] mu-
reke
meat pie ['mi:t pai] lihapii-
rakka
meatball ['mi:tbɔ:l] liha-
pulla
mechanic [mə'kænik] me-
kaanikko
mechanical [mə'kænikl]
mekaaninen
media ['mi:diə] tiedotusvä-
lineet
medical certificate ['medikl
sə'tifikət] lääkärintodis-
tus
medicine ['medisən] lääke
medium ['mi:diəm] ① keski-
② (pihvistä) puolikypsä
medium dry [mi:diəm
'drai] puolikuiva
medium-strength beer
[mi:diəm streŋθ 'biə]
keskiolut
meet [mi:t] tavata
meeting ['mi:tiŋ] kokous
melon ['melən] meloni
melt [melt] sulaa
member ['membə] jäsen
memoirs ['memwa:z]
muistelmat
memorial [mə'mɔ:riəl]
muistomerkki
memory ['meməri] muisti
mend [mend] parsia, pai-
kata
men's department [menz
di'pa:tmənt] miesten-
osasto (tavaratalossa)

men's room ['menz ru:m]
miestenhuone
menstruation [menstru-
'eiʃn] kuukautiset
mention ['menʃn] mainita
menu ['menju:] ruokalista
mere [miə] pelkkä
meringue [mə'ræŋ] ma-
renki
message ['mesidʒ] ilmoi-
tus, viesti
metal ['metl] metalli
middle ['midl] keskikohta
Middle Ages ['midl eidʒiz]
keskiaika
middle station ['midl
steiʃn] väliasema (hiihto-
hississä)
midnight ['midnait] kes-
kiyö
midsummer [mid'sʌmə] ju-
hannus
migraine ['mi:grein] mig-
reeni
migrant ['maigrənt] muut-
tolintu
migratory bird ['maigrətri
bɜ:d] muuttolintu
mild [maild] lempeä
mild ale [maild 'eil] pils-
neri
mile [mail] maili
milieu ['miljɜ:] elinympä-
ristö
milk [milk] maito
milkshake ['milkʃeik] pir-
telö
mill [mil] mylly

milliner's ['milinə:z] hat-
tukauppa
millinery ['milinəri] hattu-
kauppa
million (1 000 000) ['miljən]
(a million) miljoona
minced meat [minst 'mi:t]
jauheliha
mind [maind] mieli
mine [main] kaivos
mineral water ['minərəl
wɔ:tə] kivennäisvesi
minibar ['miniba:] mini-
baari
minibus ['minibʌs] pikku-
bussi
minigolf ['minigolf] mini-
golf
minister ['ministə] minis-
teri
mink [miŋk] minkki
minor ['mainə] alaikäinen
mint [mint] minttu
minute ['minit] minuutti
miracle ['mirəkl] ihme
mirror ['mirə] peili
miscarriage [mis'kæridʒ]
keskenmeno
miss [mis] kaivata
miss the train [mis ðə
'trein] myöhästyä ju-
nasta
mistake [mi'steik] erehdys
mister ['mistə] herra
misunderstand [misʌndə-
'stænd] ymmärtää väärin
misunderstanding [mis-
ʌndə'stændiŋ] väärin-
ymmärrys

mix [miks] sekoittaa
mixed vegetables [mikst
'vedʒtəbls] sekavihan-
nekset
mixer ['miksə] sähkövat-
kain
mixture ['mikstʃə] sekoitus
mobile phone ['məubail
fəun] kännykkä, matka-
puhelin
mobile phone subscription
['məubail fəun səb-
'skripʃn] matkapuhelin-
liittymä
modern art ['modən a:t]
nykytaide
modest ['modist] vaatima-
ton
mogul slope ['məugəl
sləup] kumparemäki
moisturiser ['mɔistʃəraizə]
kosteusvoide
moment ['məumənt] hetki
monastery ['monəstri]
luostari
Monday ['mʌndi] maanan-
tai
money ['mʌni] raha
money exchange [mʌni
ik'stʃeindʒ] rahanvaihto
monkey ['mʌŋki] apina
month [mʌnθ] kuukausi
monthly season ticket
['mʌnθli si:zn tikit] kuu-
kausilippu
mood [mu:d] mieliala
moon [mu:n] kuu
moonlight ['mu:nlait] kuu-
tamo

moorland ['muələnd] nummi

moose [mu:s] hirvi

moped ['məupəd] mopedi

more [mɔ:] enemmän

more slowly [mɔ: 'sləuli] hitaammin

morel [mɔ'rel] korvasieni

morning ['mɔ:niŋ] aamu

morning-after pill [mɔ:niŋ-'a:ftəpil] jälkiehkäisypilleri

mosque [mosk] moskeija

mosquito [mə'ski:təu] sääski

mosquito net [mə'ski:təu net] hyttysverkko

most [məust] eniten

mostly ['məustli] enimmäkseen

motel [məu'tel] motelli

mother ['mʌðə] äiti

mother-of-pearl [mʌðə(r) əv 'pɜ:l] helmiäinen

motor ['məutə] moottori

motorail service ['məutəreil sɜ:vis] autojuna

motorboat ['məutəbəut] moottorivene

motorcycle ['məutəsaikl] moottoripyörä

motorway ['məutəwei] moottoritie

mouldy ['məuldi] homeinen

mountain ['mauntin] vuori

mountain bike ['mauntin baik] maastopyörä

mountain chain ['mauntin tʃein] vuoristojono

mountaineering [maunti-'niəriŋ] vuorikiipeily

mouse [maus] hiiri

moustache [mə'sta:ʃ] viikset

mouth [mauθ] suu

move [mu:v] liikuttaa; liikkua

movie ['mu:vi] elokuva

Mr ['mistə] herra

Mrs ['misiz] rouva

much [mʌtʃ] paljon

mud [mʌd] muta

mudguard ['mʌdga:d] lokasuoja

mug [mʌg] muki

mule [mju:l] muuli

mulled wine [mʌld 'wain] glögi

murder ['mɜ:də] murha

muscle ['mʌsl] lihas

museum [mju:'ziəm] museo

mushroom ['mʌʃrum] (herkku)sieni

music ['mju:zik] musiikki, soitto

musical ['mju:zikl] musikaali

mussel ['mʌsl] simpukka

must [mʌst] pitää, täytyä

mustard ['mʌstəd] sinappi

mutton ['mʌtn] lampaanliha

mutual ['mju:tʃuəl] yhteinen

my [mai] minun

Nn

nail [neil] ① naula ② kynsi
nail polish ['neil poliʃ] kynsilakka
nail scissors ['neil sizəz] kynsisakset
nail varnish remover ['neil va:niʃ ri'mu:və] kynsilakanpoistoaine
nailbrush ['neilbrʌʃ] kynsiharja
nailfile ['neilfail] kynsiviila
naked ['neikid] alaston
name [neim] nimi
name day ['neim dei] nimipäivä
nanny ['næni] lastenhoitaja
napkin ['næpkin] lautasliina
nappy ['næpi] vaippa
narcotics [na:'kotiks] huumeet
narrow ['nærəu] ahdas, kapea
narrow-minded [nærəu 'maindid] ahdasmielinen
nation ['neiʃn] kansakunta
national day [næʃnəl 'dei] kansallispäivä

national museum [næʃnəl mju:'zi:əm] kansallismuseo
national opera [næʃnəl 'oprə] kansallisooppera
national theatre [næʃnəl 'θiətə] kansallisteatteri
nationality [næʃə'næləti] kansallisuus
natural ['nætʃrəl] luonnollinen
natural phenomenon [nætʃərəl fə'nominən] luonnonilmiö
natural tourism [nætʃərl 'tuərizm] luontomatkailu
nature ['neitʃə] luonto
nature trail ['neitʃə treil] luontomatkailu
naughty ['nɔ:ti] tuhma
nausea ['nɔ:siə] pahoinvointi
near [niə] lähellä
nearest ['niərist] lähin
necessary ['nesəsəri] tarpeellinen
neck [nek] kaula; niska
necklace ['neklis] kaulakoru
need [ni:d] tarvita
needle ['ni:dl] neula

negative ['negətiv] nega-
tiivi
neighbour ['neibə] naapuri
neither ... nor [naiðə nɔ:]
ei...eikä
nephew ['nefju:] veljen-
poika, sisarenpoika
nephritis [ne'fraitis] mu-
nuaistulehdus
nerve [nɜ:v] hermo
nervous ['nɜ:vəs] hermos-
tunut
net trade ['net treid] verk-
kokauppa
nettle ['netl] nokkonen
network service ['netwɜ:k
sɜ:vis] verkkopalvelu
neutral ['nju:trəl] neut-
raali
never ['nevə] ei koskaan
new [nju:] uusi
New Year [nju: 'jiə] uusi-
vuosi
New Year's Eve [nju: jiəz
'i:v] uudenvuodenaatto
new year's resolution [nju:
jiəz rezə'lu:ʃn] uuden-
vuodenlupaus
news [nju:z] uutiset
news agent ['nju:z eidʒənt]
lehtikioski
newspaper ['nju:zpeipə]
sanomalehti
next [nekst] ensi; seuraava
next to ['nekst tə] sivulla,
vieressä
nice [nais] herttainen,
soma, sievä
nickel ['nikl] nikkeli

niece [ni:s] veljentytär, si-
sarentytär
night [nait] ① ilta ② yö
night club ['nait klʌb] yö-
kerho
night duty ['nait dju:ti] yö-
päivystys
night porter ['nait pɔ:tə]
yöportieeri
night-dress ['naitdres] yö-
puku
nightgown ['naitgaun] yö-
paita
nightingale ['naitiŋgeil] sa-
takieli
nightmare ['naitmeə] pai-
najaisuni
nine (9) [nain] yhdeksän
nine hundred (900) [nain
'hʌndrəd] yhdeksänsataa
nine hundredth (900.) [nain
'hʌndrəθ] yhdeksässadas
nineteen (19) [nain'ti:n]
yhdeksäntoista
nineteenth (19.) [nain-
'ti:nθ] yhdeksästoista
ninetieth (90.) ['naintiəθ]
yhdeksäskymmenes
ninety (90) ['nainti] yhdek-
sänkymmentä
ninth (9.) [nainθ] yhdeksäs
no [nəu] ei
no lactose [nəu 'læktəus]
laktoositon
no overtaking [nəu 'əuvə-
teikiŋ] ohitus kielletty
no parking [nəu 'pa:kiŋ]
pysäköinti kielletty

no pedestrians [nəu pə'destriəns] jalankulku kielletty

no waiting [nəu 'weitiŋ] pysähtymiskielto

nobody ['nəubədi] ei kukaan

noise [nɔiz] meteli, melu

noisy ['nɔizi] meluisa

non-alcoholic [nɔnælkə-'hɔlik] alkoholiton

none [nʌn] ei yhtään

non-iron [nɔn 'aiən] itsestäänsiliävä

nonsense ['nɔnsəns] hölynpöly

non-smoking compartment [nɔn'sməukiŋ kəm'pa:t-mənt] tupakoimattomien osasto

noodles ['nu:dls] nuudelit

noon [nu:n] keskipäivä

normal ['nɔ:ml] normaali

north [nɔ:θ] (subst.) pohjoinen

north-east [nɔ:θ 'i:st] koillinen

northern ['nɔ:ðən] (adj.) pohjoinen

Northern lights ['nɔ:ðən laits] revontulet

north-west [nɔ:θ 'west] luode

Norway ['nɔ:wei] Norja

Norwegian [nɔ:'wi:dʒən] norjalainen

nose [nəuz] nenä

nose bleed ['nəuz bli:d] nenäverenvuoto

not [nɔt] ei

not containing grain [nɔt kən'teiniŋ grein] viljaton

note [nəut] seteli

notebook ['nəutbuk] muistikirja

nothing ['nʌθiŋ] ei mitään

nothing to declare [nʌθiŋ tu di'kleə] ei tullattavaa

notice ['nəutis] huomata

nougat ['nu:ga:] nugaa

novel ['nɔvl] romaani

November [nəu'vembə] marraskuu

now [nau] nyt

nowhere ['nəuweə] ei missään

nude beach [nju:d 'bi:tʃ] nudistiranta

number ['nʌmbə] numero; lukumäärä

nurse [nɜ:s̩] sairaanhoitaja

nut [nʌt] pähkinä

nylon ['nailon] nailon

Oo

oak [əuk] tammi
obedient [əu'bi:diənt] tottelevainen
obelisk ['obəlisk] obeliski
obese [əu'bi:s] liikalihava
obey [ə'bei] totella
objection [əb'dʒekʃn] vastaväite
observation [obzə'veiʃn] havainto
observatory [əb'zɜ:vətri] tähtitorni
obsession [əb'seʃn] pakkomielle
occupied ['okjupaid] varattu
ocean ['əuʃn] valtameri
October [ok'təubə] lokakuu
odd [od] kummallinen
of course [əv kɔ:s] tietenkin, tietysti
off season [of si:zn] rauhoitusaika
offals [ofls] sisäelimet
offence [ə'fens] loukkaus
offend [ə'fend] loukata
offer ['ofə] ① tarjous ② tarjota
office ['ofis] toimisto
officer ['ofisə] upseeri
official [ə'fiʃl] ① virallinen ② virkamies

off-licence [of 'laisns] alkoholiliike
often ['ofn] usein
oil [ɔil] öljy
oil change ['ɔil tʃeinʒ] öljynvaihto
ointment ['ɔintmənt] voide
old [əuld] vanha
old town [əuld 'taun] vanha kaupunki
old-fashioned [əuld'fæʃənd] vanhanaikainen
olive ['oliv] oliivi
olive oil ['oliv ɔil] oliiviöljy
on [on] päällä
on foot [on 'fut] jalan
once [wʌns] kerran
one (1) [wʌn] yksi
one-day travelcard [wandei 'trævlka:d] päivälippu
one-way [wʌn 'wei] yksisuuntainen
onion ['ʌniən] sipuli
online booking [onlain 'bukiŋ] internetvaraus
online check-in [onlain 'tʃekin] lähtöselvitys internetissä
online reservation [onlain rezə'veiʃn] internetvaraus

online shopping [onlain 'ʃopiŋ] sähköinen asiointi

only ['əunli] vain

open ['əupən] ① avoin, auki ② avata

open-air museum [əupneə mju:'ziəm] ulkoilmamuseo

open-air theatre [əupneə 'θiətə] ulkoilmateatteri

opening hours ['əupeniŋ auəz] aukioloaika

opera ['oprə] ooppera

operate ['opəreit] leikata (lääket.)

operetta [opə'retə] operetti

opinion [ə'piniən] mielipide

opposite ['opəzit] vastapäätä

optician [op'tiʃn] optikko

or [ɔ:] eli, tai

orange ['orindʒ] ① oranssi ② appelsiini

orange juice ['orindʒ dʒu:s] appelsiinimehu

orangeade ['orindʒeid] appelsiinijuoma

orchestra ['ɔ:kistrə] orkesteri

order ['ɔ:də] tilata

ordinary ['ɔ:dinəri] tavallinen

oregano [ori'ga:nəu] oregano

organ ['ɔ:gən] elin

organic [ɔ:'gænik] luomu

organic food [ɔ:'gænik fu:d] luomuruoka

organization [ɔ:gənai'zeiʃn] järjestö

orienteering [ɔ:riən'tiəriŋ] suunnistus

ostrich ['ostritʃ] strutsi

other ['ʌðə] toinen

otherwise ['ʌðəwaiz] muutoin

otter ['otə] saukko

ought [ɔ:t] pitää

our ['auə] meidän

out [aut] ulos

out of order [aut əv 'o:də] epäkunnossa

outside [aut'said] ulkona

oval ['əuvl] soikea

oven ['ʌvn] uuni

over ['əuvə] ① ohi ② yllä, ylle

overcoat ['əuvəkəut] päällystakki

overstrained ['əuvəstreind] ylirasittunut

owe [əu] olla velkaa

owl [aul] pöllö

own [əun] oma

owner ['əunə] omistaja

oxygen bottle ['oksidʒən botl] happipullo

oyster ['ɔistə] osteri

Pp

pacemaker ['peismeikə] sydämentahdistin
package ['pækidʒ] paketti
package price ['pækidʒ prais] pakettihinta
package tour ['pækidʒ tuə] seuramatka
packed lunch [pækt 'lʌntʃ] (retki)eväät
paddle ['pædl] ① kahlata ② mela
paediatrician [pi:diə'triʃən] lastenlääkäri
page [peidʒ] (kirjan) sivu
pail [peil] sanko
pain [pein] kipu
painkiller ['peinkilə] särkylääke
paint [peint] maalata
painting ['peintiŋ] maalaus
pair [peə] pari
palace ['pælis] palatsi
pale [peil] kalpea
palm [pa:m] kämmen
palm (tree) [pa:m (tri:)] palmu
pan [pæn] paistinpannu
pancake ['pænkeik] pannukakku, ohukainen
panties ['pæntiz] (naisten) alushousut, pikkuhousut

pants [pænts] alushousut
paper ['peipə] paperi
paper back ['peipə bæk] taskukirja
paper handkerchief [peipə 'hæŋkətʃif] paperinenäliina
paprika ['pæprikə] paprika
parachute ['pærəʃu:t] laskuvarjo
parachute jump ['pærəʃu:t dʒʌmp] laskuvarjohyppy
parade [pə'reid] kulkue
paraglider ['pærəglaidə] liitovarjo
paragliding ['pærəglaidiŋ] liitovarjoilu
parallel ['pærəlel] yhdensuuntainen
paralysed ['pærəlaist] halvaantunut
paralysis [pə'rælisis] halvaantuminen
parasol ['pærəsol] päivänvarjo
parents ['peərənts] vanhemmat
parents-in-law ['peərənts in lɔ:] appivanhemmat
parfait [pa:'fei] jäädyke
1 park [pa:k] pysäköidä
2 park [pa:k] puisto

parking allowed ['pa:kiŋ ə'laud] pysäköinti sallittu

parking disc ['pa:kiŋ disk] pysäköintikiekko

parking fee ['pa:kiŋ fi:] parkkimaksu

parking meter ['pa:kiŋ mi:tə] pysäköintimittari

parking place ['pa:kiŋ pleis] parkkipaikka

parlour game ['pa:lə geim] seurapeli

parsley ['pa:sli] persilja

parsnip ['pa:snip] palsternakka

part [pa:t] osa

partially sighted ['pa:ʃəli saitid] heikkonäköinen

parting ['pa:tiŋ] jakaus (hiuksissa)

partridge ['pa:tridʒ] peltopyy

party ['pa:ti] ① kutsut, juhlat ② puolue

pass [pa:s] ohittaa, ajaa ohi

passenger ['pæsindʒə] matkustaja

passenger train ['pæsindʒə trein] henkilöjuna

passport ['pa:spɔ:t] passi

passport control ['pa:spɔ:t kən'trəul] passintarkastus

past [pa:st] menneisyys

pasta ['pæstə] pasta

pastry ['peistri] leivos

path [pa:θ] polku

patient ['peiʃnt] ① kärsivällinen ② potilas

pattern ['pætn] malli

pause [pɔ:z] tauko

pay [pei] ① palkka ② maksaa

pay-as-you-go mobile phone [pei əz jə 'gəu məubail fəun] kännykkä prepaid-liittymällä

payment order ['peimənt ɔ:də] maksuosoitus

pay-tv ['pei ti: vi:] maksutelevisio

pea soup ['pi: su:p] hernekeitto

peace [pi:s] rauha

peach [pi:tʃ] persikka

peacock ['pi:kok] riikinkukko

pear [peə] päärynä

pearl [pɜ:l] helmi

peas [pi:z] herneet

pedal ['pedl] poljin

pedal boat ['pedl bəut] polkuvene

pedal brake ['pedl breik] jalkajarru

pedestrian crossing [pə'destriən krosiŋ] suojatie

pedestrian street [pə'destriən stri:t] kävelykatu

pedicure ['pedikjuə] pedikyyri

pen [pen] (muste)kynä

penalty kick ['penəlti kik] rangaistuspotku

pencil ['pensl] lyijykynä

pencil sharpener ['pensl ʃaːpənə] kynänteroitin
pendant ['pendənt] riipus
people ['piːpl] ihmiset
pepper ['pepə] pippuri
peppered ['pepəd] pippuroitu
per cent [pɜ: 'sent] prosentti
perch [pɜːtʃ] ahven
perfect ['pɜːfekt] täydellinen
performance [pə'fɔːməns] näytäntö
perfume ['pɜːfjuːm] hajuvesi
perhaps [pə'hæps] ehkä
period pains ['piəriəd peinz] kuukautiskivut
permanent ['pɜːmənənt] pysyvä
permission [pə'miʃn] lupa
permitted [pə'mitid] sallittu
person ['pɜːsn] henkilö
personal ['pɜːsənl] henkilökohtainen
personal details [pɜːsənl 'diːteilz] henkilötiedot
Personal Identification Number (PIN) [pɜːsnl aidentifi'keiʃn nʌmbə] tunnusluku
personnel [pɜːsn'el] henkilökunta
person-to-person call ['pɜːsn tə 'pɜːsn kɔːl] henkilöpuhelu

persuade [pə'sweid] taivutella
petal ['petl] terälehti
petrol ['petrəl] bensiini
petrol can ['petrəl kæn] bensiinikanisteri
petrol station ['petrəl steiʃn] bensiiniasema
petrol tank ['petrəl tæŋk] bensatankki
petticoat ['petikəut] alushame
pheasant ['feznt] fasaani
phone [fəun] soittaa puhelimella
photocopy ['fəutəukopi] valokopio
photo(graph) ['fəutə(graːf)] valokuva
photographer's [fə'togrəfəs] valokuvausliike
physical ['fizikl] fyysinen
physical disability [fizikl disə'biliti] liikuntavamma
physically disabled [fizikli dis'eibld] liikuntaesteinen, liikuntarajoitteinen
pick [pik] poimia, valita
pick up [pik 'ʌp] ① noutaa ② poimia
pickled cucumber [pikld 'kjuːkʌmbə] suolakurkku; maustekurkku
pickles ['piklz] pikkelssi
pickpocket ['pikpokit] taskuvaras

pictorial art [pik'tɔ:riəl a:t] maalaustaide

picture ['piktʃə] kuva

pie [pai] piirakka; torttu

piece [pi:s] pala

piece of jewellery [ə pi:s əv 'dʒu:lri] (a piece of jewellery) koru

pig [pig] sika

pigeon ['pidʒin] kyyhky

pike [paik] hauki

pike-perch ['paikpɜ:tʃ] kuha

pill [pil] pilleri

pillow case ['piləu keis] tyynyliina

pimple [pimpl] näppylä

pine [pain] mänty

pineapple ['painæpl] ananas

pink [piŋk] roosa, vaalean-punainen

pint [paint] ① o,57 litran tilavuusmitta ② olut-tuoppi

pipe [paip] ① putki ② piippu

piston ['pistən] mäntä

pity ['piti] sääli

pizza ['pi:tsə] pitsa

place [pleis] paikka

place of pilgrimage [pleis əv 'pilgrimidʒ] pyhiin-vaelluspaikka

plaice [pleis] punakampela

plan [plæn] suunnitelma

planetarium [plæni-'teəriəm] planetaario

plant [pla:nt] istuttaa

plaster ['pla:stə] (lääk.) kipsi

plastic ['plæstik] muovi

plastic bag ['plæstik bæg] muovikassi

plate [pleit] lautanen

platform ['plætfɔ:m] ase-malaituri

platinum ['plætinəm] platina

play [plei] ① näytelmä ② näytellä ③ leikkiä ④ pelata ⑤ soittaa (jtk instrumenttia)

playground ['pleigraund] leikkipuisto

playing card ['pleiiŋ ka:d] pelikortti

plead [pli:d] anoa

pleasant ['plezənt] miellyt-tävä

please! [pli:z] olkaa hyvä! ole kiltti!

please [pli:z] miellyttää

pleasure ['pleʒə] mielihyvä

plenty ['plenti] runsaasti

plug [plʌg] pistoke

plum [plʌm] luumu

pneumonia [nju:'məuniə] keuhkokuume

pocket ['pokit] tasku

pocket-calculator [pokit 'kælkjuleitə] taskulaskin

pocket-knife ['pokit naif] taskuveitsi

poem ['pəuim] runo

point [pɔint] piste

poisoning ['pɔizniŋ] myr-kytys

poisonous ['pɔizənəs] myr-kyllinen

poker ['pəukə] pokeri

Poland ['pəulənd] Puola

police [pə'li:s] poliisi

police station [pə'li:s steiʃn] poliisilaitos

policeman [pə'li:smən] po-liisimies

polish ['poliʃ] kiillottaa

Polish ['pəuliʃ] puolalainen

polite [pə'lait] kohtelias

politics ['politiks] poli-tiikka

pollen allergy ['polən ælədʒi] siitepölyallergia

pollute [pə'lu:t] saastuttaa

pollution [pə'lu:ʃn] saastu-minen

polo ['pəuləu] poolo

polo-neck ['pəuləunek] poolo-kaulus

pond [pond] lampi

pool [pu:l] allas

poor [puə] köyhä

pope [pəup] paavi

poppy ['popi] unikko

popular ['popjulər] suosittu

porcelain ['pɔ:səlin] pos-liini

pork [pɔ:k] sianliha

pork chop [pɔ:k 'tʃop] por-saankyljys

porridge ['poridʒ] puuro

1 port [pɔ:t] satama(kau-punki)

2 port [pɔ:t] portviini

portable ['pɔ:təbl] kannet-tava

portable radio [pɔ:təbl 'reidiəu] matkaradio

portal ['pɔ:tl] portaali

porter ['pɔ:tə] ① kantaja ② portieeri, porttivahti

portion ['pɔ:ʃn] annos

portion of ice-cream [pɔ:ʃn əv ais'kri:m] jäätelö-annos

portrait ['pɔ:trit] muoto-kuva

Portugal ['pɔ:tʃəgəl] Portu-gali

Portuguese [pɔ:tʃu'gi:z] portugalilainen

possibility [posə'biliti] mahdollisuus

possible ['posbl] mahdol-linen

possibly ['posəbli] mahdol-lisesti

post office ['pəust ofis] pos-titoimisto

postage ['pəustidʒ] posti-maksu

postal order [pəustl 'ɔ:də] postiosoitus

postcard ['pəustka:d] pos-tikortti

poste restante [pəust 'resta:nt] poste restante

poster ['pəustə] juliste

postman ['pəustmən] pos-tinkantaja

pot [pot] pata

potato [pə'teitəu] peruna

pottery ['potəri] savitavara

potty ['poti] potta

poultry ['pəultri] siipikarja

pound [paund] punta
pour [pɔ:] kaataa
poverty ['povəti] köyhyys
powder ['paudə] puuteri
practice ['præktis] käytäntö
practise ['præktis] harjoitella
praise [preiz] ylistää
pram [præm] lastenvaunut
prawn tails [prɔ:n 'teilz] meriravunpyrstöt
pray [prei] rukoilla
prayer [preə] rukous
precede [pri'si:d] edeltää
precious ['preʃəs] kallisarvoinen
prefer [pri'fɜ:] pitää parempana
pregnant ['pregnənt] raskaana oleva
prehistorical [pri:hi'storikl] esihistoriallinen
prehistory [pri:'histəri] esihistoria
prejudice ['predʒudis] ennakkoluulo
premature ['premətʃə] ennenaikainen
première ['premieə] ensiilta
prepare [pri'peə] valmistaa
prescription [pri'skripʃn] resepti, lääkemäärys
preselecting the line [pri:si'lektiŋ ðə lain] ryhmitys (liikenteessä)

presence ['prezens] läsnäolo
present ['preznt] ① nykyinen ② läsnäoleva
presentation esitelmä [prezən'teiʃn]
preserve [pri'zɜ:v] säilyttää
president ['prezidənt] presidentti
press [pres] silittää; prässätä
pressure ['preʃə] paine
presume [pri'zju:m] olettaa
pretend [pri'tend] teeskennellä
pretty ['priti] sievä
prevent [pri'vent] estää; ehkäistä
previous ['pri:viəs] edellinen
price [prais] hinta
priest [pri:st] pappi
prince [prins] prinssi
princess [prin'ses] prinsessa
print [print] tulostaa
prison ['prizn] vankila
private ['praivit] yksityinen
private accommodation [praivit əkomə'deiʃn] yksityismajoitus
prize [praiz] palkinto
probably ['probəbli] todennäköisesti
problem ['probləm] ongelma

procure [prə'kjuə] hankkia

product ['prodʌkt] tuote

profession [prə'feʃn] ammatti

professional [prə'feʃənəl] ammattilainen

profit ['profit] hyöty; ansio

programme ['prəugræm] ohjelma

progress ['prəugres] edistys

prohibit [prə'hibit] kieltää

promise ['promis] ① luvata ② lupaus

pronounce [prə'nauns] ääntää

pronunciation [prənʌnsi'eiʃn] ääntäminen

proof [pru:f] todiste

property ['propəti] omaisuus

propose [prə'pəus] ehdottaa

prostitute ['prostitju:t] prostituoitu

protect [prə'tekt] suojella

protecting clothes [prə'tektiŋ kləuðz] suojapuku

protective factor [prə'tektiv fæktə] suojakerroin

protective helmet [prə'tektiv helmit] suojakypärä

protestant ['protistənt] protestantti

proud [praud] ylpeä

provided [prə'vaidid] edellyttäen

ptarmigan [ta:migən] riekko

pub [pʌb] pubi, kapakka

public ['pʌblik] julkinen, yleinen

public swimming pool [pʌblik 'swimiŋ pu:l] uimahalli

public telephone ['pʌblik 'telifəun] yleisöpuhelin

publish ['pʌbliʃ] julkaista

pudding ['pudiŋ] vanukas

pull [pul] vetää

pullet [pulit] kananpoika

pulpit ['pulpit] saarnatuoli

pulsating [pʌl'seitiŋ] sykkivä

pulse [pʌls] pulssi

pump [pʌmp] pumppu

punish ['pʌniʃ] rangaista

punishment ['pʌniʃmənt] rangaistus

purée ['pjuərei] sose

purpose ['pɜ:pəs] tarkoitus

purse [pɜ:s] kukkaro

pus [pʌs] mätä

push [puʃ] työntää; sysätä

put [put] panna

pyjamas [pə'ʤa:məs] pyjama, yöpuku

Qq

quality ['kwoliti] laatu
quality product ['kwoliti prodʌkt] laatutuote
quantity ['kwontiti] määrä
quarrel ['kworəl] riita
quarter ['kwɔ:tə] neljännes
quay [ki:] laituri
queen [kwi:n] kuningatar
question ['kwestʃən] kysymys

queue [kju:] jono
queue number [kju: 'nʌmbə] jonotusnumero
quick [kwik] nopea
quick getaway [kwik 'getəwei] äkkilähtö
quicker ['kwikə] nopeammin
quiet ['kwaiət] hiljainen
quilt [kwilt] peite; täkki

Rr

rabbit ['ræbit] kaniini
race [reis] kilpajuoksu
race course ['reis kɔ:s] ravirata
rack [ræk] naulakko
radar speed check [reida: 'spi:d tʃek] tutkavalvonta
radiator ['reidieitə] ① patteri ② (auton) jäähdytin
radio ['reidiəu] radio
radish ['rædiʃ] retiisi
rag [ræg] riepu
railway ['reilwei] rautatie
railway station ['reilwei steiʃn] rautatieasema

rain [rein] ① sade ② sataa vettä
raincoat ['reinkəut] sadetakki
raise [reiz] kohottaa
raisin ['reizn] rusina
rape [reip] raiskata; raiskaus
1 rare [reə] harvinainen
2 rare [reə] raaka
rash [ræʃ] ihottuma
raspberry ['ra:zbəri] vadelma
rate [reit] taksa
rather ['ra:ðə] jokseenkin

raw [rɔ:] raaka

raw food [rɔ: 'fu:d] raaka-ravinto

rawpickled ['rɔ:pikld] graavi

razor ['reizə] partaveitsi

razor blade ['reizə bleid] partaterä

reach [ri:tʃ] yltää; tavoittaa

read [ri:d] lukea

reading lamp ['ri:diŋ læmp] lukulamppu

ready ['redi] valmis

real ale [riəl 'eil] vähähiilihappoinen olut

realise ['ri:əlaiz] tajuta

reality [ri'æliti] todellisuus

really ['riəli] todella

reason ['ri:zn] syy

reasonable ['ri:zənəbəl] järkevä

receipt [ri'si:t] kuitti

receive [ri'si:v] vastaanottaa

receiver [ri'si:və] vastaanottaja

recently ['ri:səntli] äskettäin

receptionist [ri'sepʃənist] vastaanottoapulainen

recipe ['resipi] (ruoka)resepti

recognize ['rekəgnaiz] tunnistaa

recommend [rekə'mend] suositella

recommendation [rekəmen'deiʃn] suositus

reconstruct [ri:kən'strʌkt] saattaa ennalleen; entistää

record ['rekɔ:d] äänilevy

recover [ri'kʌvə] toipua, elpyä

recovery [ri'kʌvəri] elpyminen

rectangular [rek'tæŋgjulə] suorakulmainen

red [red] punainen

red cabbage [red 'kæbidʒ] punakaali

red currant [red 'kʌrənt] punaviinimarja

red onion [red 'ʌnjən] punasipuli

red wine [red 'wain] punaviini

reduced-fare ticket [ri'dju:st feə 'tikit] alennuslippu

reduction [ri'dʌkʃn] vähennys

refer to [ri'fɔ: tə] viitata jhk

refill ['ri:fil] ① täyttöpullo, -pakkaus ② toinen lasillinen

refined [ri'faind] huoliteltu

reflect [ri'flekt] heijastaa

reflector [ri'flektə] heijastin

refreshment [ri'freʃmənt] virkistys

refrigerator [ri'fridʒəreitə] jääkaappi

refugee [refju'dʒi:] pakolainen

refuse [ri'fju:z] kieltää; kieltäytyä

regard [ri'ga:d] tarkastella

regatta [ri'gætə] regatta

registered mail ['redʒistə:d meil] kirjattu (kirje)

registration [redʒi'streiʃn] ilmoittautuminen

registration card [redʒi'streiʃn ka:d] rekisteriote

registration form [redʒi'streiʃn fɔ:m] saapumiskaavake

registration number [redʒi'streiʃn nʌmbə] rekisterinumero

registration plate [redʒi'streiʃn pleit] rekisterikilpi

regret [ri'gret] katua

regular ['regjulə] säännöllinen

reindeer ['reindiə] poro

relation [ri'leiʃn] suhde

relationship [ri'leiʃnʃip] suhde, tuttavuus

relative ['relətiv] sukulainen

relax [ri'læks] rentoutua

reliable [ri'laiəbl] luotettava

religion [ri'lidʒən] uskonto

relocation [ri:ləu'keiʃn] muutto

remaining [ri'meiniŋ] jäljellä oleva

remains [ri'meinz] rauniot

remark [ri'ma:k] huomautus

remember [ri'membə] muistaa

remind [ri'maind] muistuttaa

removal [ri'mu:vl] ① poistaminen ② muutto

remove [ri'mu:v] poistaa

renew [ri'nju:] uudistaa

rent [rent] vuokrata

repair [ri'peə] korjata

repair shop [ri'peə ʃop] korjaamo

repeat [ri'pi:t] toistaa

repent [ri'pent] katua

replace [ri'pleis] korvata

report [ri'pɔ:t] ① raportoida ② tiedotus

represent [repri'zent] edustaa

representative [repri'zentətiv] edustaja

republic [ri'pʌblik] tasavalta

repulsive [ri'pʌlsiv] inhottava

reputation [repju'teiʃn] maine

request [ri'kwest] pyytää

reservation [rezə'veiʃn] varaus

reservation number [rezə'veiʃn nʌmbə] varausnumero

reserve [ri'zɜ:v] varata

reside [ri'zaid] asua

residence permit ['rezidens pə'mit] oleskelulupa

resort village [ri'zɔ:t vilidʒ] lomakylä

respect [ri'spekt] kunnioitus

responsible [ri'sponsəbl] vastuullinen

rest [rest] ① levätä ② lepo

restaurant ['restəront] ravintola

restaurant car ['restəront ka:] ravintolavaunu

restaurant with dancing [restəront wið 'da:nsiŋ] tanssiravintola

restless ['restləs] levoton

restore [ri'stɔ:] entistää

restrict [ri'strikt] rajoittaa

restricted parking [ri'striktid pa:kiŋ] pysäköintirajoitus

result [ri'zʌlt] tulos

retain [ri'tein] säilyttää

retired [ri'taiəd] eläkkeellä oleva

return [ri'tɜ:n] ① palauttaa; palata ② paluu

return ticket [ri'tɜ:n tikit] meno-paluulippu; paluulippu

reverse peruuttaa (auto) [ri'vɜ:s]

reverse charge call [ri'vɜ:s tʃa:dʒ kɔ:l] vastapuhelu

reversing lights [ri'vɜ:siŋ laits] peruutusvalot

revue [ri'vju:] revyy

reward [ri'wɔ:d] palkkio, löytöpalkkio

rheumatism ['ru:mətizəm] reumatismi

rheumatoid arthritis [ru:mətɔid a:'θraitis] reuma

rhubarb ['ru:ba:b] raparperi

rib [rib] kylkiluu

rice [rais] riisi

rice pudding [rais 'pudiŋ] riisivanukas

rich [ritʃ] rikas

riddle ['ridl] arvoitus

ride [raid] ① kyyti ② ratsastaa

riding ['raidiŋ] ratsastus

riding camp ['raidiŋ kæmp] ratsastusleiri

riding course ['raidiŋ kɔ:s] ratsastusrata

riding lesson ['raidiŋ lesn] ratsastustunti

right [rait] oikea; oikein

right-hand ['rait hænd] oikeanpuoleinen

ring [riŋ] ① sormus ② rengas

ringed snake ['riŋd sneik] rantakäärme

ripe [raip] kypsä

risk [risk] riski

river ['rivə] joki

river boat ['rivə bəut] jokilaiva

riverside ['rivəsaid] joenvarsi

roach [rəutʃ] särki

road [rəud] katu; tie

road conditions [rəud kən'diʃns] keli

road map ['rəud mæp]
maantiekartta

road works ['rəud wɜːks]
tietyö

roast beef [rəust 'biːf]
paahtopaisti

roasted ['rəustid] paistettu

rob [rob] ryöstää

robbery ['robəri] ryöstö

rock [rok] kallio

rock climbing ['rok klaimiŋ]
vuorikiipeily

roe [rəu] mäti

roll [rəul] kääryle; sämpylä

rollator ['rəuleitə] rollaattori

roller skate ['rəulə skeit]
① rullaluistin ② rullaluistella

roof [ruːf] katto

roof rack [ruːf ræk] tavarateline (auton katolla)

room [ruːm] ① huone
② tila

room reservation [ruːm
rezə'veiʃn] huonevaraus

room service ['ruːm sɜːvis]
huonepalvelu

root [ruːt] juuri

rope [rəup] köysi

rosary ['rəuzəri] rukousnauha

rose [rəuz] ruusu

rosé ['rɔzei] roseeviini

rose hip ['rəuz hip] ruusunmarja

rosé pepper [rəuzei 'pepə]
rosépippuri

rosemary ['rəuzməri] rosmariini

rotten ['rotn] mädäntynyt

rough sea [rʌf 'siː] kova
merenkäynti

roulette [ruː'let] ruletti

round [raund] pyöreä

roundabout ['raundəbaut]
liikenneympyrä

route [ruːt] reitti, matkareitti

1 row [rəu] soutaa

2 row [rəu] rivi

rowanberry ['rəuənberi]
pihlajanmarja

rowing boat ['rəuiŋ bəut]
soutuvene

rub [rʌb] hieroa

rubber ['rʌbə] (pyyhe)kumi

rubber boots ['rʌbə buːts]
kumisaappaat

rucksack ['rʌksæk] reppu

rudder ['rʌdə] peräsin

ruin ['ruːin] raunio

rule [ruːl] sääntö

ruler ['ruːlə] viivoitin

rum [rʌm] rommi

rumour ['ruːmə] huhu

rump steak ['rʌmp steik]
reisipaisti

run [rʌn] juosta

rupture ['rʌptʃə] revähtymä

rural ['ruərəl] maalais-

Russia ['rʌʃə] Venäjä

Russian ['rʌʃən] venäläinen

rust [rʌst] ruoste

rut [rʌt] ura, uurre

rye bread ['rai bred] ruisleipä

Ss

sad [sæd] surullinen
saddle ['sædl] satula
safari park [sə'fa:ri pa:k] eläinpuisto
safe [seif] ① kassakaappi ② turvallinen
safe-deposit box [seif di'pozit boks] tallelokero
safety ['seifti] turvallisuus
safety belt ['seifti belt] turvavyö
safety instructions [seifti in'strʌkʃns] turvaohjeet
safety pin ['seifti pin] hakaneula
saffron ['sæfrən] sahrami
sage [seidʒ] salvia
sail [seil] purjehtia
sailing-boat ['seiliŋ bəut] purjevene
sailor ['seilə] merimies
saint [seint] pyhimys
salad ['sæləd] salaatti
salad dressing [sæləd 'dresiŋ] salaatinkastike
salami [sə'la:mi] salamimakkara
salary ['sæləri] palkka
sale [seil] alennusmyynti
sale of tickets [seil əv 'tikits] lipunmyynti

sales tax ['seils tæks] liikevaihtovero
salesman ['seilzmən] myyjä
salmon ['sæmən] lohi
salt [sɔ:lt] suola
same [seim] sama
sanctuary ['sæŋktʃuəri] pyhättö
sand [sænd] hiekka
sandals ['sændls] sandaalit
sandpit ['sændpit] hiekkalaatikko
sandwich ['sændwidʒ] voileipä
sandy ['sændi] hiekkainen
sanitary towel ['sænitəri tauəl] terveysside
sarcophagus [sa:'kofəgəs] sarkofagi
sardine [sa:'di:n] sardiini
satin ['sætin] satiini
satisfied ['sætisfaid] tyytyväinen
Saturday ['sætədei] lauantai
sauce [sɔ:s] kastike
saucer ['sɔ:sə] teelautanen
sauerkraut ['sauəkraut] hapankaali
sauna ['sɔ:nə] sauna
sausage ['sosidʒ] makkara

sauté ['səutei] höystö
save [seiv] ① säästää ② pelastaa
saw [sɔ:] saha
say [sei] sanoa
say again [sei əgen] toistaa
scar [ska:] arpi
scarf [ska:f] kaulaliina
schedule ['ʃedju:l] aikataulu
scheduled flight ['ʃedju:ld flait] reittilento
schnapps [ʃnæps] ruokaryyppy, snapsi
school [sku:l] koulu
sciatica [sai'ætikə] iskias
science ['saiəns] tiede
scissors ['sizəz] sakset
scold [skəuld] torua
scooter ['sku:tə] skootteri
Scotland ['skotlənd] Skotlanti
Scottish ['skotiʃ] skotlantilainen
scrambled eggs [skræmbld 'egs] munakokkeli
screw [skru:] ruuvi
screwdriver ['skru:draivə] ruuvitaltta
sculptor ['sklʌptə] kuvanveistäjä
sculpture ['sklʌptʃə] kuvanveisto
sea [si:] meri
sea side ['si: said] meren ranta
search [sɜ:tʃ] etsiä
search engine ['sɜ:tʃ endʒin] hakukone

seaside hotel [si:said həu'tel] rantahotelli
season ['si:zn] ① vuodenaika ② sesonki
season ticket ['si:zn tikit] kausilippu
seasonal price ['si:zənl prais] sesonkihinta
seat ticket ['si:t tikit] paikkalippu
1 second ['sekənd] sekunti
2 second (2.) ['sekənd] toinen
second class ['sekənd kla:s] toinen luokka (esim. junassa)
second-hand ['sekənd hænd] käytetty
secret ['si:krət] salaisuus
securing rope [si'kjuəriŋ rəup] turvaköysi
security check [si'kjuəriti tʃek] turvatarkastus
seduce [si'dju:s] vietellä
see [si:] nähdä
see ... home [si: 'həum] saattaa (joku)
see ... off [si: 'of] saattaa
seldom ['seldəm] harvoin
self service [self 'sɜ:vis] itsepalvelu
self-service check-in [self-sɜ:vis 'tʃekin] lähtöselvitys automaatilla
self-timer [self 'taimə] itselaukaisin
sell [sel] myydä
send [send] lähettää
sender ['sendə] lähettäjä

sensitive ['sensitiv] herkkä

sentence ['sentəns] tuomio

separate ['sepərit] erillinen

September [sep'tembə] syyskuu

serial ticket ['siəriəl tikit] sarjalippu

serious ['siəriəs] vakava

serve [sɜ:v] tarjoilla

service ['sɜ:vis] palvelu

service station ['sɜ:vis steiʃn] huoltoasema

seven (7) ['sevn] seitsemän

seven hundred (700) [sevn 'hʌndrəd] seitsemänsataa

seven hundredth (700.) [sevn 'hʌndrəθ] seitsemässadas

seventeen (17) [sevn'ti:n] seitsemäntoista

seventeenth (17.) [sevn-'ti:nθ] seitsemästoista

seventh (7.) ['sevnθ] seitsemäs

seventieth (70.) ['sevntiəθ] seitsemäskymmenes

seventy (70) ['sevnti] seitsemänkymmentä

several ['sevrəl] useat

sew [səu] ommella

sex shop ['seks ʃop] seksikauppa

sexually transmitted disease [seksjuəli trænz-'mitid di'zi:z] sukupuolitauti

shade [ʃeid] varjo

shadow ['ʃædəu] varjo

shake [ʃeik] ravistaa

shampoo [ʃæm'pu:] hiustenpesuaine

shandy ['ʃændi] olut-ja sitruunajuoma

shape [ʃeip] muoto

share [ʃeə] jakaa

shark [ʃa:k] hai

sharp [ʃa:p] terävä

shave [ʃeiv] ① ajaa parta ② parranajo

shaver ['ʃeivə] parranajokone

shaving cream ['ʃeiviŋ kri:m] partavaahto

shawl [ʃɔ:l] hartiahuivi

she [ʃi:] (naisesta) hän

sheet [ʃi:t] lakana

shellfish ['ʃelfiʃ] äyriäinen

shelter ['ʃeltə] suoja

shepherd's pie ['ʃepədz pai] liha-perunasoselaatikko

sherry ['ʃeri] sherry

shine [ʃain] hohtaa, paistaa

ship [ʃip] laiva

shirt [ʃɜ:t] paita

shock [ʃok] järkytys, sokki

shock absorber [ʃok əb'sɔ:bə] iskunvaimennin

shoe [ʃu:] kenkä

shoe polish ['ʃu: poliʃ] kenkävoide

shoe shop ['ʃu: ʃop] kenkäkauppa

shoecream ['ʃu:kri:m] kengänkiilloke

shoelace ['ʃuːleis] kengännauha

shoemaker ['ʃuːmeikə] suutari

shoot [ʃuːt] ampua

shop [ʃop] kauppa, myymälä

shop assistant [ʃop ə'sistnt] myyjä

shopping centre ['ʃopiŋ sentə] kauppakeskus

short [ʃɔːt] lyhyt

short circuit [ʃɔːt 'sɜːkit] oikosulku

short cut [ʃɔːt kʌt] oikotie

shorten ['ʃɔːtn] lyhentää

shorts [ʃɔːts] sortsit

shoulder ['ʃəuldə] hartia, olkapää

shoulder bag ['ʃəuldə bæg] olkalaukku

shout [ʃaut] huutaa

shovel ['ʃʌvl] lapio

show [ʃəu] näyttää (jotakin), osoittaa

shower ['ʃauə] ① suihku ② sadekuuro

shower seat ['ʃauə siːt] suihkutuoli

shrewd [ʃruːd] ovela

shrimp [ʃrimp] katkarapu

shrink [ʃriŋk] kutistua

shrovetide ['ʃrəuvtaid] laskiainen

shut [ʃʌt] ① sulkea ② kiinni, suljettu

shutter ['ʃʌtə] laukaisin

shutters ['ʃʌtəs] ikkunaluukku

shy [ʃai] ujo

side street ['said striːt] sivukatu

side whiskers ['said wiskəːz] poskiparta

sidewalk ['saidwɔːk] jalkakäytävä

sight [sait] nähtävyys

sights [saits] nähtävyydet

sightseeing tour ['saitsiːiŋ tuə] kiertoajelu

sign [sain] ① kyltti ② allekirjoittaa

sign language ['sain læŋgwidʒ] viittomakieli

signal ['signəl] äänimerkki (esim. auton)

signature ['signətʃə] allekirjoitus

silence ['sailəns] hiljaisuus

silent ['sailənt] hiljainen

silk [silk] silkki

silver ['silvə] ① hopea ② hopeinen ③ hopeanvärinen

silver-coloured [silvə 'kʌləd] hopeanvärinen

silver-plated [silvə 'pleitid] hopeoitu

simple ['simpl] yksinkertainen

sin [sin] synti

since [sins] siitä lähtien

sincere [sin'siə] vilpitön

sing [siŋ] laulaa

single ['siŋgl] naimaton

single room [siŋgl 'ruːm] yhden hengen huone

single ticket [siŋgl 'tikit] menolippu

single trip [siŋgl 'trip] menomatka

singles ['siŋglz] kaksinpeli

sinusitis [sainə'saitis] sivuontelontulehdus

sister ['sistə] sisar

sit [sit] istua

sit down ['sit daun] istuutua

situation [sitʃu'eiʃn] tilanne

six (6) [siks] kuusi

six hundred (600) [siks 'hʌndrəd] kuusisataa

six hundredth (600.) [siks 'hʌndrəθ] kuudessadas

sixteen (16) [sik'sti:n] kuusitoista

sixteenth (16.) [siks'ti:nθ] kuudestoista

sixth (6.) [siksθ] kuudes

sixtieth (60.) ['sikstiəθ] kuudeskymmenes

sixty (60) ['siksti] kuusikymmentä

size [saiz] koko; vaatekoko

size of shoes [saiz əv 'ʃu:s] kengännumero

skate [skeit] luistella

skateboard ['skeitbɔ:d] ① rullalauta ② rullalautailla

skates [skeits] luistimet

skating rink ['skeitiŋ riŋk] luistinrata

ski [ski:] hiihtää

ski boots ['ski: bu:ts] monot

ski goggles ['ski: goglz] hiihtolasit

ski instructor ['ski: in'strʌktə] hiihdonopettaja

ski resort [ski: ri'zɔ:t] hiihtokeskus

ski wax ['ski: wæks] suksivoide

skiing ['ski:iŋ] hiihtäminen

skiing equipment [ski:iŋ i'kwipmənt] hiihtovarusteet

ski-lift ['ski: lift] hiihtohissi

skill [skil] taito

skilled [skild] taitava

skillful ['skilfl] taitava

skimmed milk [skimd 'milk] rasvaton maito

skin [skin] iho

skirt [skɜ:t] hame

skis [ski:s] sukset

sky [skai] taivas

sledge [sledʒ] reki

sleep [sli:p] nukkua

sleeping bag ['sli:piŋ bæg] makuupussi

sleeping car ['sli:piŋ ka:] makuuvaunu

sleeping pill ['sli:piŋ pil] unitabletti

sleet [sli:t] räntä

sleeve [sli:v] hiha

slide [slaid] diakuva

slim [slim] hoikka

slip [slip] liukastua

slippers ['slipə:s] tohvelit

slippery ['slipəri] liukas

sloping ['sləupiŋ] loiva

slow [sləu] hidas

slow down [sləu 'daun] hidastaa

slush [slʌʃ] loska

small [smɔ:l] pieni

small change [smɔ:l 'tʃeindʒ] pikkuraha

small town ['smɔ:l taun] pikkukaupunki

smaller ['smɔ:lə] pienempi

smallpox ['smɔ:lpoks] isorokko

smell [smel] ① haju ② haista; haistaa

smile [smail] hymyillä

smoke [sməuk] tupakoida

smoked [sməukt] savustettu

smokers ['sməukə:s] tupakkavaunu

smoking compartment [sməukiŋ kəm'pa:tmənt] tupakoivien osasto

smooth [smu:ð] sileä

smuggle ['smʌgl] salakuljettaa

snack [snæk] välipala

snail [sneil] etana

snake [sneik] käärme

snake bite ['sneik bait] käärmeen purema

sneakers ['sni:kə:z] lenkkitossut

sneeze [sni:z] aivastaa

snore [snɔ:] kuorsata

snorkel ['snɔ:kl] snorkkeli

snow [snəu] ① sataa lunta ② lumi

snowboard ['snəubɔ:d] ① lumilauta ② lumilautailla

snowfall ['snəufɔ:l] lumisade

so [səu] niin

soap [səup] saippua

soap powder ['səup paudə] pesujauhe

sober ['səubə] raitis

socialism ['səuʃəlizəm] sosialismi

sock [sok] sukka

socket ['sokit] pistorasia

soda water ['səudə wɔ:tə] soodavesi

soft [soft] pehmeä

soft cheese ['soft tʃi:z] sulatejuusto

soft drink ['soft driŋk] virvoitusjuoma

softboiled egg [softbɔild 'eg] pehmeäksi keitetty kananmuna

solarium [sə'leəriəm] solarium

sold out [səuld 'aut] loppuunmyyty

soldier ['səuldʒə] sotilas

sole [səul] meriantura

solid ['solid] kiinteä

somebody ['sʌmbədi] joku

someone ['sʌmwʌn] joku

sometimes ['sʌmtaimz] joskus

somewhere ['sʌmweə] jo-
honkin
son [sʌn] poika (jonkun)
song [sɒŋ] laulu
soon [su:n] pian
soprano [sə'pra:nəu] sop-
raano
sore throat [sɔ: 'θrəut] ki-
peä kurkku, kurkkukipu
sorry! ['sɒri] anteeksi!
sort [sɔ:t] laji
soufflé ['su:flei] kohokas
soul [səul] sielu
sound [saund] ääni
soup [su:p] keitto
sour ['sauə] hapan
south [sauθ] etelä
south-east [sauθ 'i:st]
kaakko
southern ['sʌðən] eteläinen
south-west [sauθ 'west]
lounas
souvenir [su:və'niə] mat-
kamuisto
soy sauce ['sɔi sɔ:s] soija-
kastike
spa [spa:] kylpylä
space [speis] ① tila ② ava-
ruus
spade ['waiələs] lapio
spaghetti [spə'geti] spa-
getti
Spain [spein] Espanja
Spanish ['spæniʃ] espanja-
lainen
spare part [speə 'pa:t] vara-
osa
spare wheel [speə 'wi:l] va-
rarengas

spark plug [spa:k 'plʌg] sy-
tytystulppa
sparkling wine [spa:kliŋ
'wain] kuohuviini
speak [spi:k] puhua
specialist ['speʃəlist] eri-
koislääkäri
speciality [speʃi'æləti] eri-
koisala
spectacles ['spektəklz] sil-
mälasit
spectator [spek'teitə] kat-
selija
speech [spi:tʃ] puhe
speed [spi:d] ① nopeus
② ajaa ylinopeutta
speeding ['spi:diŋ] yli-
nopeus
speedometer [spi:'domitə]
nopeusmittari
spend [spend] kuluttaa;
viettää
spice [spais] mauste
spiced [spaist] maustettu
spicy ['spaisi] mausteinen
spider ['spaidə] hämä-
häkki
spider web ['spaidə web]
hämähäkinverkko
spinach ['spinitʃ] pinaatti
spine [spain] selkäranka
spirits ['spirits] viina
splash [splæʃ] roiskua,
roiskuttaa
splendid ['splendid] lois-
tava
splint [splint] lasta
spoil [spɔil] hemmotella;
pilata

sponge [spʌndʒ] pesusieni

spoon [spu:n] lusikka

sport [spɔ:t] urheilu

sports field ['spɔ:ts fi:ld] urheilukenttä

sports shop ['spɔ:ts ʃop] urheiluliike

sportscar ['spɔ:tska:] urheiluauto

sportswear ['spɔ:tsweə] urheiluasu

spot [spot] ① kohta ② tahra

spouse [spauz] puoliso

sprain [sprein] nyrjähdys

spring [spriŋ] ① kevät ② jousi; vieteri ③ lähde

spritzer ['spritsə] valkoviini ja soodavesi

sprouts [sprauts] idut

spruce [spru:s] kuusi

square [skweə] ① nelikulmainen ② tori, aukio

squash [skwoʃ] squash

squeeze [skwi:z] puristaa

stabbing [stæbiŋ] viiltävä (kipu)

stadium ['steidiəm] stadion

staff [sta:f] henkilökunta

stain [stein] tahra

stain remover [stein ri'mu:və] tahranpoistoaine

stainless steel ['steinles sti:l] ruostumaton teräs

staircase ['steəkeis] rappukäytävä

stairs [steəz] portaat

stalactite cave ['stæləkteit keiv] tippukiviluola

stalls [stɔ:ls] permanto

stamp [stæmp] postimerkki

stamping machine [stæmpiŋ mə'ʃi:n] leimauslaite

standard of living [stændəd əv 'liviŋ] elintaso

standard price [stændəd 'prais] normaalihinta

standing place [stændiŋ pleis] seisomapaikka

star [sta:] tähti

start [sta:t] käynnistää

state [steit] valtio

station ['steiʃn] (rautatie)asema

stationer's ['steiʃnəz] paperikauppa

stationery ['steiʃənəri] paperitarvikkeet

statue ['stætʃu:] patsas

stay [stei] ① oleskelu, vierailu ② jäädä, pysyä, viipyä

stay overnight [stei əuvə'nait] yöpyä, jäädä yöksi

STD [es ti: 'di:] sukupuolitauti

steak [steik] pihvi

steak Tartare [steik ta:'ta:] tartaripihvi, raakalihapihvi

steal [sti:l] varastaa

steam [sti:m] höyry

steamed [sti:md] höyrytetty

steep [sti:p] jyrkkä
steeple ['sti:pl] kirkon-
torni
steer [stiə] ohjata (autoa)
steering wheel ['stiəriŋ
wi:l] ohjauspyörä
step [step] askel
stepbrother ['stepbrʌðə]
velipuoli
stepchild ['steptʃaild] lapsi-
puoli
stepfather ['stepfa:ðə] isä-
puoli
stepless access [steplis
'ækses] portaaton sisään-
käynti
stepmother ['stepmʌðə] äi-
tipuoli
stepsister ['stepsistə] sisar-
puoli
stew [stju:] muhennos
steward ['stju:əd] stuertti
sticking plaster ['stikiŋ
pla:stə] haavalaastari
sticks [stiks] (suksi)sauvat
stiff [stif] jäykkä
sting [stiŋ] pistää
stink [stiŋk] löyhkätä
stitch [stitʃ] tikki
stock [stok] varasto
stock exchange [stok
ik'stʃeindʒ] pörssi
Stockholm ['stokhəum]
Tukholma
stocking ['stokiŋ] (pitkä
nylon)sukka
stomach ['stʌmək] vatsa
stomach ache ['stʌmək eik]
vatsakipu

stone [stəun] kivi
stone age ['stəun eidʒ] kivi-
kausi
stools sample ['stu:ls
sæmpl ulostenäyte
stop [stop] ① pysäyttää;
pysähtyä ② pysäkki; py-
sähdys; välilasku ③ (huu-
dahduksena) seis!
stopover ['stopəuvə] väli-
laskupaikka
stopping-place ['stopiŋ
pleis] pysähdyspaikka
storey ['stɔ:ri] kerros
storm [stɔ:m] myrsky
story ['stɔ:ri] kertomus
stout [staut] tumma olut
stove [stəuv] liesi
straight [streit] suora
straight ahead [strait
ə'hed] suoraan
straight on [streit 'on] suo-
raan
strain [strein] venähdys
strand [strænd] ranta
strange [streindʒ] ① omi-
tuinen ② vieras
strap [stræp] hihna
strategy ['strætədʒi] strate-
gia
straw [strɔ:] imupilli
strawberry ['strɔ:bəri]
mansikka
street [stri:t] katu
street market ['stri:t
ma:kət] kirpputori
stretching ['stretʃiŋ] venyt-
tely
strike [straik] lakko

string [striŋ] naru

striped [straipt] raidallinen

strong [stroŋ] voimakas

strong beer [stroŋ 'biə] vahva olut, A-olut

stubborn ['stʌbən] itsepäinen

student ['stju:dnt] opiskelija

student discount [stju:dnt 'diskaunt] opiskelija-alennus

studio ['stju:diəu] yksiö

study ['stʌdi] opiskella

stuffed [stʌft] täytetty

stupid ['stju:pid] typerä

style [stail] tyyli

stylish ['stailiʃ] tyylikäs

subject ['sʌbdʒekt] aihe

subtitles ['sʌbtaitlz] tekstitys

subtract [səb'trækt] vähentää

suburb ['sʌbɜ:b] esikaupunki

subway ['sʌbwei] alikulkutunneli

succeed [sək'si:d] onnistua, menestyä

success [sək'ses] menestys

succumb [sə'kʌm] antaa myöten

such [sʌʧ] sellainen

suck [sʌk] imeä

sudden ['sʌdn] äkillinen

sue [su:] haastaa oikeuteen

suede [sweid] mokkanahka

suffer ['sʌfə] kärsiä

sugar ['ʃugə] sokeri

sugar-free ['ʃugəfri:] sokeriton

suggest [sə'dʒest] ehdottaa

suggestion [sə'dʒestʃən] ehdotus

suit [su:t] ① (käydä) sopia ② (miesten) puku

suitable ['sju:təbl] sopiva, sovelias

suitcase ['su:tkeis] matkalaukku

sum [sʌm] summa

summer ['sʌmə] kesä

summer holiday ['sʌmə holidei] kesäloma

summer time ['sʌmə taim] kesäaika

summer vacation [sʌmə və'keiʃn] kesäloma

summit ['sʌmit] huippu

summit station ['sʌmit steiʃn] yläasema (hiihtohississä)

sun [sʌn] aurinko

sunbathe ['sʌnbeiθ] ottaa aurinkoa

sunblock ['sʌnblok] aurinkovoide

sunburnt ['sʌnbɜ:nt] auringon polttama

Sunday ['sʌndei] sunnuntai

sunglasses ['sʌngla:siz] aurinkolasit

sunhat ['sʌnhæt] aurinko-
hattu
sunny ['sʌni] aurinkoinen
sunrise ['sʌnrais] aurin-
gonnousu
sunroof ['sʌnruːf] katto-
luukku
sunscreen ['sʌnskriːn] au-
rinkovoide
sunset ['sʌnset] auringon-
lasku
sunshade ['sʌnʃeid] aurin-
gonvarjo; aurinkokatos
sunstroke ['sʌnstrəuk] au-
ringonpistos
suntanned ['sʌntænd] rus-
kettunut
supermarket ['suːpə-
maːkit] valintamyymälä
supper ['sʌpə] illallinen
support [sə'pɔːt] tuki
suppose [sə'pəuz] olettaa
suppository [sə'pozitri]
peräpuikko
surcharge ['sɜːtʃaːdʒ] lisä-
maksu
sure [ʃuə] varma
surf [sɜːf] surffata
surf board ['sɜːf bɔːd] lai-
nelauta
surgery ['sɜːdʒəri] ① lääkä-
rin vastaanotto, vastaan-
ottohuone ② kirurgia,
leikkaus
surgery hour ['sɜːdʒəri auə]
vastaanottoaika
surname ["sɜːneim] suku-
nimi
surprise [sə'praiz] yllätys

surroundings [sə'raundiŋs]
ympäristö
suspect [sə'spekt] aavistaa
suspicion [sə'spiʃən] aavis-
tus
sustainable travel
[sə'steinbl trævl] eko-
matkailu
swallow ['swoləu] niellä
swan [swon] joutsen
swear [sweə] ① vannoa
② kiroilla
sweat [swet] hikoilla
sweater ['swetə] villapu-
sero
swede [swiːd] lanttu
Sweden ['swiːdən] Ruotsi
Swedish ['swiːdiʃ] ruotsa-
lainen
sweet [swiːt] makea
sweet biscuit [swiːt 'biskit]
pikkuleipä
sweet potato [swiːt
pə'teitəu] bataatti
sweet-and-sour [swiːtən-
'sauə] hapanimelä
sweetbread ['swiːtbred]
kateenkorva
sweetener ['swiːtənə] ma-
keutusaine
sweetheart ['swiːthaːt]
kullanmuru
sweets [swiːts] makeiset
sweetshop ['swiːtʃop] ma-
keiskauppa
swell [swel] paisua
swelling ['sweliŋ] turvotus
swim [swim] uida

swimming cap ['swimiŋ kæp] uimalakki

swimming pool ['swimiŋ pu:l] uima-allas

swimming ring ['swimiŋ riŋ] uimarengas

swimming trunks ['swimiŋ trʌŋks] uimahousut

swindle ['swindl] huijata

Swiss [swis] sveitsiläinen

Swiss roll ['swis rəul] kääretorttu

switch [switʃ] sähkökatkaisin

switch on [switʃ 'on] kytkeä virta

switch off [switʃ 'of] katkaista virta

Switzerland ['switsələnd] Sveitsi

swollen ['swəulən] paisunut, turvoksissa

swordfish ['sɔ:dfiʃ] miekkakala

sympathetic [simpə'θetik] myötätuntoinen

sympathy ['simpəθi] myötätunto

symphony concert ['simfəni konsət] sinfoniakonsertti

symptom ['simptəm] oire

synagogue ['sinəgog] synagoga

synthetic [sin'θetik] synteettinen

system ['sistəm] systeemi

Tt

table ['teibl] pöytä

table cloth ['teibl kloθ] pöytäliina

table tennis ['teibl tenis] pöytätennis

tablet ['tæblət] tabletti

tail lights [teil laits] takavalot

tailor ['teilə] räätäli

tailwind ['teilwind] myötätuuli

take [teik] ottaa

take in [teik 'in] kaventaa

take off [teik 'of] riisua

take outdoor exercice [teik autdɔ:(r) 'eksəsaiz] ulkoilla

talk [tɔ:k] puhua

tall [tɔ:l] pitkä

tap [tæp] vesihana

tap water ['tæp wɔ:tə] vesijohtovesi

taste [teist] ① maku ② maistaa

tattoo [tə'tu:] tatuoida

tax [tæks] vero

tax-free [tæks 'fri:] vero-
ton, tax-free

tax-free sales [tæks fri:
'seilz] tax-free-myynti

tax-free shop [tæks fri:
ʃop] tax-free-myymälä

taxi ['tæksi] taksi

taxi rank ['tæksi ræŋk] tak-
siasema

tea [ti:] tee

teach [ti:tʃ] opettaa

teacher ['ti:tʃə] opettaja

team [ti:m] joukkue

1 tear [teə] repiä

2 tear [tiə] kyynel

tease [ti:s] kiusata

teaspoon ['ti:spu:n] teelu-
sikka

telegram ['teligræm] sähke

telegraph ['teligra:f] len-
nätin

telephone ['telifəun] puhe-
lin

telephone book ['telifəun
buk] puhelinluettelo

telephone booth ['telifəun
bu:θ] puhelinkioski

telephone exchange
[telifəun ik'stʃeindʒ]
(puhelin)vaihde

telephone number ['teli-
fəun nʌmbə] puhelin-
numero

telephone subscription
[telifəun səb'skipʃən]
puhelinliittymä

telescope objective [teli-
skəup əb'dʒektiv] kauko-
objektiivi

television ['teliviʒn] televi-
sio

tell [tel] kertoa

tell ... off ['tel of] torua

temperature ['temprətʃə]
lämpötila; (ruumiin)läm-
pö

temporary passport [tem-
prəri 'pa:spɔ:t] pikapassi

tempt [tempt] houkutella

ten (10) [ten] kymmenen

tender ['tendə] murea

tendon ['tendən] jänne
(anat.)

tennis ['tenis] tennis

tennis court ['tenis kɔ:t]
tenniskenttä

tennis racket ['tenis rækit]
tennismaila

tennis shoes ['tenis ʃu:s]
tennistossut

tenor ['tenə] tenori

tension ['tenʃn] jännitys

tent [tent] teltta

tenth (10.) [tenθ] kymme-
nes

tepid ['tepid] haalea

tequila [tə'ki:lə] tequila

terminal ['tɜ:minəl] pääte-
pysäkki

terrace ['terəs] terassi

terrible ['terəbl] hirveä

terry ['teri] frotee

test [test] koe

tetanus ['tetənəs] jäykkä-
kouristus

text message ['tekst
mesidʒ] tekstiviesti

thank [θaŋk] kiittää

thank you! ['θaŋk juː] kiitos!

that [ðæt] ① että ② tuo, se ③ joka

the Atlantic [ði ət'læntik] Atlantti

the first of May [ðə 'fɜːst əv mei] vappu

theatre ['θiətə] teatteri

their [ðeə] heidän

theme park ['θiːm paːk] huvipuisto

then [ðen] silloin, tuolloin

there [ðeə] tuolla, siellä

therefore ['ðeəfɔː] siksi

thermometer [θə'momitə] kuumemittari; lämpömittari

thermos flask ['θɜːməs flaːsk] termospullo

thermostat ['θɜːməstæt] termostaatti

these [ðiːz] nämä

they [ðei] he

thick [θik] paksu

thief [θiːf] varas

thigh [θai] reisi

thin [θin] ohut, laiha

thing [θiŋ] esine

think [θiŋk] ajatella

third (3.) [θɜːd] kolmas

thirteen (13) [θɜː'tiːn] kolmetoista

thirteenth (13.) [θɜː'tiːnθ] kolmastoista

thirtieth (30.) ['θɜːtiəθ] kolmaskymmenes

thirty (30) ['θɜːti] kolmekymmentä

this [ðis] tämä

thoroughfare ['θʌrəfeə] läpikulku

those [ðəuz] nuo

though [ðəu] vaikka

thought [θɔːt] ajatus

thousand (1 000) ['θauzənd] (a thousand) tuhat

thousandth (1 000.) ['θauzəndθ] tuhannes

thread [θred] lanka

threat [θret] uhka

threaten ['θretn] uhata

three (3) [θriː] kolme

three hundred (300) [θriː 'hʌndrəd] kolmesataa

three hundredth (300.) [θriː 'hʌndrəθ] kolmassadas

three-room flat ['θriː ruːm flæt] kolmio

thriller [θrilə] jännityselokuva

throat [θrəut] kurkku (anat.)

throat lozenge [θrəut 'lozindʒ] kurkkutabletti

throat pastille [θrəut 'pæstil] kurkkupastilli

through [θruː] läpi

through trip ['θruː trip] läpikulkumatka

throw [θrəu] heittää

thrush [θrʌʃ] rastas

thumb [θʌm] peukalo

thunder ['θʌndə] ukkonen

Thursday ['θɜːzdei] torstai

thus [ðʌs] siten

thyme [taim] timjami

ticket ['tikit] matkalippu

ticket inspection ['tikit in'spekʃn] lipuntarkastus

ticket inspector ['tikit in'spektə] lipuntarkastaja

ticket machine [tikit mə'ʃi:n] lippuautomaatti

ticket of admission [tikit əv əd'miʃn] pääsylippu

ticket window ['tikit windəu] lippuluukku

tide [taid] vuorovesi

tidy ['taidi] siisti

tie [tai] ① solmio ② sitoa

tie pin ['tai pin] solmioneula

tight [tait] ahdas, tiukka

tights [taits] sukkahousut

till [til] asti (ajasta)

time [taim] ① kerta ② aika

time of arrival [taim əv ə'raivl] tuloaika

time of departure [taim əv di'pa:tʃə] lähtöaika

time zone ['taim zəun] aikavyöhyke

time zone difference [taim zəun 'diferens] aikaero

timetable ['taimteibl] aikataulu

timetable for trains ['taimteibl fə treins] juna-aikataulu

timid ['timid] ujo

tin [tin] ① tina ② säilykepurkki

tin foil ['tin fɔil] alumiinifolio

tin opener ['tin əupənə] purkinaukaisin, tölkinaukaisin

tinned food [tind 'fu:d] säilykkeet

tip [tip] ① kärki ② juomaraha

tired ['taiəd] väsynyt

tit [tit] tiainen

title ['taitl] titteli

to let [tə 'let] vuokrattavana

to the left [tə ðə 'left] vasemmalle

to the right [tə ðə 'rait] oikealle

toad [təud] rupisammakko

toast [təust] paahtoleipä

toaster ['təustə] leivänpaahdin

tobacco [tə'bækəu] tupakka

tobacconist's [tə'bækənist] tupakkakauppa

today [tə'dei] tänään

toe [təu] varvas

together [tə'geðə] yhdessä

toilet ['tɔilit] wc, vessa, toaletti

toilet bag ['tɔilit bæg] meikkilaukku, toalettilaukku

toilet paper ['tɔilit peipə] vessapaperi

token ['təukən] rahake

toll [təul] tietulli

tomato [tə'ma:təu] tomaatti

tomato juice [tə'ma:təu ʤu:s] tomaattimehu

tomato puree [tə'ma:təu pjuərei] tomaattisose

tomb [tu:m] hauta

tomorrow [tə'morəu] huomenna

tongue [tʌŋ] kieli (anat.)

tonight [tə'nait] ① tänä yönä ② tänä iltana

tonsillitis [tonsi'laitəs] nielurisatulehdus

tonsils ['tonslz] nielurisat

too [tu:] liian

too much [tu: 'mʌtʃ] liian paljon

tool [tu:l] työkalu

tooth [tu:θ] hammas

tooth paste ['tu:θ peist] hammastahna

toothache ['tu:θeik] hammassärky

toothbrush ['tu:θbrʌʃ] hammasharja

top [top] huippu

top station [top 'steiʃn] yläasema (hiihtohississä)

torch [tɔ:tʃ] taskulamppu

torrential rain [tə'renʃl rein] kaatosade

touch [tʌtʃ] koskettaa, koskea

tour [tuə] kiertomatka

tourist ['tuərist] turisti

tourist guide ['tuərist gaid] matkaopas

tourist office ['tuərist ofis] matkailutoimisto

tourist ticket ['tuərist tikit] turistilippu

tow [təu] hinata

towards [tə'wɔ:dz] kohti

towel ['tauəl] käsipyyhe, kylpypyyhe, pyyheliina

tower ['tauə] torni

town [taun] kaupunki

towrope ['təurəup] hinausköysi

toy [toi] leikkikalu

track [træk] raide

track suit ['træk su:t] verryttelypuku

traffic ['træfik] liikenne

traffic jam ['træfik ʤæm] liikenneruuhka

traffic light ['træfik lait] liikennevalo

traffic sign ['træfik sain] liikennemerkki

trail [treil] vaellusretki

trailer ['treilə] perävaunu

1 train [trein] juna

2 train [trein] harjoitella

tram [træm] raitiovaunu

tramway ['træmwei] raitiotie

tranquillizer ['træŋkwilaizə] rauhoittava lääke

translate [trænz'leit] kääntää (kielit.)

transparent [træns'pærənt] läpinäkyvä

trap [træp] ansa

travel ['trævl] matkustaa

travel agency ['trævl eiʤənsi] matkatoimisto

travel document ['trævl dokjumənt] matkustus-asiakirja

travel insurance [trævl in'ʃuərəns] matkavakuutus

travel reservation [trævl rezə'veiʃn] matkavaraus

travel sickness ['trævl siknəs] matkapahoinvointi

travelcard ['trævlka:d] matkakortti

traveller's cheque ['trævləz tʃek] matkasekki

travelling expenses [trævəliŋ ik'spesiz] matkakustannukset

tray [trei] tarjotin

treasure ['treʒə] aarre

treasure chamber ['treʒə tʃeimbə] aarrekammio

treatment ['tri:tmənt] kohtelu; hoito

tree [tri:] puu

tremble ['trembl] täristä

trim [trim] tasata (tukka)

trip [trip] matka

triumphal arch [trai'ʌmfəl a:tʃ] riemukaari

trolley ['troli] matkatavarakärryt

trolley-car ['trolika:] johdinauto

trouble ['trʌbl] vaivata

trouble(s) ['trʌbl(z)] vaiva

trousers ['trauzəz] housut

trout [traut] taimen

truck [trʌk] kuorma-auto

true [tru:] tosi

trust [trʌst] luottaa

truth [tru:θ] totuus

try [trai] yrittää

Tuesday ['tju:zdei] tiistai

tulip ['tju:lip] tulppaani

tumour ['tju:mə] kasvain

tuna ['tju:nə] tonnikala

tunnel ['tʌnl] tunneli

turbot ['tɜ:bət] piikkikampela

turn around [tɜ:n ə'raund] kääntyä

turn off [tɜ:n 'of] katkaista virta

turn on [tɜ:n 'on] kytkeä virta

turnip ['tɜ:nip] nauris

turquoise ['tɜ:kwɔiz] turkoosi

turtle ['tɜ:tl] kilpikonna

tweed [twi:d] tweed

twelfth (12.) [twelfθ] kahdestoista

twelve (12) [twelv] kaksitoista

twentieth (20.) ['twentiəθ] kahdeskymmenes

twenty (20) ['twenti] kaksikymmentä

twenty-one (21) ['twenti-wʌn] kaksikymmentäyksi

twenty-two (22) ['twenti-tu:] kaksikymmentäkaksi

twice [twais] kahdesti

two (2) [tu:] kaksi

two hundred (200) [tu:
'hʌndrəd] kaksisataa

two hundredth (200.) [tu:
'hʌndrəθ] kahdessadas

two-room flat ['tu: ru:m
flæt] kaksio

Uu

ugly ['ʌgli] ruma

ulcer ['ʌlsə] ① vatsahaava
② haavauma

umbrella [ʌm'brelə] sa-
teenvarjo

U.N. [ju: 'en] YK

uncle ['ʌŋkl] eno, setä

unclear [ʌn'kliə] epäselvä

uncomfortable [ʌn-
'kʌmpftəbl] epämukava

unconscious [ʌn'konʃəs] ta-
juton

under ['ʌndə] alla

underestimate [andər-
'estimeit] aliarvioida

underground ['ʌndə-
graund] metro; maan-
alainen

underground station
[ʌndə'graund steiʃn]
metroasema

underpants ['ʌndəpænts]
(miesten) alushousut

understand [ʌndə'stænd]
ymmärtää

typhoid ['taifɔid] lavan-
tauti

typical ['tipikl] tyypillinen

tyre ['taiə] autonrengas

underwear ['ʌndəweə]
alusvaatteet

undoubtedly [ʌn'dautidli]
epäilemättä

undress [ʌn'dres] riisuutua

unfaithful [ʌn'feiθfl] usko-
ton

unfurnished [ʌn'fɜ:niʃt] ka-
lustamaton

unhappy [ʌn'hæpi] onne-
ton

unhealthy [ʌn'helθi] epä-
terveellinen

United Nations [ju'naitid
neiʃns] Yhdistyneet Kan-
sakunnat, YK

United States [ju:'naitid
steits] Yhdysvallat

university [ju:ni:'vɜ:siti]
yliopisto

unknown [ʌn'nəun] vieras,
tuntematon

unless [ən'les] ellei

unlucky [ʌn'laki] huono-
onninen

unofficial [ʌnə'fiʃl] epävirallinen

unpleasant [ʌn'pleznt] epämiellyttävä

unreliable [ʌnri'laiəbl] epäluotettava

unrestricted [ʌnri'striktid] esteetön

until [ən'til] kunnes

up [ʌp] ylhäällä

upbringing ['ʌpbriŋiŋ] kasvatus

upper berth ['ʌpə bɜ:θ] ylävuode

upper circle ['ʌpə sɜ:kl] toinen parvi

urban ['ɜ:bən] kaupunki-

urgent ['ɜ:ʒənt] kiireellinen

urine ['juərin] virtsa

urologist [juə'rolədʒist] urologi

use [ju:s] ① käyttö ② käyttää

used [ju:st] käytetty

used to [ju:st tə] tottunut jhk

useful ['ju:sfl] hyödyllinen

useless ['ju:sləs] hyödytön

usually ['ju:ʒəli] tavallisesti

Vv

vaccinate ['væksineit] rokottaa

vaccination [væksi'neiʃn] rokotus

vaccine ['væksi:n] rokotusaine

valid ['vælid] voimassa oleva

validity [və'liditi] voimassaolo

validity time [və'liditi taim] voimassaoloaika

valley ['væli] laakso

valuables ['væljuəblz] arvoesineet

value ['vælju:] arvo

value added tax [vælju: 'ædid tæks] arvonlisävero

valve [vælv] venttiili

van [væn] pakettiauto

vantage point ['væntidʒ pɔint] näköalapaikka

variety [və'raiəti] varietee

V.A.T. [vi: ei 'ti:] arvonlisävero

vault [volt] holvi

vault painting ['volt peintiŋ] holvimaalaus

veal [vi:l] vasikanliha

vegan ['vi:gən] vegaani

vegetables ['veʤtəblz] vihannekset

vegetarian [veʤi'teəriən] kasvissyöjä

vehicle ['vi:ikl] ajoneuvo

vein [vein] laskimo; suoni

velvet ['velvit] sametti

Venetian blind [və'ni:ʃn blaind] sälekaihdin

vent [vent] halkio

vertical ['vɜ:tikl] pystysuora

vest [vest] aluspaita

veterinary surgeon [vetrənəri 'sɜ:ʤən] eläinlääkäri

vice [vais] pahe

video ['vidiəu] video

video camera ['vidiəu kæmərə] videokamera

video conference ['vidiəu konfərəns] videokonferenssi

view [vju:] näköala

viewfinder ['vju:faində] etsin (kamera)

villa ['vilə] huvila

village ['viliʤ] kylä

village festival ['viliʤ festivl] kyläjuhla

vinegar ['vinigə] (viini)etikka

vineyard ['vinjəd] viinitarha

violence ['vaiələns] väkivalta

violet ['vaiələt] ① violetti ② orvokki

virtue ['vɜ:tju:] hyve

visa ['vi:zə] viisumi

visit ['vizit] ① vierailu ② vierailla

vitamin ['vitəmin] vitamiini

voice [vɔis] (puhe)ääni

volcano [vol'keinəu] tulivuori

volleyball ['volibɔ:l] lentopallo

voltage ['vəultiʤ] (sähkö)jännite

voluntary ['voləntri] vapaaehtoinen

vomit ['vomit] ① oksentaa ② oksennus

vote [vəut] äänestää

voucher ['vautʃə] etuseteli

Ww

waist [weist] vyötärö

waistcoat ['weistkəut] (miesten) liivit

wait [weit] odottaa

waiter ['weitə] (mies)tarjoilija

waiting room [əweitiŋ ru:m] odotushuone, odotussali

waitress ['weitrəs] (nais)tarjoilija

wake up [weik 'ʌp] herätä; herättää

waken ['weikn] herättää

walk [wɔ:k] ① kävellä ② kävely

wall [wɔ:l] muuri, seinä

wallet ['wolit] lompakko

walnut ['wɔ:lnʌt] saksanpähkinä

war [wɔ:] sota

wardrobe ['wɔ:drəub] vaatekaappi

warehouse ['weəhaus] varasto(rakennus)

warm [wɔ:m] lämmin

warn [wɔ:n] varoittaa

warning ['wɔ:niŋ] varoitus

warning triangle ['wɔ:niŋ traiæŋgl] varoituskolmio

wart [wɔ:t] syylä

wash [woʃ] ① pesu ② pestä

wash basin ['woʃbeisn] pesuallas

wash up [woʃ 'ʌp] tiskata

washable ['woʃəbl] pesunkestävä

washbasin ['woʃbeisn] lavuaari

washing [woʃiŋ] pyykki

washing machine ['woʃiŋ məʃi:n] pesukone

wash'n'wear [woʃ ən 'weə] silittämättä siisti

waste time [weist 'taim] tuhlata aikaa

watch [wotʃ] ① kello ② katsella ③ vartioida

watchstrap ['wotʃstræp] kellonremmi, -ranneke

watchmaker ['wotʃmeikə] kelloseppä

water ['wɔ:tə] vesi

water chestnut ['wɔ:tə tʃestnʌt] vesikastanja

water fall ['wɔ:tə fɔ:l] vesiputous

water skiing ['wɔ:tə ski:iŋ] vesihiihto

water skis ['wɔ:təski:z] vesisukset

water wing ['wɔ:tə wiŋ] kelluke

watercolour ['wɔ:təkʌlə] vesivärimaalaus

waterpark ['wɔ:təpa:k] vesipuisto

waterproof ['wɔ:təpru:f] vedenpitävä

wave [weiv] laine, aalto

wavelength ['weivleŋkθ] aallonpituus

wavy ['weivi] aaltoileva

way [wei] tapa

W.C. [dʌblju: 'si:] wc, vessa

we [wi:] me

weak [wi:k] heikko

weak heart ['wi:k ha:t] sydänvika

weakness ['wi:knəs] heikkous

wear [weə] pitää (vaatteita)

weather ['weðə] sää

weather forecast ['weðə fɔ:ka:st] sääennuste

weather report [weðə ri'pɔ:t] säätiedotus

wedding ['wediŋ] häät

wedding ring ['wediŋ riŋ] vihkisormus

Wednesday ['wenzdei] keskiviikko

week [wi:k] viikko

weekday ['wi:kdei] arkipäivä

weekend [wi:k'end] viikonloppu

weekly season ticket [wi:kli 'si:zn tikit] viikkolippu

weep [wi:p] itkeä

weigh [wei] painaa

weight [weit] paino

weight training ['weit treiniŋ] voimaharjoittelu

welcome! ['welkəm] tervetuloa!

welcoming speech [welkəmiŋ 'spi:tʃ] tervetuliaispuhe

welcoming toast [welkəmiŋ 'təust] tervetulomalja

weld [weld] hitsata

well [wel] ① hyvin ② kaivo

well-being [wel'bi:iŋ] hyvinvointi

west [west] länsi

western ['westən] läntinen

wet [wet] märkä

wet suit [wet su:t] märkäpuku

what [wot] mitä, mikä

wheel [wi:l] pyörä

wheelchair ['wi:ltʃeə] pyörätuoli

when [wen] milloin, kun

where [weə] missä

wherefrom ['weəfrəm] mistä

which [witʃ] kumpi; joka

while [wail] sillä aikaa

whirlpool ['wɜ:lpu:l] poreallas

whisky ['wiski] viski

whisper ['wispə] ① kuiskaus ② kuiskata

whistle ['wisl] viheltää

white [wait] valkoinen

white wine [wait 'wain] valkoviini

whitefish ['waitfiʃ] siika

white-water rafting [wait wɔːtə 'raːftiŋ] koskenlasku

Whitsun ['witsn] helluntai

who [huː] kuka, joka

whole [həul] ehjä; kokonainen

whooping-cough ['huːpiŋkof] hinkuyskä

whose [huːz] kenen

why [wai] miksi

wide [waid] leveä

widow ['widəu] (naisesta) leski

widower ['widəuə] (miehestä) leski

wife [waif] vaimo

wig [wig] peruukki

wild strawberry [waild 'strɔːberi] metsämansikka

wilderness ['wildənəs] erämaa

will [wil] tahto

willing ['wiliŋ] halukas

win [win] voittaa

wind [wind] ① tuuli ② ilmavaivat

wind surfer ['wind sɜːfə] purjelauta

window ['windəu] ikkuna

window seat ['windəu siːt] ikkunapaikka

windscreen ['windskriːn] tuulilasi

windscreen wipers ['windskriːn 'waipəːs] tuulilasinpyyhkimet

wine [wain] viini

wine bar ['wain baː] viinibaari

wine list ['wain list] viinilista

wine shop ['wain ʃop] viinikauppa

winter ['wintə] talvi

winter tyres ['wintə taiəz] talvirenkaat

winter vacation [wintə və'keiʃn] talviloma

wintertime ['wintətaim] talviaika

wipe [waip] pyyhkiä

wire ['waiə] sähköjohto

wireless ['waiələs] langaton

wise [waiz] viisas

wish [wiʃ] ① toivoa ② toivomus

with [wið] kanssa

with pleasure [wið 'pleʒə] mielellään

without [wið'aut] ilman

witness ['witnəs] todistaja

wolf [wulf] susi

woman ['wumən] nainen

wonderful ['wʌndəfl] ihmeellinen

wood [wud] ① puuaines ② metsikkö

wood anemone [wud ə'neməni] valkovuokko

woods [wudz] metsä

wool [wul] villa

word [wɜ:d] sana
work [wɜ:k] ① työ ② tehdä työtä, työskennellä
work of art [wɜ:k əv 'a:t] taideteos
working day ['wɜ:kiŋ dei] työpäivä
workshop ['wɜ:kʃop] verstas, työpaja
world [wɜ:ld] maailma
worn [wɔ:n] kulunut
worry ['wʌri] huolehtia
worse [wɜ:s] huonompi
worship service ['wɜ:ʃip sɜ:vis] jumalanpalvelus
worth [wɜ:θ] arvo
worthless ['wɜ:θləs] arvoton

wound [wu:nd] haava
wounded [wu:ndid] haavoittunut
wrapping paper ['ræpiŋ peipə] käärepaperi
wreck [rek] hylky
wrestling ['restliŋ] paini
wrist [rist] ranne
wristwatch ['ristwotʃ] rannekello
write [rait] kirjoittaa
writer ['raitə] kirjailija, kirjoittaja
writing pad ['raitiŋ pæd] kirjoituslehtiö
writing paper ['raitiŋ peipə] kirjepaperi
wrong [roŋ] väärä, väärin

Xx

x-ray ['eksrei] ① röntgenkuva ② läpivalaista

x-ray screening ['eksrei skri:niŋ] läpivalaisu

Yy

year [jiə] vuosi
yell [jel] huutaa
yellow ['jeləu] keltainen
yellow fever [jeləu 'fi:və] keltakuume

yes [jes] kyllä
yesterday ['jestədei] eilen
yet [jet] kuitenkin, vielä
yoga ['jəugə] jooga
you [ju:] ① sinä ② te

young [jʌŋ] nuori
your [jɔ:] ① sinun ② teidän
youth [ju:θ] nuoruus

youth hostel [ˈjuːθ hostl]
retkeilymaja

Zz

zero (0) [ˈziərəu] nolla
zip [zip] vetoketju

zoo [zu:] eläintarha

Asioimislauseita

TERVEHTIMINEN	GREETING SOMEBODY
Hyvää huomenta!	Good morning!
Hyvää päivää!	Good afternoon!
Hyvää iltaa!	Good evening!
Hyvää yötä!	Good night!
Päivää!	Afternoon!
Hei!	Hello!
Terve! Mitä kuuluu?	Hello! How are you?
Kiitos hyvää! Entä sinulle/teille?	Fine, thank you. And you?
Mikä teidän nimenne on?	What's your name?
Mikä sinun nimesi on?	What's your name?
Nimeni on...	My name is...

ESITTÄYTYMINEN	INTRODUCING PEOPLE
Hei, emme taida olla tavanneet aikaisemmin. Minä olen...	Hi! We haven't met before. I'm...
Saanko esittäytyä?	May I introduce myself?
Te olette varmaankin neiti/rouva/herra...	You must be Miss/Mrs/Mr...
Saanko esitellä herra ja rouva...	May I introduce Mr and Mrs...
Tässä on ystäväni Matti.	This is my friend Matti.

Tässä on mieheni/vaimoni...	This is my husband/wife...
Hauska tutustua!	Pleased to meet you!
Samoin kiitos.	You too.
Tässä on käyntikorttini.	Here is my business card.
Mitä teet työksesi?	What do you do for a living?
Työskentelen...	I'm a/an...
Olen eläkeläinen.	I'm retired.
Olen opiskelija.	I'm a student.
Mistä olette/olet kotoisin?	Where are you from?
Olen kotoisin...	I'm from...
Oletteko/oletko ensimmäistä kertaa täällä?	Is this your first time here?
Olen ollut täällä (kerran) aikaisemminkin.	I have been here (once) before.
Olen täällä ensimmäistä kertaa.	This is my first time here.
Puhutteko/puhutko englantia?	Do you speak English?
En puhu englantia.	I don't speak English.
Puhun hiukan englantia.	I speak a little bit of English.
Ymmärrän vähän englantia.	I understand a little bit of English.
Viivyn täällä neljä päivää.	I'm staying here for four days.
Missä hotellissa asutte/asut?	Which hotel are you staying in?

Asun hotellissa...	I'm in...
Mikä on puhelinnumeronne/puhelinnumerosi?	What's your phone number?
Puhelinnumeroni on...	My phone number is...
Saanko tarjota teille/sinulle drinkin?	May I offer you something to drink?

HENKILÖTIETOJEN ANTAMINEN	SUPPLYING PERSONAL DETAILS
Nimeni on...	My name is...
Sukunimeni on...	My surname is...
Etunimeni on...	My first name is...
Asun Suomessa.	I live in Finland.
Osoitteeni on...	My address is...
allekirjoitus	signature
ammatti	profession
henkilötunnus	social security number
syntymäaika	date of birth
kansallisuus	nationality
osoite	address
paikka	place of residence
päivämäärä	date
passinumero	passport number
puhelinnumero	phone number
sähköpostiosoite	email address

HYVÄSTELY

SAYING GOODBYE

Näkemiin!	Goodbye!
Hei, hei!	Bye bye!
Mukavaa päivän jatkoa!	Have a nice day!
Huomiseen!	See you tomorrow!
Nähdään pian/myöhem-min!	See you later!
Hyvää yötä!	Good night!
Hyvää matkaa!	Have a nice trip!
Oli hauska tutustua.	It was nice meeting you.
Hei hei, oli kiva tavata.	How do you do?
Kiitos samoin.	How do you do?
Toivottavasti tapaamme taas pian.	I hope to see you soon.
Pidä/pitäkää hauskaa!	Have fun!

KIITTÄMINEN

SAYING THANK YOU

Kiitos oikein paljon. – Olkaa hyvä.	Thank you so much! – You are welcome!
Kiitti! – Ole hyvä vaan.	Thanks! – You're welcome.
Paljon kiitoksia. – Ei kestä!	Thanks a lot! – Not at all!
Kiitos avusta. – Eihän tuo mitään.	Thank you for your help. – Don't mention it.
Kiitos vaivannäöstäsi! – Ei kiittämistä.	Thank you for all your efforts! – No problem.

Todella huomaavaista, kiitos!	That is very considerate of you, thank you!
Kiitos, kun ilmoitit asiasta!	Thank you for letting me know!

ANTEEKSI PYYTÄMINEN — APOLOGIZING

Anteeksi! – Ei se mitään.	I'm sorry! – That's alright.
Anteeksi, pääsenkö ohi? – Toki!	Excuse me, can you let me through? – Of course!
Olen pahoillani.	I'm sorry.
Pahoitteluni, että...	I'm sorry that...
Anteeksi, että häiritsen, mutta...	I'm sorry to disturb you but...
Voi mikä vahinko!	What a shame!
Olen pahoillani, mutta se ei käy päinsä.	I'm sorry but that won't do.

TOIVOTUKSIA — GREETINGS

Tervetuloa!	Welcome!
Onneksi olkoon!	Congratulations!
Parhaimmat onnitteluni!	Hearty congratulations!
Hyvää ruokahalua!	Enjoy your meal!
Hyvää päivänjatkoa!	Have a nice day!
Hyvää viikonloppua!	Have a nice weekend!
Hyvää joulua!	Happy/Merry Christmas!
Hyvää juhannusta!	Happy Midsummer!
Hyvää pääsiäistä!	Happy Easter!
Onnellista uutta vuotta!	Happy New Year!

Hyvää syntymäpäivää!	Happy birthday!
Nauttikaa lomastanne!	Enjoy your holiday!
Onnea matkaan!	Good luck!
Menestystä jatkossa!	All the best for the future!
Parane pian!	Get well soon!
Kaikkea hyvää!	All the best!
Pitäkää hauskaa!	Have fun!

HOTELLISSA — AT A HOTEL

SAAPUESSA — CHECKING IN

Olen varannut huoneen nimellä...	I've made a reservation under the name of...
Saisinko avaimen huoneeseen numero...	May have the key to room number...., please.
Onko teillä vapaita huoneita?	Do you have a room free?
Haluaisin yhden/kahden hengen huoneen yhdeksi/kahdeksi yöksi.	I'd like a single/double room for one night/two nights.
Haluaisimme kahden hengen huoneen erillisillä vuoteilla/kaksoisvuoteella	We'd like a twin room/double room.
Haluaisimme kahden hengen huoneen lisävuoteella.	We'd like a double room with an extra bed.
Voisiko huoneeseen saada lastensängyn?	Is it possible to have a children's bed/cot in the room?
Paljonko yhden/kahden hengen huone maksaa yöltä?	How much is a single/double room for one night?

Moneltako huone pitää luovuttaa?	What is the check out time?
Voisinko nähdä huoneen?	May I see the room?
Sisältyykö aamiainen hintaan?	Is breakfast included?
Onko teillä tallelokeroita?	Do you have safes?
Onko hotellissa ravintola/ baari/sauna/uima-allas/ kuntosali?	Is there a restaurant/a bar/a sauna/a swimming pool/ a gym in the hotel?
Missä kerroksessa se on?	On which floor is it?
Missä on kylpyhuone/wc?	Where's the bathroom?
Onko vesijohtovesi juoma-kelpoista?	Is the tap water drinkable?
Mihin aikaan aamiainen/ lounas/päivällinen tarjoil-laan?	What time is breakfast/ lunch/dinner served?
Missä on ruokasali/baari/ sauna/uima-allas/kunto-sali?	Where's the dining hall/ bar/sauna/swimming pool/gym?
Voisitteko kantaa matka-tavarat huoneeseeni?	Can you carry my luggage to my room, please?
Minne voin pysäköidä autoni?	Where can I park my car?

LÄHTIESSÄ   *CHECKING OUT*

Luovuttaisin nyt huoneeni.	I'd like to check out, please.
Saisinko laskuni.	Could I have my bill, please?
Mitä luottokortteja hyväksytte?	Which credit cards do you accept?

Voinko maksaa käteisellä?	May I pay in cash?
Voinko luovuttaa huoneeni vasta illalla?	Can I have a late check-out?
Lentoni lähtee vasta illalla. Voinko jättää matkatavarani säilytykseen?	My departure flight is in the evening. Is there a luggage room available?
Voisitteko kantaa matkatavarani alas?	Could you carry my luggage down, please?
Voitteko tilata minulle taksin?	Could you call me a taxi, please?
Missä on lähin taksitolppa?	Where is the nearest taxi rank?
Paljon kiitoksia!	Thank you very much!
Näkemiin!	Goodbye!

PYYNTÖJÄ JA KYSYMYKSIÄ — REQUESTS AND QUESTIONS

Haluaisin puhelinherätyksen kello...	I'd like a wake-up call for...
Voitteko yhdistää minut tähän numeroon?	Could you put me through to this number, please?
Onko hotellissa Internet-yhteyttä?	Is there an internet connection in the hotel?
Voisitteko faksata tämän numeroon...?	Could you please fax this to...?
Voisitteko postittaa tämän?	Could you please mail this?
Voisinko jättää tämän kassakaappiin?	Could I leave this in the safe, please?
Voisitteko siivota huoneeni?	Could you clean my room, please?

Miten oven lukko/avain-kortti toimii?	How does the door lock/the key card work?
Miten huoneeseen saa valot?	How do I get the light on in my room?
Tarvitsisin adapterin.	I need an adaptor.
Missä voin vaihtaa rahaa?	Where can I exchange money?
Voisitteko poistaa tämän tahran?	Could you please remove this stain?
Haluaisin, että tämä silitettäisiin.	I'd like to have this ironed.

LEIRINTÄALUEELLA	AT A CAMPSITE
YLEISTÄ	*GENERAL*
Onko lähistöllä leirintä-aluetta?	Is there a campsite nearby?
Onko täällä tilaa asunto-vaunulle/asuntoautolle/teltalle?	Is there room for a caravan/mobile home/tent here?
Paljonko maksu asunto-vaunusta/asuntoautosta/teltasta on?	How much do you charge for a caravan/a mobile home/a tent?
Paljonko maksu on aikuiselta/lapselta?	How much do you charge for one adult/a child?
Paljonko päivämaksu/viikkomaksu on?	How much do you charge for a day/a week?
Voinko pysäköidä asun-tovaununi/asuntoautoni tähän?	May I park my caravan/mobile home here?
Onko alueella ruoan-laittomahdollisuutta?	Is it possible to cook somewhere in this area?

Missä on lähin ruoka-kauppa?	Where's the nearest grocery store?
Onko alue vartioitu öisin?	Is the area guarded at night?
Onko täällä jossain sähkö-tolppaa?	Is there a power point somewhere here?
Voiko täällä uida?	Can you swim here?
Mistä saa juomavettä?	Where can I get drinking water?
Voiko vesijohtovettä juoda?	Is the tap water drinkable?
Missä on wc/suihku?	Where's the toilet/shower, please?
Missä voi vaihtaa kaasu-pullot?	Where can I change the gas bottles?

JÄTTEENLAJITTELU	*WASTE SORTING*
Minne voi tyhjentää käymä-läjätteet/jätevedet?	Where can I dump the toilet waste/sewage?
Missä on kierrätyspiste?	Where's the recycling point?
esilajiteltu talousjäte	pre-sorted kitchen waste
kompostoitava jäte	compostable waste
poltettava jäte	waste to be incinerated
muu jäte	other waste
paristojen keräysastia	scrap battery collection container
lasi	glass
metalli	metal

muovi	plastic
keräyspaperi	waste paper

MÖKKIMAJOITUS — AT A COTTAGE

Onko teillä vapaata mökkiä?	Do you have a cottage available?
Minkä hintainen on kahden/neljän/kuuden hengen mökki?	How much does a cottage for two/four/six cost?
Onko mökissä suihku/sauna?	Is there a shower/a sauna in the cottage?
Sisältyykö siivous vuokraan?	Is cleaning included in the price?
Sisältyvätkö lakanat ja pyyheliinat vuokraan?	Are bedlinen and towels included in the price?
Onko mökissä astiat ja ruokailuvälineet?	Is there tableware and cutlery in the cottage?
Minkälainen varustus mökissä on?	How is the cottage equipped?
Missä on jäteastiat?	Where are the waste containers?
keittolevy	hot plate
liesi	stove
jääkaappi	fridge
pakastin	freezer
mikroaaltouuni	microwave oven
astianpesukone	dishwasher
pesukone	washing machine
tv	television

VALITUKSET

COMPLAINTS

Huonettani ei ole siivottu.	My room hasn't been cleaned.
Kadulta tuleva meteli häiritsee todella paljon.	The noises from the street are very disturbing.
Pyyhkeet/lakanat puuttuvat.	There are no towels/sheets.
Saippua/sampoo/WC-paperi on loppu.	There is no more soap/shampoo/toilet paper.
Huoneessa on liian kylmä/kuuma.	It's too cold/hot in the room.
Huoneen ilmastointi ei toimi.	The air conditioning in my room isn't working.
Huoneessa vetää.	The room is drafty.
Televisio ei toimi.	The television doesn't work.
Lamppu on rikki.	The lamp is broken.
Lukko on rikki.	The lock is broken.
En saa oven lukkoa toimimaan.	I cannot work the lock on the door.
Ikkuna ei mene kiinni.	The window does not close.
Lämmintä vettä ei tule.	There is no hot water.
Suihku on hajonnut.	The shower is not working.
Hiustenkuivaaja ei toimi.	The hairdryer is not working.
Minibaari on tyhjä.	The minibar is empty.

PANKISSA ASIOINTI JA RAHANVAIHTO	BANKING SERVICES AND CURRENCY EXCHANGE
Anteeksi, missä on lähin rahanvaihtopiste?	Excuse me, where's the nearest currency exchange?
Haluaisin vaihtaa 500 euroa dollareiksi.	I'd like to exchange 500 euros into dollars, please.
Haluaisin vaihtaa tämän matkasekin.	I'd like to cash this traveller's cheque.
Mikä on vaihtokurssi?	What is the exchange rate?
Mikä on dollarin kurssi?	What is the rate of dollar?
Paljonko on tuhat euroa dollareina?	How much is 1 000 euros in dollars?
Paljonko veloitatte palvelumaksua?	How much is your commission?
Onko täällä pankkiautomaattia?	Is there a cashpoint near here?

PUHELUT	PHONE CALLS
Anteeksi, missä on lähin yleisöpuhelin?	Excuse me, where's the nearest public phone?
Voisinko soittaa?	May I use your phone, please?
Olisiko teillä puhelinluetteloa?	Do you have a telephone directory?
Haluaisin puhelukortin.	I'd like a phone card, please.
Saisinko puhelinnumeronne?	Could I have your phone number, please?
Numeroni on...	My number is...

Hei, täällä puhuu...	Hello, this is...
Haluaisin puhua ...n kanssa.	I'd like to speak to...
Kuka on puhelimessa?	Who's speaking?
Anteeksi, nyt en kuule.	I'm sorry, I can't hear you.
Voisitteko toistaa?	Can you repeat, please?
Kertoisitteko hänelle, että soitin?	Could you please tell him/her that I called?
Milloin voin soittaa uudelleen?	When can I call back?
Pyytäisittekö häntä soittamaan minulle?	Could you ask him/her to call me.
Voinko jättää hänelle viestin?	Can I leave him/her a message?
Soitan myöhemmin uudelleen.	I'll call back later.
Kuulemiin!	Goodbye!

PARTURISSA JA KAMPAAJALLA	AT THE HAIR SALON AND BARBER SHOP
Haluaisin pesun ja kampauksen.	I'd like a shampoo and set, please.
Haluaisin hiustenleikkuun/ parranajon.	I'd like a haircut/a shave, please.
Haluaisin permanentin/ raitoja.	I'd like a perm/some highlights, please.
Haluaisin värihuuhtelun.	I'd like a colour rinse, please.
Paljonko hiustenleikkaus maksaa?	How much does a haircut cost?

Ei liian pitkäksi/lyhyeksi.	Not too long/short.
Tasataan vain latvat.	Just a trim, please.
Leikataan otsalta pari senttiä ja muualta hieman vähemmän.	An inch off the fringe and a bit less elsewhere.
Tästä hieman lyhemmäksi.	A bit shorter here, please.
Voitteko näyttää peilillä takahiuksia?	Could you show me the back with a mirror, please?
Noin on hyvä!	That's fine!
En halua lakkaa.	I don't want any hairspray on it.
Haluaisin leikkauksen kerroksittain.	I'd like it layered.
Lyhennä vielä sivuilta.	Take more off the sides.
Haluisin varata ajan.	I'd like to make a hair appointment.

RAVINTOLASSA — IN A RESTAURANT

Saapuminen ja pöytävaraus	Arrival and reservation
Olen varannut pöydän nimellä...	I've reserved a table under the name of...
Haluaisin tehdä pöytävarauksen täksi illaksi.	I'd like to reserve a table for tonight, please.
Haluaisin varata pöydän kahdelle henkilölle savutomalle puolelle.	I'd like to reserve a table for two in the non-smoking section.
Voimmeko saada ikkunapöydän?	Could we have a table by the window, please?

Osaatteko suositella hyvää/halpaa ravintolaa?	Could you recommend a good/affordable restaurant, please?
Onko tämä pöytä varattu?	Is this table occupied?
Voisimmeko vaihtaa pöytää?	Could we get another table, please?
Voisitteko siivota pöydän?	Could you clean the table, please?

TILAAMINEN	*ORDERING*
Saisinko ruokalistan/viinilistan/jälkiruokalistan.	May I have the menu/wine list/dessert menu, please?
Mikä on talon erikoisuus?	What is the speciality of the house?
Millainen on päivän menu?	What's the menu of the day like?
Mitä suosittelette?	What do you recommend?
Mitä tämä sisältää?	What does this include?
Otan sen!	I'll have that!
Otan...	I'll have...
Alkuruoaksi/pääruoaksi/jälkiruoaksi ottaisin...	As a starter/a main course/a dessert I'll have...
Kypsänä/puolikypsänä/verisenä, kiitos.	Well done/medium/rare, please.
Juotavaksi haluaisimme...	We'd like to drink...
Pullo (talon) punaviiniä/valkoviiniä, kiitos.	A bottle of (house) red/white wine, please.
Saisinko lasin punaviiniä/valkoviiniä/roséviiniä?	Could I have a glass of red wine/white wine/rosé?
Kaksi olutta, kiitos.	Two beers, please.

Kivennäisvettä jäillä/ ilman jäitä, kiitos.	Mineral water with ice/ without ice, please.
Hiilihapotonta/hiilihapollista kivennäisvettä, kiitos.	Still/sparkling water, please
Kuppi kahvia maidolla/kermalla/sokerilla/mustana, kiitos!	A cup of coffee with milk/ cream/sugar/black coffee, please!
Saisinko lisää vettä/leipää/ suolaa/pippuria?	Could I have some more water/bread/salt/pepper, please?
Katselisimme ruokalistaa vielä hetkisen.	We'd still like to have another look at the menu.
Olen jo tilannut.	I've already ordered.
En tilannut tätä.	I didn't order this.
Ruoka ei maistu hyvältä.	The food doesn't taste good.
Ruoka on kylmää.	The food is cold.
Liha on aivan raakaa.	The meat is too rare.

LAPSILLE

CHILDREN

Onko teillä ruokalistaa lapsille?	Do you have a children's menu?
Mitä jäätelöitä teillä on?	What kind of ice cream do you have?
Mansikkajäätelöä/vaniljajäätelöä/suklaajäätelöä, kiitos.	Strawberry/vanilla/chocolate ice cream, please.
Missä voi lämmittää tuttipullon?	Where can I warm up the feeding bottle?
Saisimmeko syöttötuolin?	May we have a high chair?

LASKU

Lasku, kiitos!

Käykö luottokortti?

Minä tarjoan!

Kaikki samaan laskuun, kiitos!

Maksaisimme erikseen.

Sisältyykö palvelu/kaikki hintaan?

Voitte pitää vaihtorahat.

Voinko saada kuitin?

ERIKOISRUOKAVALIOT

Onko teillä kasvisruokia?

Minulla on laktoosi-intoleranssi/keliakia.

Onko teillä laktoositonta/gluteenitonta ruokaa?

En syö lihaa/kanaa/kalaa/mereneläviä/kananmunia/maitotuotteita.

Olen allerginen pähkinälle.

MUUTA

Kippis!

Hyvää ruokahalua!

THE BILL

The bill, please!

Do you take a credit card?

It's my treat!

Altogether, please!

Can we have separate bills, please.

Is the service/everything included in the price?

You can keep the change.

Can I have the receipt, please?

SPECIAL DIETS

Do you have any vegetarian food?

I have lactose intolerance/coeliac disease.

Do you have lactose-free/gluten-free food?

I don't eat meat/chicken/fish/seafood/eggs/dairy products.

I'm allergic to nuts.

OTHER STUFF

Cheers!

Enjoy your meal!

Terveydeksi!	To your very good health!
Ruoka oli oikein hyvää!	The food was very good!
Häiritseekö teitä, jos poltan?	Do you mind me smoking?
Anteeksi, missä on WC?	Excuse me, where's the toilet, please?
Voisinko saada uuden haarukan/veitsen/lusikan.	May I have a new fork/a new knife/a new spoon, please?

KAHVILASSA JA BAARISSA — CAFES AND BARS

Onko lähistöllä hyvää kahvilaa/baaria?	Is there a good café/bar nearby?
Onko tämä paikka vapaa?	Is this seat free?
Kuppi kahvia mustana/sokerilla/maidolla, kiitos.	A cup of black coffee/coffee with sugar/coffee with milk, please.
Kaksi kuppia caffé lattea/cappuccinoa/teetä, kiitos.	Two cups of caffé latte/cappuccino/tea, please.
Kaksi lasillista appelsiini-mehua/vettä, kiitos.	Two glasses of orange juice/water, please.
Kaksi (tuoppia 0,6l) olutta, kiitos!	Two pints of beer, please!
Saisinko drinkkilistan, kiitos.	May I have a look at the drink menu, please.
Anteeksi, missä wc on?	Excuse me, where's the toilet?
Lasku, kiitos!	The bill, please!

KAUPASSA	IN SHOPS
YLEISTÄ	*GENERAL*
Missä on lähin ruoka-kauppa?	Where's the nearest grocery store?
Mihin aikaan kaupat ovat auki/kiinni?	What time do the shops open/close?
Mihin aikaan suljette?	What time do you close?
Onko liikkeenne auki viikonloppuisin/sunnuntaisin?	Are you open on weekends/on Sundays?
Missä on neuvonta?	Where's the information desk?
Voitteko auttaa?	Can you help me?
Etsin...	I'm looking for...
Haluaisin...	I'd like...
Saako teiltä sateenvarjoja/karttoja/postimerkkejä/matkamuistoja?	Do you have umbrellas/maps/stamps/souvenirs?
Haluaisin filmin/muistikortin/paristot tähän kameraan.	I'd like a film/a memory card/batteries for this camera.
Onko teiltä suomalaisia lehtiä?	Do you have Finnish newspapers?
Onko teillä lastenvaatteita?	Do you have children's clothes?
Voinko kuunnella tätä levyä?	May I listen to this album?
Milloin se on valmis?	When is it ready?
Kiitos, minä vain katselen.	Thank you, I'm only looking around.

SOVITTAMINEN

FITTING

Voisinko sovittaa tätä/
näitä?

May I try this/these on?

Missä sovituskoppi on?

Where's the fitting room?

Vaatekokoni/kengän-
numeroni on...

I am a size.../ my shoe size
is...

Tämä on liian pieni/iso.

This is too small/big.

Tämä on liian pitkä/lyhyt/
tiukka/väljä.

This is too long/short/
tight/loose.

Otan tämän, kiitos.

I take this, please.

HINTA JA MAKSAMINEN

PRICES AND PAYING

Paljonko se maksaa?

How much is it?

Onko teillä mitään
halvempaa?

Do you have anything
cheaper?

Minne voin maksaa?

Where can I pay?

Voinko saada kuitin?

May I have the receipt,
please?

Voinko maksaa matka-
sekillä/luottokortilla?

May I pay by traveller's
cheque/credit card?

Voinko vaihtaa tämän
kuittia vastaan?

May I change this upon
receipt?

Saisinko kassin?

May I have a bag, please?

Voisitteko paketoida sen?

Could you wrap this for
me, please?

POSTISSA	AT THE POST OFFICE
Missä on lähin posti-toimisto/postilaatikko?	Where's the nearest post office/postbox?
Mitä maksaa postikortin/kirjeen lähettäminen Suomeen?	How much does it cost to send a postcard/a letter to Finland?
Haluaisin viisi postimerk-kiä Suomeen lähteviin kortteihin.	I'd like to have five stamps for postcards to Finland, please.
Haluaisin lähettää tämän kirjeen/paketin kirjattuna/pikana.	I'd like to send this letter/parcel by registered post/express .
Kuinka monta päivää kortit kulkevat Suomeen?	How long does it take for postcards to arrive in Finland?

APTEEKISSA	IN A PHARMACY
Anteeksi, missä on lähin (päivystävä) apteekki?	Excuse me, where's the nearest (24-hour) pharmacy?
Minua koskee tänne.	It hurts here.
Haluaisin nämä resepti-lääkkeet.	I'd like this prescription medicine.
Onko teillä voidetta tällai-seen ihottumaan?	Do you have a cream for such a rash?
Tarvitsen jotain (lääkettä) ummetukseen/ripuliin/särkyyn/vilustumiseen/palaneelle iholle/matka-pahoinvointiin.	I need something for constipation/diarrhoea/pain/a cold/sunburn/travel sickness.
Tarvitsen laastaria/hyönteismyrkkyä.	I need plasters/insect repellent.

Tarvitsen voidetta hyönteisten puremiin.	I need some cream for insect bites.
Onko teillä korkean suojakertoimen aurinkovoidetta?	Do you have a high factor sunscreen?
Osaatteko suositella hyvää lääkäriä/lastenlääkäriä?	Can you recommend a good doctor/paediatrician?
Minne voin maksaa?	Where can I pay?
Kuinka usein minun täytyy ottaa niitä?	How often do I have to take them?
Kuinka paljon/monta minun täytyy ottaa sitä/niitä?	How much/many do I have to take it/them?

LÄÄKÄRISSÄ — AT THE DOCTOR'S

Anteeksi, missä on lähin lääkäriasema?	Excuse me, where's the nearest doctor's surgery?
Kutsukaa lääkäri!	Call a doctor!
Luulen että minulla on...	I believe I have...
Minua koskee tänne.	It hurts here.
Minua huimaa/pyörryttää.	I feel faint/dizzy.
Minulla on hammassärkyä.	I have a toothache.
Päähäni koskee.	I have a headache.
Minulla on ripuli.	I have diarrhoea.
Minua oksettaa.	I feel sick.
Minulla on nuha.	I have a cold.
Minulla on kuumetta.	I have a temperature.
Vatsassani on ollut vaivoja jo pitkään.	I've had a stomach ache for a long time already.

Kurkkuni on todella kipeä, ja minulla on kuumetta.	I have a very sore throat and temperature.
Vaiva on ollut aamusta/ illasta/eilisestä/pari päivää.	I've had this problem since this morning/since last night/since yesterday/for a couple of days.
Haluaisin jotakin yskään/ ruoansulatusvaivoihin/ kipeään kurkkuun.	I'd like something for cough/indigestion/a sore throat.
Tarvitsen särkylääkettä/ unilääkettä/antibiootteja.	I need painkillers/sleeping pills/antibiotics.
Olen raskaana.	I'm pregnant.
Minulla on rokotus hepa-tiittia/jäykkäkouristusta/ kurkkumätää/malariaa/ poliota vastaan.	I've been vaccinated against hepatitis/tetanus/ diphtheria/malaria/polio.
Sain eilen omituisen huimauskohtauksen.	I had a strange dizzy spell yesterday.
Minulla on sokeritauti/ korkea verenpaine/ epilepsia.	I'm diabetic/I have high blood pressure/I'm epileptic.
Minulla on vakituinen lääkitys.	I'm on permanent medication.
Olen yliherkkä penisil-liinille/kalalle/pähkinälle/ sitrushedelmille/siitepö-lylle.	I'm allergic to penicillin/ fish/nuts/citrus fruit/ pollen.
Minulla on matkavakuutus.	I've got a travel insurance.
Missä on lähin apteekki?	Where's the nearest pharmacy?
Onko teillä aspiriinia/anti-histamiinia/terveyssiteitä/ laastaria?	Do you have aspirine/ antihistamine/sanitary towels/plasters?

PESULASSA

IN A LAUNDERETTE

Anteeksi, missä on lähin (itsepalvelu)pesula?	Excuse me, where's the nearest launderette?
Paljonko näiden pesettäminen maksaa?	How much does it cost to have these washed?
Puvussani on tahra.	There is a stain on my suit.
Paljonko yksi koneellinen/pyykkikilo maksaa?	How much does a load/a kilo of laundry cost?
Kauanko pesu kestää?	How long does one wash take?
Milloin voin noutaa vaatteeni?	When can I come to collect my clothes?
Missä on pesuainetta/huuhteluainetta?	Where's the detergent/rinse agent?
Sisältyykö hintaan kuivausrummun käyttö?	Is the use of tumbler drier included in the price?
Onko täällä silitysrautaa?	Is there an iron available?

POLIISIASEMALLA

AT THE POLICE STATION

Anteeksi, missä lähin poliisiasema on?	Excuse me, where's the nearest police station?
Voisitteko auttaa?	Could you please help me?
Olen eksyksissä.	I'm lost.
Olen kadottanut passin/lompakon/avaimet.	I've lost my passport/wallet/keys.
Poikani/tyttäreni on kadonnut.	My son/daughter has gone missing.
Missä on lähin löytötavaratoimisto?	Where's the nearest lost property office?

Minulta varastettiin passi/lompakko/auto/kamera.	My passport/wallet/car/camera has been stolen.
Minut on ryöstetty.	I've been robbed.
Minut on pahoinpidelty.	I've been mugged.
Minut on raiskattu.	I've been raped.
Autooni on murtauduttu.	My car has been broken into.

MATKUSTAMINEN — TRAVELLING

YLEISTÄ — *GENERAL*

Anteeksi, miten pääsee rautatieasemalle/linja-autoasemalle/lentoasemalle?	Excuse me, how do I get to the railway station/bus station/airport?
Anteeksi, mistä lähtee laiva/lautta...?	Excuse me, where does the boat/ferry for...leave from?
Anteeksi, missä on lipunmyynti?	Excuse me, where's the ticket office?
Paljonko maksaa lippu...?	How much is a ticket to...?
Voisinko saada aikataulun?	Could I have the timetable, please?
Haluaisin meno/meno-paluulipun...	A single/return ticket to ..., please.
Ensimmäiseen/toiseen luokkaan, kiitos.	First/second class, please.
Onko teillä opiskelija-alennusta/eläkeläisalennusta?	Is there a student discount/a pensioner discount?
Milloin lähtee seuraava lentokone/juna/bussi...?	When does the next plane/train/bus for...leave?

Minulla on elektroninen lippu.	I have an electronic ticket.
Tarvitsenko passia?	Do I need a passport?
Olen hukannut matka-tavarani.	I've lost my luggage.
Onko minulla vaihto-yhteys...?	Is there a connection?
Anteeksi, onko tämä paikka vapaa?	Excuse me, is this seat free?
Milloin me saavumme...?	What time do we arrive in...?
Voisitteko auttaa laukku-jeni kanssa?	Could you please help me with my luggage?
Hyvää matkaa!	Have a nice journey!

LENTOASEMALLA/ LENTOKONEESSA

AT THE AIRPORT/ON THE PLANE

Haluaisin käytäväpaikan/ ikkunapaikan.	I'd like an aisle seat/a window seat.
Myöhästyin koneesta/ jatkolennolta, voitteko varata minulle uuden lennon?	I missed my plane/ connection flight, could you book me on another flight, please?
Onko lento aikataulussa/ myöhässä/peruttu?	Is the flight on time/ delayed/cancelled?
Missä on terminaali/ portti...?	Where's terminal/gate...?
Miten pääsen kakkos-terminaaliin?	How do I get to terminal two?
Mistä terminaalista Finnairin lennot lähtevät?	Which terminal does Finnair fly from?

Mistä matkatavarat voi noutaa?	Where can I collect my luggage?
Matkatavarani eivät ole saapuneet.	My luggage has not arrived.
Miten pääsen kaupungin keskustaan?	How do I get to the town centre?
Mistä löydän taksin/bussi-pysäkin/juna-aseman?	Where can I find a taxi/a bus stop/a train station?

RAUTATIEASEMALLA/ JUNASSA

AT THE RAILWAY STATION/ ON THE TRAIN

Miltä raiteelta juna lähtee?	Which platform does the train leave from?
Tarvitsenko paikkalipun?	Do I need to reserve a seat?
Onko junassa ravintola-vaunu?	Is there a restaurant car on the train?
Missä on matkatavaroiden säilytys?	Where are the luggage lockers?
Missä lipunmyynti sijaitsee?	Where's the ticket office?
Mihin aikaan lähtee seu-raava juna Lontooseen?	What time does the next train to London leave?
Miltä laiturilta Brightoniin menevät junat lähtevät?	Which platform do the trains for Brighton leave from?
Saanko menolipun Lontooseen, kiitos.	A single to London, please.
Saanko meno-paluulipun Brightoniin, kiitos. Paluu tänään/huomenna/sunnuntaina.	A return ticket to Brighton, please. Return today/tomorrow/on Sunday.

Haluaisin ikkunapaikan.	I'd like a window seat, please.
Saanko päivälipun/viikon-loppulipun/viikkolipun, kiitos.	May I have a day ticket/a weekend ticket/a weekly ticket, please.
Haluaisin toisen luokan lipun, kiitos.	A second class ticket, please.
Haluaisin lepovaunupai-kan/makuuvaunupaikan.	I'd like to book a couchette/ a sleeper, please.
Pitääkö vaihtaa junaa?	Do I have to change trains?
Mihin aikaan juna on perillä?	What time does the train arrive at the destination?
Anteeksi, onko tämä paikka vapaa?	Excuse me, is this seat free?
Se taitaa olla minun paikkani.	I believe that's my seat.
Voinko avata ikkunan?	May I open the window?

LINJA-AUTOASEMALLA/ LINJA-AUTOSSA

AT THE BUS STATION/ ON THE BUS

Anteeksi, missä on lähin linja-autopysäkki?	Excuse me, where's the nearest bus stop?
Anteeksi, miten pääsen linja-autoasemalle?	Excuse me, how do I get to the bus station?
Milloin lähtee seuraava linja-auto keskustaan?	When's the next bus to the centre?
Miltä pysäkiltä linja-auto lähtee?	Whis stop does the bus leave from?
Mistä menee linja-auto lentoasemalle?	Where does the bus to the airport leave from?

Pysähtyykö linja-auto
rautatieasemalla?

Does the bus stop at the
railway station?

Meneehän tämä linja
keskustaan?

This bus goes to the
centre, doesn't it?

Voitteko sanoa, kun minun
pitää jäädä kyydistä?

Could you tell me when
to get off, please?

Paljonko maksaa meno-
paluulippu/menolippu
keskustaan?

How much is a return/
single to the centre?

Kuinka kauan lippu on
voimassa?

How long is the ticket
valid?

Onko teillä myynnissä
matkakortteja?

Do you sell travelcards?

Saanko yhden päiväkortin/
viikonloppukortin/viikko-
kortin, kiitos.

May I have a one day/a
weekend/a weekly travel-
card, please.

Anteeksi onko tämä
paikka varattu?

Excuse me, is this seat
taken?

Voinko istua tähän?

May I sit here?

METROSSA/
RAITIOVAUNUSSA

*ON THE UNDERGROUND/
ON THE TRAM*

Missä on lähin metro-
asema?

Where's the nearest
underground station?

Milloin lähtee seuraava
metro länteen/keskus-
taan?

When's the next west-
bound train/train to the
centre?

Mikä linja menee rauta-
tieasemalle?

Which line goes to the
railway station?

Miltä laiturilta metro
lähtee?

Which platform does the
train leave from?

Paljonko metrolippu maksaa?	How much is the underground fare?
Kuinka kauan lippu on voimassa?	How long is the ticket valid?
Onko seuraava keskustan asema?	Is the next station the city/town centre?
Missä minun pitää vaihtaa junaa päästäkseni...?	Where do I have to change to get to...?

TAKSISSA

IN A TAXI

Voisitko soittaa minulle taksin?	Could you call me a taxi, please?
Anteeksi, missä on lähin taksiasema?	Excuse me, where's the nearest taxi rank?
Haluaisin taksin tunnin kuluttua / huomenna kahdeksaksi.	I'd like a taxi in an hour/for tomorrow at eight o'clock.
Lentokentälle/rautatie-asemalle/hotelliin/tähän osoitteeseen, kiitos.	To the airport/the railway station/the hotel/this address, please.
Jäisin pois tässä, kiitos.	I'd like to get off here, please.
Voisitteko odottaa tässä?	Could you wait here, please?
Paljonko kyyti maksaa?	How much does the ride cost?
Laittakaa mittari päälle.	Put the meter on, please.
Saisinko kuitin?	Could I have a receipt, please?
Pitäkää vaihtorahat.	Keep the change.

HUOLTOASEMALLA

AT THE SERVICE STATION

Haluaisin... litraa bensiiniä/dieseliä.

I'd like...litres of petrol/diesel.

Tankki täyteen, kiitos!

Fill it up, please!

Bensapumppu numero viisi.

Pump number five, please.

Voisitteko tarkastaa renkaat/akun/öljyn/veden?

Could you check the tyres/the battery/the oil/the water, please?

Voisitteko pestä ja puhdistaa auton?

Could you wash and clean my car, please?

Autostani loppui bensa.

I ran out of petrol.

Autoni ei starttaa.

My car won't start.

Jotakin on vialla...

There's something wrong with...

Rengas on puhki.

I've got a flat tyre/ a puncture.

Voitteko hinata autoni?

Could you tow my car?

Voitteko korjata autoni?

Could you repair my car?

Kauanko se kestää?

How long does it take?

Mitä korjaus maksaisi?

How much would it cost to repair it?

Onko autoni valmis?

Is my car ready?

Missä on lähin bensa-asema?

Where's the nearest petrol station?

Onko teillä alueen maantiekarttaa?

Do you have a road map of the area?

AUTON VUOKRAAMINEN

HIRING A CAR

Haluaisin vuokrata auton päiväksi/viikonlopuksi/viikoksi.

I'd like to hire a car for one day/for a weekend/for a week.

Paljonko vuokra on?

How much is it?

Sisältääkö hinta vapaat ajokilometrit?

Is that with unlimited mileage?

Sisältyykö vakuutus hintaan?

Is insurance included in the price?

Onko tankki täynnä?

Is the tank full?

Millaista polttoainetta tankataan?

What kind of petrol does it consume?

Minkälaisia autovaihto-ehtoja teillä on?

What kind of car selection do you have?

Onko teillä erikoistar-jouksia?

Do you have any special offers?

Tarvitsemme lasten turvaistuimen.

We need a child seat.

Voinko jättää auton lentoasemalle?

Can I leave the car at the airport?

TIEN KYSYMINEN, SUUNNAT, AJO-OHJEET

DIRECTIONS

Anteeksi, onko tämä oikea tie...?

Excuse me, is this the road to...?

Anteeksi, missä on...?

Excuse me, where's the...?

Anteeksi, kuinka pääsen kaupungin keskustaan/lentoasemalle/moottori-tielle/kauppakeskukseen?

Excuse me, how can I get to the town centre/airport/motorway/shopping centre?

Kääntykää oikealle seuraavassa risteyksessä.	Turn right at the next crossroads.
Ensimmäinen/toinen katu oikealle/vasemmalle.	First/second street on the the right/left.
Suoraan ja liikennevaloista vasemmalle.	Straight on and turn left at the traffic lights.
Ikävä kyllä en osaa auttaa.	I'm afraid I can't help.
Onko se kävelymatkan päässä?	Is it within a walking distance?
Kuinka pitkä matka sinne on?	How far is it?
Se on lähellä/kaukana.	It's near/far.
Sinne on noin 5 kilometriä.	It's about 5 km away.
Minulla on kiire.	I'm in a hurry.
Hotelli on lähellä/vastapäätä rautatieasemaa.	The hotel is near/opposite the railway station.
Pääseekö sinne metrolla/bussilla/junalla?	Can I reach it by underground/bus/train?
Missä on lähin metroasema/bussipysäkki/juna-asema?	Where's the nearest underground station/bus stop/train station?
Anteeksi, missä on lähin huoltoasema?	Excuse me, where's the nearest service station?
Anteeksi, voisitteko näyttää kartalta, missä olen?	Excuse me, could you show me where I am on the map?
Mikä bussi menee lentoasemalle?	Which bus goes to the airport?
Voisitteko kertoa, missä jäämme pois?	Could you tell us where to get off?

Mistä bussi rautatieasemalle lähtee?	Where does the bus to the railway station leave from?
Missä on lähin taksitolppa?	Where's the nearest taxi rank?
oikealle	to the right
vasemmalle	to the left
suoraan	straight on
pohjoiseen	to the north
etelään	to the south
länteen	to the west
itään	to the east

PYSÄKÖINTI

PARKING

Mihin voin pysäköidä?	Where can I park?
Onko lähistöllä parkkitaloa?	Is there a multi-storey car park nearby?
Onko parkkitalo auki läpi vuorokauden?	Is the multi-storey open 24 hours?
Onko hotellissa parkkipaikkaa?	Is there a car park for the hotel guests?
Tarvitseeko täällä pysäköintikiekkoa?	Do you need a parking disk here?
Tarvitsisin pikkurahaa pysäköintimittariin, voisitteko vaihtaa tämän setelin?	I need some change for the parking meter, could you change this note?

maksu	payment
maksullinen aika	chargeable hours
maksuton	free

ONNETTOMUUSTILAN-TEESSA

IN CASE OF EMERGENCY

Apua!	Help!
On sattunut onnettomuus.	There has been an accident.
Kutsukaa lääkäri!	Call a doctor!
Hälyttäkää poliisi/palokunta!	Call the police/fire brigades!
Soittakaa ambulanssi!	Call an ambulance!
Voisitteko auttaa minua?	Could you help me, please?
Minun on päästävä sairaalaan.	I need to get to the hospital.
Hän vuotaa verta.	S/he is bleeding.
Hän on tajuton.	S/he is unconscious.
Missä on lähin sairaala?	Where's the nearest hospital?
Missä on lähin puhelin?	Where's the nearest phone?

MATKAILUNEUVONNASSA	AT THE TOURIST INFORMATION OFFICE
Mitä nähtävyyksiä kaupungissa on?	What local attractions are there in the area?
Mitä tapahtumia kaupungissa on tänään/tällä viikolla?	What events are there in this town today/this week?
Haluaisimme opastetulle kiertoajelulle.	We'd like to go on a guided tour.
Missä on lähin uimaranta?	Where's the nearest beach?
Missä on museo/teatteri/ kirkko nimeltä...?	Where's the museum/ theatre/church called...?
Missä on eläintarha/ huvipuisto?	Where's the zoo/the amusement park?
Milloin se on auki?	When is it open?
Onko teillä kaupungin karttaa/metrokarttaa?	Do you have the town map/the underground map?
Onko teillä bussiaikataulua/juna-aikataulua?	Do you have the bus timetable/train timetable?
Onko teillä tietoa edullisista/keskihintaisista hotelleista?	Do you have information on budged/medium-priced hotels?
Onko teillä ravintolaopasta/ esitteitä kaupungin nähtävyyksistä?	Do you have a restaurant guide/sightseeing guide?
Osaatteko suositella hyvää ravintolaa lähistöltä?	Can you recommend a good restaurant somewhere nearby?
Saisinko esitteen/kartan?	A brochure/map, please.

NÄHTÄVYYDET

ATTRACTIONS

Kaksi lippua, kiitos!

Two tickets, please!

Minkälaiset aukioloajat teillä on?

What kind of opening hours do you have?

Milloin suljette?

What time do you close?

Kuinka paljon pääsymaksu on?

What's the entrance fee?

Onko teillä lapsi-/opiske-lija-/eläkeläisalennusta?

Do you have discount rates for children/students/pensioners?

Onko valokuvaaminen sallittua?

Is it allowed to take photos?

KULTUURI JA VIIHDE

CULTURE AND ENTERTAINMENT

Mitä täällä voi tehdä iltaisin?

What can you do here in the evenings?

Voitko suositella jotain hyvää elokuvaa/näytel-mää/konserttia/keikkaa?

Can you recommend a good film/play/concert/gig?

Mitä oopperassa/teatte-rissa menee tänään?

What's on at the opera/theatre today?

Mistä saa lippuja?

Where can I buy tickets?

Haluaisin kaksi lippua tämän illan näytökseen.

Two tickets for this evening, please.

Paljonko liput maksavat?

How much are the tickets?

Haluaisin paikat parvek-keelta/permannolta.

I'd like seats in the circle/stalls.

Voisinko saada käsi-ohjelman?

May I have the programme, please.

Anteeksi, missä on lähin elokuvateatteri?	Excuse me, where's the nearest cinema?

LIIKUNTA JA URHEILUKILPAILUT

SPORTS AND SPORTING EVENTS

Milloin on seuraava jalkapallo-ottelu?	When is the next football match?
Mitkä joukkueet pelaavat?	Which teams are playing?
Mitä liput maksavat?	How much are the tickets?
Missä on lähin golfkenttä/ tenniskenttä?	Where's the nearest golf course/tennis court?
Paljonko se maksaa tunnilta/päivältä?	How much does it cost per hour/per day?
Onko täällä kuntosalia/ uima-allasta/uimahallia?	Is there a gym/a pool/a public swimming pool here?
Missä voi kalastaa?	Where can you fish around here?
Mistä voi ostaa kalastus-kortin?	Where can you buy a fishing licence?
Onko täällä vaellusreittejä?	Are there any hiking trails here?
Missä voi hölkätä?	Where can you jog around here?
Onko teillä hiihtokursseja?	Can I take skiing lessons here?
Haluaisin vuokrata sukset/ lumilaudan.	I'd like to rent skis/a snowboard.
Saisinko yhden päivän hissilipun?	A day ticket, please.

SÄÄ	THE WEATHER
Onpa tänään kylmä/lämmin!	It's so cold/warm today!
Onpa kaunis päivä!	What a lovely day!
Mitä säätiedotuksessa luvataan?	What does the weather forecast say?
On luvattu aurinkoista/sateista/tuulista/pilvistä/sumuista.	It'll be sunny/rainy/windy/foggy.
Sataa lunta.	It's snowing.

KYLTTEJÄ JA OHJEITA	SIGNS AND INSTRUCTIONS
Auki	Open
Ei lapsille	Not for children
Ei saa peittää	Do not cover
Ei uloskäyntiä	No exit
Epäkunnossa	Out of order
Hätäjarru	Emergency brake
Kiertotie	Detour
Lumivyöryvaara	Avalanches. Danger!
Parasta ennen	Best before
Ravistetaan	Shake
Routavaurio	Frost damage
Sisäänkäynti	Entrance
Suljettu	Closed
Säilytetään kylmässä	Store in a cold place
Tietyö	Roadworks

Tupakointi kielletty	No smoking
Tupakointi sallittu	Smoking area
Työnnä	Push
Uloskäynti	Exit
Vain henkilökunnalle	Staff only
Vain parranajokoneelle	Shavers only
Vapaita huoneita	Free rooms
Varauloskäytävä	Emergency exit
Varo koiraa	Beware of the dog
Vedä	Pull
Varo!	Caution!
Ohittaminen kielletty	No overtaking
Pysähtyminen kielletty	No stopping

YLEISTÄ	MISCELLANEOUS INFORMATION
LYHYITÄ KYSYMYKSIÄ JA VASTAUKSIA	*SHORT QUESTIONS AND ANSWERS*
Kyllä.	Yes.
Ei.	No.
Olen pahoillani.	I'm sorry.
Ei se mitään.	No problem.
Kiitos!	Thank you!
Eipä kestä.	Not at all.
Totta kai!	Of course!
Sovittu!	It's a deal!
Hetkinen...	One moment, please...

En tiedä.	I don't know.
En ymmärrä.	I don't understand.
Valitettavasti en voi auttaa.	I'm afraid I can't help you.
Puhutteko suomea/ englantia?	Do you speak Finnish/ English?
Anteeksi kuinka?	Pardon?
Voisitteko toistaa?	Can you repeat, please?
Puhukaa hitaasti.	Please speak slowly.
Voisitteko kirjoittaa sen?	Could you write it down, please?
Mitä tämä tarkoittaa?	What does this mean?
Mitä tämä on englanniksi?	How do you say this in English?

AJAN KYSYMINEN

ASKING FOR TIME

Paljonko kello on?	What time is it?
Kello on yksi.	It's one o'clock.
Viisi yli kaksi.	It's five past two.
Varttia yli kaksi.	It's a quarter past two.
Kaksikymmentäviisi yli kaksi.	It's twenty-five past two.
Puoli kolme.	It's half past two.
Kaksikymmentäviisi vaille kolme.	It's twenty-five to three.
Neljännestä vaille kolme.	It's a quarter to three.
Viittä vaille kolme.	It's five to three.
Tunnin päästä	In an hour
Aamulla	In the morning

Iltapäivällä	In the afternoon
Illalla	In the evening
Yöllä	At night
Huomenna	Tomorrow
Ylihuomenna	The day after tomorrow

Iso-Britannian ja Pohjois-Irlannin yhdistynyt kuningaskunta

PERUSTIETOA MATKAILIJALLE

PERUSTIETOA MAASTA JA KANSASTA
Pinta-ala: 244 820 km^2
Asukasluku: noin 60 miljoonaa
Pääkaupunki: Lontoo
Rahayksikkö: punta
Kielet: englanti, kymri, gaeli ja iiri
Uskonnot: kristinusko (virallinen valtionkirkko on anglikaanikirkko), islam, juutalaisuus, hindulaisuus jne.
Aluejako: Ison-Britannian ja Pohjois-Irlannin yhdistyneeseen kuningaskuntaan (The United Kingdom of Great Britain and Northern Ireland) kuuluvat Englanti, Wales, Skotlanti ja Pohjois-Irlanti. Englanti on jaettu yhdeksään lääniin. Läänit on puolestaan jaettu kreivikuntiin ja edelleen kuntiin. Myös Wales, Skotlanti ja Pohjois-Irlanti on jaettu paikallishallintojen johtamiin alueisiin. Suomen kielessä Yhdistynyttä kuningaskuntaa kutsutaan yleensä Iso-Britanniaksi.
Suurimmat kaupungit: pääkaupunki Lontoo 7,3 miljoonaa, Birmingham n. 1 miljoona (metropolialue n. 2,4 miljoonaa), Leeds 725 000, Glasgow 611 000, Sheffield 529 000, Manchester 430 000 (metropolialue n. 2,3 miljoonaa)
Tärkeimmät saaret: Scillynsaari, Wightsaari, Hebridit, Orkneysaaret ja Shetlandinsaaret. Itsehallinnolliset Mansaari ja Kanaalisaaret Jersey ja Guernsey ovat kruunun alaisia, mutteivät kuulu Yhdistyneeseen kuningaskuntaan ja Euroopan Unioniin.

Suurimmat järvet: Lough Neagh, Alempi Lough
Erne, Loch Lomond, Loch Ness, Loch Morar. Kaikki
suurimmat järvet sijaitsevat joko Pohjois-Irlannissa
tai Skotlannissa.
Suurimmat joet: Thames, Severn
Korkeimmat vuoret: Ben Nevis, Snowdown

KESKIMÄÄRÄINEN SÄÄ KUUKAUSITTAIN

kuukausi	T	H	M	H	T	K	H	E	S	L	M	J
alin (°C)	1.1	1.0	2.4	3.6	6.3	9.1	11.4	11.2	9.3	6.6	3.5	2.0
ylin (°C)	6.6	6.9	9.3	11.7	15.4	18.1	20.6	20.5	17.5	13.6	9.5	7.4
Sateen määrä mm:nä	133	96	104	75	71	77	74	93	119	128	129	138

JUHLAPÄIVÄT

1.1.	uuden vuoden päivä	New Year's Day
	*pitkäperjantai	Good Friday
	*ensimmäinen pääsiäispäivä - ei Skotlannissa	Easter Day/Sunday
	*toinen pääsiäispäivä - ei Skotlannissa	Easter Monday
	*toukokuun alun pyhäpäivä	Early May Bank Holiday
	*kevään pyhäpäivä	Spring Bank Holiday
	*kesän pyhäpäivä - ei Skotlannissa	Summer Bank Holiday
25.12.	joulupäivä	Christmas Day
26.12.	Tapaninpäivä	Boxing Day

*-merkittyjen juhlapyhien päivämäärä vaihtelee vuosittain. Lisäksi Englannissa,
Skotlannissa, Walesissa ja Pohjois-Irlannissa on omia maakohtaisia juhla-
pyhiään.

MAJOITTUMISMAHDOLLISUUDET

Iso-Britannian hintataso on melko korkea, joten hotellit voivat olla kalliita. Hotellit on luokiteltu yhdestä viiteen tähteen. Yhden tähden hotelleissa ei yleensä ole omaa kylpyhuonetta. Bed & Breakfast -majoitusmuoto on hyvin yleinen. Hinnat ovat edullisemmat kuin hotelleissa, mutta majoitus on melko vaatimaton. Aamiainen kuuluu hintaan ja yhteiskäytössä oleva kylpyhuone on yleensä käytävällä.

Hostellit ovat suhteellisen edullinen majoitusmuoto. Majoitus on suurissa, useamman hengen huoneissa. Suihkut ja kylpyhuone ovat yhteiskäytössä.

Leirintäalueiden hinta ja taso vaihtelevat huomattavasti. Hintahaarukka on noin 12–35 euroa/yö.

HINTATASO, PANKKIPALVELUT

Iso-Britannia on kallis maa ja erityisesti Lontoossa kannattaa varautua melko ruhtinaalliseen matkakassaan.

Englannissa ja Walesissa pankit ovat auki arkisin 09.00/09.30–16.00/16.30. (Jotkut pankit myös lauantaisin klo 12.00/13.00 asti.) Skotlannissa ma–ke ja pe 09.15–16.45, to 09.15–17.30. (Pienemmissä kaupungeissa pankit voivat olla suljettuina lounasaikaan klo 12.30–13.30.). Luottokortilla voi maksaa lähes joka paikassa.

RUOKA

Ravintolatyypit ja aukioloajat: Iso-Britanniassa on paljon etnisiä ravintoloita ja muita kansainvälisen keittiön ravintoloita. Pubeissa tarjoillaan brittiruokaa, esimerkiksi erilaisia suolaisia piirakoita. Edullisia pikaruokaloita ja aamiaispaikkoja on runsaasti. Katukuvassa näkyy myös valtava määrä kahviloita, joista saa erikoiskahveja, kerrosleipiä, täytettyjä patonkeja, salaatteja tms. Nämä ovat suosittuja lounaspaikkoja. Ravintolat avaavat ovensa yleensä vasta ennen lounasaikaa noin klo 11.00–12.00 ja ovat auki aina klo 22.00–23.00 asti. Myös pubit aukeavat puolelta päivin ja ovat auki ainakin klo 23:een. Useilla pubeilla tosin on jatketut aukioloajat.

Kaikki pubit eivät tarjoile ruokaa enää myöhään illalla
vaan keittiö sulkeutuu heti lounasajan jälkeen. Kahvilat
ja aamiaispaikat avaavat varhain aamulla, mutta sulke-
vat usein jo klo 17.00.

Tyypilliset ruokalajit: Britit syövät hyvin kansainvälis-
tä ruokaa. Pastaruoat ja itämainen ruoka, erityisesti
intialainen, ovat suosittuja. Perinteisempi brittiruoka
sisältää lihaa tai kalaa perunan ja jonkin vihanneksen
kanssa. Tyypillisiä ruokalajeja ovat munuaispiiras
(steak and kidney pie), leivitetty kala ja ranskalaiset
(fish and chips) sekä makkara ja perunamuusi (bangers
and mash). Britanniassa kohtaa myös fuusiokeittiön
antimia, joissa eri maiden makuja on yhdistelty. Maas-
sa on erittäin laajat luomuruokavalikoimat sekä paljon
vaihtoehtoja kasvissyöjille ja muille erikoisruokavaliota
noudattaville. Sunnuntaisin useissa pubeissa tarjoillaan
perinteistä paahtopaistia (Sunday roast). Britit syövät
mielellään jälkiruoaksi erilaisia vanukkaita, kakkuja ja
piirakoita. Usein nämä tarjoillaan paksun vaniljakastik-
keen kanssa (custard). Perinteisiä jälkiruokia ovat muun
muassa leipävanukas (bread and butter pudding), kui-
vahedelmävanukas (spotted dick), hedelmäpaistos (fruit
crumble), kääretorttu (roly poly) ja pappilan hätävaraa
muistuttava kerrosjälkiruoka (trifle).

Ruoka-ajat: Aamiaista syödään klo 07.00–09.00, lounas-
ta klo 12.00–13.30 ja illallista klo 18.30–20.00. Päivälli-
sestä käytetään usein nimitystä tea, jota ei tule sekoit-
taa teetarjoiluun.

JUOMAT
Alkoholipolitiikka: Kaikkia alkoholijuomia voi ostaa nor-
maaleista ruokakaupoista. Erityisiä alkoholikauppoja
ovat off-licence -liikkeet. Iso-Britanniassa alkoholin
käyttö on lähes samanlaista kuin Suomessa. Ylilyöntejä
sattuu ja katukuvassa humalainen ei ole vieras näky.
Kahvi: Iso-Britanniassa saa ostaa erikoiskahveja lähes
paikasta kuin paikasta. Brittien oma perinteinen suoda-
tinkahvi (filter coffee) kuitenkin lienee lähinnä suoma-
laista kahvia.

ILTA-/YÖELÄMÄ

Pubit sulkevat ovensa useimmiten klo 23.00, myöhäisemmät aukioloajat ovat tosin yleistyneet. Klubit, joissa on laaja musiikkivalikoima, ovat auki yömyöhään. Erityisesti Lontoossa on vilkas yöelämä.

Britanniassa, varsinkin isoissa kaupungeissa on runsas valikoima erilaisia teattereita, konantteja ja muita kulttuuritapahtumia. Paikallisesta matkailuneuvonnasta on hyvä hakea kuukauden tapahtumakalenteri. Lontoossa esimerkiksi Time Out -lehdestä löytyy lista ajankohtaisista tapahtumista, ravintola-arvosteluja yms.

LIIKUNTA/URHEILU

Britit ovat innokasta jalkapallokansaa. Englannin valioliigan kausi kestää elokuusta toukokuuhun. Lippujen hinnat vaihtelevat 30 eurosta 70 euroon. Jalkapallo-ottelut alkavat yleensä klo 15. Briteillä on tunnetusti myös omat perinteiset lajinsa, kuten kriketti ja poolo. Myös laukkakilpailut ovat suosittuja. Aston lienee tunnetuin laukkarata.

Urheilukeskuksissa (sports centre, recreation centre) voi käydä kuntosalilla (gym), pelaamassa pallopelejä sekä usein myös uimassa. Vaihtoehtojen runsaus on keskuskohtaista. Kannattaa kuitenkin varautua siihen, että useilla urheilukeskuksilla on jäsenyys ja ilman sitä kertamaksut ovat todella korkeita.

LIIKENNE

Yleistä: Iso-Britanniassa on vasemmanpuoleinen liikenne. Oikealta tulevalla on liikenneympyröissä etuajo-oikeus. Ohittaminen tapahtuu oikealta. Nopeusrajoitukset ovat seuraavat: taajama-alueilla 30 mailia (48km) tunnissa, kaksikaistaisilla teillä 60 mailia (96km) tunnissa, nelikaistaisilla teillä ja moottoriteillä 70 mailia (112km) tunnissa.
Julkinen liikenne: Menopaluulipun tai bussikortin osto on halvempaa kuin kertalippujen ostaminen. Kannattaa varautua siihen, että matkustamiseen menee

ruuhkaisen liikenteen vuoksi aikaa. Britanniassa on laaja bussiverkosto, ja eri liikenneyhtiöt hoitavat paikallisbussiliikennettä ja pitkän matkan busseja. National Express on yksi suurimmista pitkän matkan bussiyrityksistä. Lippuja voi ostaa linja-autoasemilta, liikenneyhtiöiden myyntipisteistä, internetistä tai bussista. Pitkän matkan busseihin on hyvä ostaa lippu etukäteen, koska ne ovat usein täynnä. Huomaa myös, että Britanniassa on paljon eri liikenneyhtiöitä ja yleensä tietty bussilippu käy vain yhden yhtiön busseissa.

Junalla matkustaminen on hieman kalliimpaa kuin bussilla, mutta siten välttää ruuhkat. Aikataulut eivät tosin aina pidä paikkaansa, ja myös junalla matkustamiseen kannattaa varata hyvin aikaa. Junissa ilmenee myös matkaa viivästyttäviä vikoja suhteellisen usein.

Suoria linjoja pienten kaupunkien välillä ei aina ole, vaan täytyy matkustaa Lontoon tai jonkin muun suuren kaupungin kautta päästäkseen suhteellisen lähelläkin sijaitsevaan paikkaan. Tämä on hyvä ottaa huomioon matkasuunnitelmia tehdessä.

Lontoossa metro on erinomainen kulkuväline. Metroverkko ulottuu hyvin laajalle alueelle ja metrokarttoja on helppo tulkita. Matkustaminen on suhteellisen edullista ja nopeampaa kuin esimerkiksi busseilla. Kannattaa kuitenkin varautua valtaviin ihmismassoihin ruuhka-aikaan. Esimerkiksi Heathrow'n lentoasemalta Lontoon keskustaan matkustaa ruuhka-aikana yli tunnin. Jos käyttää metroa useammin kuin pari kertaa päivässä, päivä- tai kausilipun hankkiminen kannattaa.

Taksit – lailliset ja "pimeät": Mustat Lontoon taksit ovat suhteellisen luotettavia, mutta melko kalliita. Niin kutsutut yksityisten taksiyhtiöiden minicabit ovat edullisempia, mutta niitä ei voi pysäyttää kadulla vaan ne täytyy tilata etukäteen. Minicab-kyytiä tilattaessa sovitaan hinta etukäteen. Puhelinluetteloista löytyy numerot eri minicab-yhtiöihin. "Pimeät taksit" liikuskelevat yleensä lentokenttien ja rautatieasemien läheisyydessä. Jos sinulle tarjotaan taksia, siitä on hyvä kieltäytyä, sillä nämä ilman asiaankuuluvia lupia ajavat taksit saattavat

veloittaa suuria summia lyhyistäkin matkoista ja ovat
tietysti laittomia.

Autoilu: Britanniasta löytyvät kaikki suurimmat kan-
sainväliset autovuokraamot. Vuokraajan täytyy olla
vähintään 23-vuotias, hänen ajokorttinsa ainakin vuo-
den vanha ja ajo rikkeetöntä. Vuokraamo saattaa pyytää
jonkinlaisen takuumaksun, jos maksaa käteisellä. Sum-
ma hyvitetään autoa palautettaessa. Brittien ajotyyli
on aika maltillinen, mutta ajaminen voi silti olla haas-
teellista vasemmanpuoleisessa liikenteessä. Omalla
eurooppalaisella autolla liikuttaessa on varauduttava sii-
hen, että näkyvyys on huono, koska kuskin on istuttava
ns. "ojan puolella" ja siten esimerkiksi ohittaminen
on vaikeaa. Moottoripyörän vuokraamiseen tarvitaan
keskimäärin vähintään 25 vuoden ikä. Skootterin vuok-
raajan on oltava vähintään 17-vuotias. Kypärän käyttö
on pakollista.

Laivat: Britanniaan on helppo saapua laivalla. Esimer-
kiksi Newcastleen kulkee lauttareitti Göteborgista.
Ranskasta ja Belgiasta kulkee lauttoja Englannin itäran-
nikolle, muun muassa Calais–Dover-linja on suosittu.
Lauttaan on helppo tulla myös autolla. Hinnat vaihtele-
vat 100 euron molemmin puolin (autopaikka ja edesta-
kainen matka yhdeltä aikuiselta).

Lentomatkustus: Lontoossa on monia lentokenttiä, jois-
ta suurimmat ovat Heathrow, Stansted ja Gatwick. Mui-
ta lentokenttiä, joihin Suomesta on suoria lentoja, ovat
mm. Glasgow'n ja Manchesterin kentät.

Luotijuna: Eurostar-luotijuna kulkee Lontoon St Panc-
rasin rautatieasemalta Pariisiin ja Brysseliin. Vähäisiä
vuoroja kulkee myös muualle Ranskaan, esimerkiksi
Disneylandiin ja pariin Alppien laskettelukohteeseen.
Englannin kanaalin alittavaa tunnelia (the Channel
Tunnel) pitkin kulkevan luotijunan matka Pariisin Gare
du Nord -rautatieasemalle kestää hieman yli kaksi
tuntia.

Polkupyörät: Pyöräily ei ole sallittua jalkakäytävällä,
ellei sitä ole erikseen nimetty pyörätieksi (cycle track).
Poliisi voi antaa sakon tai varoituksen jalkakäytävällä

pyöräilystä. Pyöräreittikarttoja on saatavilla useimmista matkailuneuvonnoista. Pyöräilykypärän käyttö ei ole pakollista.

Liftaus: Liftaaminen onnistuu parhaiten kaupunkien ulosmenoteillä. Moottoriteillä liikenne on liian vilkasta liftaamiseen, mutta esimerkiksi huoltoasemilta voi pyytää kyytiä. Iso-Britanniassa liftatessa tulee noudattaa samaa varovaisuutta kuin muualla.

MUSEOT, TEATTERIT JA NÄHTÄVYYDET

Britanniassa on valtava määrä erilaisia museoita ja teattereita sekä muita nähtävyyksiä. Lontoossa sijaitsevan British Museumin tarjonta on ilmaista, yleensä nähtävyyksistä kannattaa varautua maksamaan melko paljon. Teatteriliput on hyvä tilata etukäteen, mutta niitä on usein saatavilla saman päivän näytöksiin lippupisteistä. Suurimpien teattereiden edessä on myynnissä mustan pörssin lippuja, mutta kaupoissa saattaa helposti joutua huijatuksi. Hinnat vaihtelevat noin 25 eurosta hyvin paljon ylöspäin.

Isoissa kaupungeissa on järjestetty bussikiertoajeluja, jotka kiertävät kaikki päänähtävyydet. Esimerkiksi Lontoossa on Hop On/Hop Off -systeemi, johon voi ostaa päivälipun ja kiertää kyseisen yhtiön busseilla nähtävyydestä toiseen. Busseissa on selostus usealla kielellä, pois saa jäädä millä pysäkillä tahansa ja nousta taas uuteen bussiin nähtävyyden nähtyään.

Museot ovat auki maanantaista lauantaihin klo 09.00–17.00 ja sunnuntaisin klo 14.30–17.00. Lontoossa jotkut museot ovat auki klo 20.30/22.00 asti. Jokaisen kohteen aukioloajat on hyvä kuitenkin tarkistaa erikseen. Tiedot saa esimerkiksi kyseisen kaupungin matkailuneuvonnasta.

KOHTELIAISUUSSÄÄNNÖT

Kylään kutsuminen: Jos sinut kutsutaan kylään, on koh-
teliasta viedä kukkia tai pieni lahja isäntäväelle. Britit
ovat hyvin täsmällisiä, joten on hyvä saapua sovittuun
aikaan. Vierailun jälkeen on fiksua lähettää pieni kiitos-
kortti tms.

 Tervehtimiset ja toivotukset: Britit ovat kuuluisia small
talkistaan. He tervehtivät hyvän päivän tuttujakin,
vaihtavat kuulumisia ja keskustelevat esimerkiksi
säästä.

Britit ovat hyvin kohteliaita ja muistavat kiittää ja
käyttää please-sanaa pyytäessään jotain. He myös käyt-
tävät sen henkilön nimeä, jolle he kulloinkin puhuvat.
Nuoriso ei välttämättä seuraa yllä mainittuja tapoja.

Teitittely on englanniksi helppoa, sillä sanat "sinä"
ja "te" ovat molemmat "you". Virallisissa yhteyksissä on
hyvä käyttää sanoja Mr tai Ms/Mrs/Miss yhdistettynä
kyseisen henkilön sukunimeen. Kannattaa myös seura-
ta miten toinen henkilö puhuttelee sinua ja miten hän
esittelee itsensä.

Esittely: Yleensä uutta henkilöä kätellään ensi kerran
tavattaessa. Sopiva lause tilanteessa on "Pleased to
meet you".

YLEINEN TURVALLISUUS

Liikkuminen iltaisin: Turvallisuus riippuu alueesta. Yksin
liikkumisessa iltaisin kannattaa käyttää maalaisjärkeä.
Taudit: Hanavesi on yleensä juomakelpoista, mutta
pullovesi voi olla maun vuoksi miellyttävämpi vaihto-
ehto. Jopa katukahviloiden ruoka on yleensä turvallista.
Britanniassa on kuitenkin esimerkiksi suhteessa enem-
män salmonellatapauksia kuin Suomessa. Etnisissä
ravintoloissa on hyvä varautua siihen, että ruoka on
hyvin mausteista. Tottumattoman vatsa ei sitä välttä-
mättä kestä.
Uiminen: Merenrannoilla on yleisiä uimarantoja, joissa
voi uida kesäisin. Talvisin vesi on liian kylmää. Kaikissa
kaupungeissa on kuitenkin yleisiä uimahalleja sekä
urheilukeskuksissa on uima-altaita.

Taskuvarkaat: Etenkin turistirysissä ja väentungoksessa on hyvä varautua taskuvarkaisiin (pickpockets). Usein taskuvarkaista varoitellaan kylteillä. Käsilaukkuaan ei myöskään kannata päästää silmistään edes hetkeksi.
Terrorismi (pommiuhat, tavaroiden jättäminen vartioimatta): Turvallisuusjärjestelyitä on tiukennettu kaikissa suurimmissa turistinähtävyyksissä ja niiden ympäristössä, yleisissä kulkuneuvoissa, lentokentillä, satamissa sekä rautatieasemilla. Omia matkatavaroita ei saa jättää vartioimatta ja yksinäisistä laukuista ja matkatavaroista kannattaa välittömästi raportoida poliisille.

YLEISET TERVEYDENHOITOPALVELUT JA HÄTÄNUMERO
EU:n kansalaiset ovat oikeutettuja ilmaiseen terveyden-huoltoon Britanniassa. Hätätapauksissa voi hakeutua hoitoon julkisen terveydenhuollon sairaaloihin (National Health Service eli NHS). Yleinen hätänumero on 999.

Muistiinpanoja